S

di Osho

nella collezione Oscar

L'ABC del risveglio
Alleggerire l'anima
L'amore nel Tantra
Aprirsi alla vita
L'arte del mutamento
L'arte di ricrearsi
Il benessere emotivo
Il Canto della Meditazione
La canzone della vita
Che cos'è la meditazione
Con te e senza di te
Il gioco delle emozioni
L'immortalità dell'anima
Innamorarsi dell'amore
Liberi di essere
Il lungo, il corto, il nulla
I Maestri raccontano
Il miracolo più grande
I misteri della vita
Orme sulle rive dell'ignoto
Questa è la vita
Ricominciare da sé
Tantra, amore e meditazione
La verità che cura
Una vertigine chiamata vita
La via del cuore
La voce del mistero
Yoga della comprensione interiore
Yoga: il respiro dell'infinito
Yoga: la scienza dell'anima
Yoga per il corpo, la mente, lo spirito
Yoga: potenza e libertà

nella collezione Varia

Il risveglio della dea

Osho

CON TE
E SENZA DI TE

Una nuova visione delle relazioni umane

Traduzione di Gagan Daniele Pietrini
& Swami Anand Videha

OSCAR MONDADORI

I edizione Arcobaleno gennaio 2005
I edizione Oscar varia febbraio 2006
I edizione Oscar spiritualità gennaio 2009

ISBN 978-88-04-58667-8

Questo volume è stato stampato
presso Mondadori Printing S.p.A.
Stabilimento NSM - Cles (TN)
Stampato in Italia. Printed in Italy

www.osho.com

Anno 2013 - Ristampa   19 20 21

FSC
www.fsc.org
MISTO
Carta
da fonti gestite in
maniera responsabile
FSC® C018290

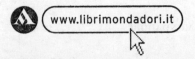

www.librimondadori.it

Con te e senza di te

«*Nec sine te, nec tecum vivere possum.*»
Ovidio, *Amores*, libro III,
elegia II, verso 39

«*Nec tecum possum vivere, nec sine te.*»
Marziale, *Epigrammi*, libro XII,
epigramma 47

«È ver: con lui felice
Non sono io mai: ma né senz'esso il sono.»
Alfieri, *Oreste*, atto III, scena I

«Per una relazione è necessaria sia l'intimità
che la lontananza; infatti in una relazione viva
esiste sempre lo stare vicini e l'allontanarsi: av-
vicinarsi e allontanarsi senza distruggere le ri-
spettive individualità.»

Osho

Introduzione

Nel *Simposio* di Platone, Socrate afferma: *Un uomo che pratichi i misteri dell'amore non sarà in contatto con un riflesso, ma con la verità stessa. Per conoscere questo dono del cielo della natura umana è impossibile trovare un aiuto migliore dell'amore.*

Per tutta la vita ho parlato dell'amore, in migliaia di modi diversi, ma il messaggio è sempre lo stesso. Solo una cosa fondamentale va ricordata: questo non è l'amore che tu conosci. Né Socrate né io stiamo parlando di quell'amore.

L'amore che conosci non è altro che un bisogno biologico; dipende dalla tua chimica organica e dai tuoi ormoni. È facilissimo cambiarlo: basta una piccola trasformazione nella tua chimica organica e l'amore che ritenevi «la verità assoluta» scomparirà, semplicemente. Tu hai chiamato «amore» la lussuria. Questa distinzione va ricordata.

Socrate dice: *Un uomo che pratichi i misteri dell'amore non sarà in contatto con un riflesso, ma con la verità stessa.*

La lussuria non ha misteri, è un semplice gioco biologico. Qualsiasi animale, qualsiasi uccello, qualsiasi albero la conosce. Di certo, l'amore che possiede dei misteri sarà totalmente diverso dall'amore al quale sei abituato.

Un uomo che pratichi i misteri dell'amore non sarà in contatto con il riflesso, ma con la verità stessa.

L'amore che può trasformarsi in punto di incontro con la verità sorge solo dalla tua consapevolezza; non dal tuo corpo, ma dal tuo essere più profondo. La lussuria proviene dal corpo, l'amore dalla consapevolezza. Ma, poiché la gente ignora la propria consapevolezza, il fraintendimento persiste e si perpetua: la lussuria corporea viene scambiata per amore.

Pochissime persone al mondo hanno conosciuto l'amore. Coloro che sono diventati estremamente silenziosi e sereni... grazie al silenzio e alla serenità conseguita entrano in contatto con il loro essere più profondo, la loro anima. Nel momento in cui sei in contatto con la tua anima l'amore non si trasforma in una relazione, è semplicemente una tua ombra. Ovunque tu vada, con chiunque ti accompagni, sei in amore.

Ora come ora, ciò che chiami amore è rivolto a qualcuno, è confinato a una persona. Ma l'amore non è un fenomeno che possa essere confinato. Puoi tenerlo nella mano aperta, ma non nel pugno. Non appena le mani si chiudono, sono vuote; non appena si aprono, l'intera esistenza è alla tua portata.

Socrate ha ragione: chi conosce l'amore conosce anche la verità, perché sono due nomi per definire la stessa esperienza. E se non hai conosciuto la verità, ricorda: non hai conosciuto nemmeno l'amore.

Per conoscere questo dono del cielo della natura umana è impossibile trovare un aiuto migliore dell'amore.

Parte prima

L'AMORE

Sarai sorpreso di sapere che la parola inglese *love* deriva da un termine sanscrito, *lobha*; *lobha* vuol dire avidità. Forse è una coincidenza, ma la mia sensazione è che non possa essere semplicemente così. Dietro deve esserci qualcosa di più misterioso, una ragione alchemica.

Infatti l'avidità, una volta assimilata, si trasforma in amore. È avidità, *lobha*, che una volta assimilata, ben digerita, si trasforma in amore.

L'amore è condivisione, l'avidità è accumulo, possesso. L'avidità si limita a voler possedere, senza mai dare, mentre l'amore conosce solo il dare, senza mai chiedere nulla in cambio; è condivisione senza condizioni.

Deve esistere qualche ragione alchemica per cui *lobha* è diventato *love* nella lingua inglese. E, dal punto di vista dell'alchimia interiore, *lobha* si trasforma sicuramente in *love*: l'avidità, la bramosia diventano amore.

Sdolcinature

L'amore non è ciò che si intende di solito. L'amore comune non è che una finzione; dietro di esso si nasconde dell'altro. L'amore autentico è un fenomeno totalmente diverso: non è un pretendere, bensì un condividere; non conosce il chiedere, ma la gioia del dare.

L'amore ordinario pretende tanto e troppo, quello autentico non è per nulla avido: esiste, semplicemente. L'amore ordinario diventa in pratica qualcosa di nauseabondo, di melenso, di insopportabile, ciò che si definisce «una sdolcinatura». È rivoltante, disgustoso. L'amore autentico è un nutrimento, rafforza la tua anima. L'amore comune non fa che nutrire il tuo ego: non il tuo sé autentico, ma quello fittizio. Ricorda: l'irreale nutre sempre ciò che è irreale, il reale nutre ciò che è reale.

Mettiti al servizio dell'amore autentico, cioè dell'amore al suo livello più puro, dona, condividi tutto ciò che hai, e godi nel condividere. Non farlo come un dovere, perché in tal caso tutta la gioia sparirebbe, e non pensare che stai facendo un favore all'altro, non pensarlo mai, nemmeno per un momento. L'amore non è mai un favore; al contrario, quando qualcuno riceve il tuo amore, *tu* hai la sensazione di ricevere un favore. L'amore è grato di essere stato ricevuto.

L'amore non desidera mai né ricompense né ringraziamenti. Se dall'altra parte arriva della gratitudine, l'amore è sempre sorpreso; è una piacevole sorpresa, perché non c'erano aspettative.

Non puoi frustrare un amore autentico perché, in primo luogo, non esiste aspettativa, né puoi appagare un amore inautentico, perché è così radicato nell'aspettativa che, qualunque cosa venga fatta, risulterà sempre inadeguata. La sua aspettativa è troppo grande, nessuno può soddisfarla. Per cui l'amore inautentico provoca sempre frustrazione, mentre l'amore vero porta sempre appagamento.

E quando dico: «Mettiti al servizio dell'amore», non sto dicendo di metterti al servizio di qualcuno che ami; no, nient'affatto. Non sto dicendo di metterti al servizio di un amante, ma dell'amore. Bisognerebbe venerare l'idea stessa dell'amore. La persona che ami è solo una delle forme di quell'idea pura, ma l'esistenza intera non contiene altro che milioni di forme di quell'idea. Il fiore è un'idea, una forma, la luna un'altra, la persona che ami un'altra ancora... tuo figlio, tua madre, tuo padre sono tutte forme, onde nell'oceano dell'amore. Ma non trasformarti mai nel servitore della persona che ami, ricorda sempre che la persona che ami è solo una minuscola espressione dell'amore.

Servi l'amore attraverso la persona amata, in modo da non attaccarti mai a quest'ultima. E quando non si è attaccati alla persona amata, l'amore raggiunge le vette più alte. Nell'istante in cui ci si attacca, si comincia a cadere verso il basso. L'attaccamento è una forma di gravità; il non-attaccamento è grazia. L'amore inautentico è un altro nome per l'attaccamento, l'amore vero è molto distaccato.

Il falso amore si dimostra molto preoccupato... lo è sempre. L'amore sincero è premuroso, ma non ha preoccupazioni. Se ami davvero un uomo, ti preoccuperai di appagare il suo bisogno autentico, ma non ti curerai inutilmente delle sue sciocche e stupide fantasie. Ti prenderai cura dei suoi bisogni, ma non gli sarai vicino per soddisfare i suoi falsi desideri. Non appagherai nulla di ciò che in realtà gli farebbe del male. Per esempio, non appagherai il suo ego, anche se quest'ultimo avanzerà delle richieste. La persona troppo preoccupata, attaccata, realizzerà le pretese dell'ego: in tal caso, starai avvelenando il tuo amato. Sarai premurosa, nel senso che saprai distinguere quando non si tratta di un bisogno reale, ma di un bisogno dell'ego: in quel caso non lo soddisferai.

L'amore conosce la compassione, non la preoccupazione. Qualche volta è duro, perché a volte è necessario essere duri. Altre volte questo amore è molto distante; se essere distanti aiuta, l'amore è distante. Altre volte ancora è molto freddo; se è necessario essere freddi, è freddo. Qualunque sia il bisogno, l'amore è premuroso, ma non preoccupato. Non soddisferà alcun bisogno inautentico, alcuna idea velenosa presente nell'altro.

Ricerca, medita sull'amore, sperimenta. L'amore è il più grande esperimento della vita, e coloro che vivono senza sperimentare l'energia dell'amore non sapranno mai che cos'è la vita. Si limiteranno a restare sulla superficie, senza scendere nelle sue profondità.

Il mio insegnamento è orientato verso l'amore. Posso abbandonare la parola «Dio» molto facilmente – non c'è problema – ma non posso abbandonare la parola «amore». Se devo scegliere tra le parole «amore» e «Dio», sceglierò «amore»; mi dimenticherò completamente di Dio, perché coloro che conoscono l'amore conosceranno inevitabilmente Dio. Ma il contrario non è mai vero: coloro che pensano e filosofeggiano su Dio non conosceranno mai né l'amore né Dio.

Il reale e l'irreale: il primo passo

Ama te stesso e osserva: oggi, domani, sempre.

Partiamo da uno degli insegnamenti più profondi di Gautama il Buddha: *Ama te stesso.*

Tutte le tradizioni del mondo, le civiltà, le culture e le chiese ti hanno insegnato esattamente l'opposto. Esse affermano: «Ama gli altri, non amare te stesso». E dietro i loro insegnamenti c'è una strategia precisa e astuta.

L'amore è il nutrimento per l'anima; così come il cibo lo è per il corpo, l'amore lo è per l'anima. Senza cibo il corpo è debole, senza amore l'anima è debole. E nessuno Stato, nessuna Chiesa, nessun interesse istituzionale ha mai voluto persone con un animo forte, perché una persona dotata di energia spirituale non potrà che essere ribelle.

L'amore ti rende ribelle, rivoluzionario; ti dona le ali per alzarti in volo, ti dà l'intelligenza per capire le cose e non farti più ingannare, sfruttare, opprimere da nessuno ma i preti e i politici sopravvivono solo sul tuo sangue, solo sfruttandoti.

Tutti i preti e i politici sono parassiti. Per indebolirti spiritualmente hanno trovato un metodo sicuro, garantito ai cento per cento: insegnarti a non amare te stesso. Infatti, se una persona non riesce ad amare se stessa, non può amare nemmeno gli altri. L'insegnamento è molto scaltro. Essi dicono: «Ama gli altri», perché sanno che, se non puoi amare te stesso, non puoi amare affatto. Eppure continuano a ripetere: «Ama gli altri, ama l'umanità, ama Dio. Ama la natura, ama tua moglie, tuo marito, i tuoi figli, i tuoi genitori». Ma non amare te stesso, perché amare se stessi – secondo loro – è da egoisti. Condannano l'amore di sé più di qualunque altra cosa.

E sono riusciti a dare ai loro insegnamenti una veste molto logica. Affermano: «Se ami te stesso diventerai un egoista, se ami te stesso diventerai narcisista». Non è vero.

Un uomo che ama se stesso scopre che dentro di lui non esiste alcun ego. È amando gli altri senza amare se stessi, è *cercando* di amare gli altri che si forma l'ego. I missionari, i riformatori sociali, le persone al servizio della società hanno l'ego più grande del mondo. È ovvio, perché pensano di essere superiori. Non sono persone comuni che amano se stesse. Loro amano gli altri, amano grandi ideali, amano Dio, ma il loro amore è completamente falso, perché è senza radici.

Un uomo che ama se stesso compie il primo passo verso l'amore autentico. È come gettare un sasso in un lago silenzioso: le prime onde circolari affioreranno intorno al sasso, vicino a esso. È naturale: infatti, in quale altro luogo potrebbero emergere? Quindi si allargheranno e arriveranno fino alle spiagge più lontane. Se spezzi le onde vicino al sasso, non se ne formeranno più altre. A quel punto non puoi sperare di creare onde che arrivino fino alle spiagge più lontane: è impossibile.

I preti e i politici hanno compreso questo fenomeno: impedisci alle persone di amare se stesse, e avrai distrutto

11

la loro capacità di amare. Adesso tutto ciò che chiameranno amore sarà qualcosa di falso. Forse si tratterà di dovere, ma non di amore. E «dovere» è una parolaccia. I genitori assolvono i loro doveri nei confronti dei figli e in cambio i figli assolveranno i loro doveri nei confronti dei genitori; la moglie ubbidisce al marito e il marito ubbidisce alla moglie. Dov'è l'amore?

L'amore non conosce doveri. Il dovere è un peso, una formalità; l'amore è una gioia, una condivisione. L'amore è informale. La persona che ama non ha mai la sensazione di aver fatto abbastanza, sente sempre che era possibile fare di più. La persona che ama non pensa mai: «Ho fatto un favore all'altro», al contrario pensa: «Ho ricevuto un regalo, perché il mio amore è stato accolto. L'altro mi ha fatto un favore ricevendo il mio dono, anziché respingerlo».

L'uomo ligio al dovere pensa: «Io sono più elevato, più spirituale; sono straordinario. Guarda come sono al servizio della gente!». Queste persone sono le più false del mondo, e anche le più dannose, le più infingarde. Se riuscissimo a liberarci dai servitori degli altri, l'umanità sarebbe più leggera, più libera, di nuovo in grado di danzare e cantare.

Purtroppo le tue radici sono state tagliate e avvelenate per secoli. Hai paura persino di amare te stesso, che è il primo passo e la prima esperienza dell'amore. Una persona che ama se stessa si rispetta. E una persona che ama e rispetta se stessa, ama e rispetta anche gli altri, perché pensa: «Gli altri sono esattamente come me. Apprezzano l'amore, il rispetto e la dignità proprio come me». Diventa consapevole che noi non siamo diversi per ciò che riguarda le cose fondamentali; siamo una cosa sola. Siamo sottoposti alla stessa legge. Il Buddha afferma: «Viviamo sotto la stessa legge eterna, *aes dhammo sanantano*». È possibile che tra di noi ci sia qualche differenza nei dettagli – ciò crea varietà, ed è bellissimo – ma alla base siamo parte di una sola natura.

La persona che ama se stessa è così felice di amare, diventa talmente estatica, che l'amore comincia a straripare e raggiunge gli altri. *Deve* raggiungerli! Se vivi l'amore, devi condividerlo. Non puoi continuare ad amare te stesso all'infinito, perché una cosa ti diventerà assolutamente chiara: se amare una persona – te stesso – è così meraviglioso ed estatico, quanto sarà più grande l'estasi, se comincerai a condividere il tuo amore con molte, moltissime persone?!

A poco a poco le onde cominciano ad arrivare sempre più lontano. Ami le altre persone, poi cominci ad amare gli animali, gli uccelli, gli alberi, le rocce. Puoi riempire l'universo intero con il tuo amore. Una sola persona è sufficiente a riempire l'intero universo di amore, così come un solo sasso può riempire tutto il lago di onde. Un piccolo sasso...

Solo un Buddha può dire: *Ama te stesso*. Nessun prete e nessun politico possono essere d'accordo, perché questo distrugge tutto il loro edificio, l'intera struttura del loro sfruttamento. Se a una persona non è consentito di amare se stessa, il suo spirito e la sua anima diventano sempre più deboli, giorno dopo giorno. Il suo corpo può invecchiare, ma in lei non avviene alcuna crescita interiore, perché non ha un nutrimento interiore. Resta praticamente un corpo senza un'anima, o con solo un seme, un'anima in potenza. L'anima resterà un seme, e nulla cambierà se non riuscirai a trovarle il giusto terreno dell'amore; ma se segui quella stupida idea – «Non amare te stesso» – non lo troverai.

Anch'io ti insegno ad amare innanzitutto te stesso. Ciò non ha nulla a che fare con l'ego. In realtà, l'amore è una luce così potente che in essa l'oscurità dell'ego non può minimamente esistere. Se ami gli altri, se il tuo amore è focalizzato sugli altri, vivrai nell'oscurità. Dirigi innanzitutto la tua luce verso te stesso, diventa, per prima cosa, una fonte di luce a te stesso. Lascia che la luce dissipi la tua oscurità e la tua debolezza interiori; lascia che l'amore ti trasformi in una forza spirituale, donandoti un potere immenso.

E quando la tua anima sarà forte, saprai che non morirai, che sei immortale, eterno. L'amore ti dona la prima intuizione dell'eternità. L'amore è l'unica esperienza che trascende il tempo: ecco perché gli amanti non hanno paura della morte. L'amore non conosce morte alcuna. Un solo istante d'amore è più che un'eternità.

Ma l'amore deve cominciare dal principio, deve partire dal primo passo: *Ama te stesso*.

Non condannarti. Hai ricevuto tantissime condanne e le hai accettate tutte. In questo modo ti fai del male, continuamente. Nessuno pensa di avere valore, di essere una splendida creatura di Dio; nessuno crede di essere necessario a qualcosa. Queste sono idee velenose, ma tu sei stato avvelenato. Sei stato avvelenato con il latte di tua madre... così è stato l'intero tuo passato. L'umanità ha vissuto sotto un'oscura cappa di autocondanna. Se ti condanni, come potrai crescere? Come potrai mai diventare maturo? E se ti condanni, come potrai adorare l'esistenza? Se non riesci a adorare l'esistenza in te, diventerai incapace di adorare l'esistenza negli altri; sarà impossibile.

Puoi diventare parte del Tutto solo se hai un grande rispetto per il Dio che dimora in te. Tu sei il padrone di casa e Dio è il tuo ospite. Se ti ami, saprai questo: Dio ti ha scelto come veicolo. Scegliendoti come veicolo, ti ha già rispettato, ti ha già amato. Creandoti, ha mostrato il suo amore per te. Non ti ha creato per caso, ma con un destino, un potenziale e uno splendore ben precisi che dovrai realizzare.

Certo, Dio ha creato l'uomo a sua somiglianza. L'uomo deve diventare un Dio. A meno che l'uomo non diventi un Dio non ci saranno né appagamento né soddisfazione. Ma come puoi diventare un Dio? I tuoi preti dicono che sei un peccatore, un dannato destinato all'inferno. E ti rendono molto timoroso di amare te stesso. Questo è il loro stratagemma: tagliare la radice stessa dell'amore. E sono persone molto astute; la professione che richiede più astuzia al mondo è quella del prete. Ecco perché dice: «Ama gli altri». Questo amore sarà un'impostura, una finzione, una recita, una messinscena.

Quella gente dice: «Ama l'umanità, la tua madrepatria, la tua terra natale, la vita, l'esistenza, Dio». Grandi parole, ma totalmente prive di significato. Hai mai incontrato l'umanità? Ti sei sempre imbattuto in esseri umani... e hai condannato il primo essere umano che hai incontrato, cioè te stesso.

Non ti sei né rispettato né amato. Adesso tutta la tua vita andrà sprecata nel condannare gli altri. Ecco perché le persone sono così brave a trovare difetti. Se trovano difetti in se stesse, come possono evitare di trovarli negli altri? Di fatto, troveranno questi difetti e li esagereranno, rendendoli i più grandi possibili. Questa sembra l'unica via d'uscita; in qualche modo, per salvare la faccia, lo devi fare. Ecco perché esistono tanti giudizi e così poco amore.

Io affermo che questo è uno dei sutra più profondi del Buddha, e solo un essere risvegliato può donarti un'intuizione del genere. Egli dice: *Ama te stesso...*

Questo può diventare il punto di partenza per una trasformazione radicale. Non aver paura di amare te stesso. Ama totalmente, e ti sorprenderai: il giorno in cui riuscirai a liberarti da qualsiasi autocondanna o mancanza di rispetto verso te stesso – il giorno in cui riuscirai a liberarti dall'idea del peccato originale, in cui potrai sentirti stimato e amato dall'esistenza – sarà un giorno di grande estasi. Da quel giorno comincerai a vedere le persone nella loro luce autentica, e proverai compassione. Ma non si tratterà di una compassione artificiale, bensì di un moto naturale, spontaneo.

Inoltre, una persona che ama se stessa può entrare facilmente in meditazione, in quanto «meditazione» vuol dire essere con se stessi. Se ti odi – come di fatto avviene, secondo quanto ti è stato detto di fare e che stai eseguendo religiosamente – come puoi essere con te stesso? E la meditazione non è altro che godere della tua meravigliosa solitudine. Celebrare se stessi: ecco l'essenza della meditazione.

La meditazione non è una relazione: l'altro non è affatto necessario, perché il meditatore basta a se stesso. Egli è immerso nel proprio splendore, nella propria luminosità. Si è felici semplicemente perché si è vivi, perché si è.

Il miracolo più grande del mondo è il fatto che tu sei, che io sono. *Essere* è il più grande miracolo, e la meditazione schiude la soglia di questo straordinario miracolo. Ma solo una persona che ama se stessa può meditare; altrimenti sei sempre in fuga, non fai altro che evitare te stesso. Chi desidera guardare una brutta faccia, chi vuole entrare in un essere sgradevole? A chi piace immergersi nel proprio fango, nella propria oscurità? Chi desidera entrare nell'inferno che credi di essere? Tu vuoi tenere nascosto tutto ciò con fiori bellissimi, tendi sempre a scappare da te stesso.

Per questo le persone sono sempre alla ricerca di compagnia. Non riescono a stare con se stesse; vogliono stare con gli altri. La gente è alla ricerca di una forma qualsiasi di compagnia; pur di evitare la propria compagnia, qualsiasi cosa andrà bene. Si va al cinema a guardare per tre ore un film stupidissimo, si legge un romanzo giallo per ore sprecando il proprio tempo, si sfoglia più volte lo stesso quotidiano solo per tenersi occupati. Si gioca a carte e a scacchi per ammazzare il tempo... come se ce ne fosse in abbondanza!

Noi non abbiamo molto tempo. Non abbiamo tempo sufficiente per crescere, per essere, per celebrare. Ma questo è uno dei problemi fondamentali creati da un'educazione sbagliata: tu eviti te stesso. Le persone stanno sedute davanti alla televisione, incollate alla poltrona per quattro, cinque, persino sei ore. L'americano medio guarda la televisione cinque ore al giorno, e questa malattia si è già diffusa in tutto il mondo. E cosa stai guardando? Cosa ne stai ricavando? Ti stai bruciando gli occhi.

Ma è sempre stato così. Se non c'era la televisione, c'erano altre cose. Il problema è lo stesso: come evitare se stessi, perché ci si sente brutti. Ma chi ti ha reso così brutto? I tuoi uomini cosiddetti di religione, i tuoi papi, i tuoi *shankaracharya*. Loro sono responsabili di aver stravolto il tuo viso.. e ci sono riusciti, hanno deformato ogni essere umano.

Ogni bambino nasce bellissimo, ma poi cominciamo a stravolgerne la bellezza, a storpiarlo e paralizzarlo in mol·

ti modi, deformandone le proporzioni e rendendolo squilibrato. Prima o poi il bambino diventerà così disgustato da se stesso che sarà pronto a stare con chiunque. Potrebbe andare da una prostituta solo per evitare se stesso.

Ama te stesso, dice il Buddha. Questo può trasformare tutto il mondo, distruggendo l'intero orribile passato dell'umanità. Può annunciare una nuova era, può essere l'inizio di una nuova umanità.

Per questo insisto tanto sull'amore. Ma l'amore comincia da te stesso, solo in questo caso può espandersi; si diffonde da sé, tu non devi fare nulla perché accada.

Ama te stesso, dice il Buddha, e poi immediatamente aggiunge: *e osserva*. Questa è la meditazione, ossia il nome che il Buddha usa per la meditazione. Ma il primo requisito è amare se stessi, *poi* si osserva. Se non ti ami e cominci a osservare, potresti avere la tentazione di suicidarti! Molti buddhisti sono tentati dal suicidio perché non prestano attenzione alla prima parte del sutra. Saltano immediatamente alla seconda: «Osserva te stesso». In realtà, non mi sono mai imbattuto in un solo commento del *Dhammapada* – di questi sutra del Buddha – che avesse prestato attenzione alla prima parte: *Ama te stesso*.

Socrate dice: «Conosci te stesso». Il Buddha afferma: *Ama te stesso*, e ha di gran lunga più ragione, perché se non ti ami, non ti conoscerai mai; la conoscenza arriva solo in seguito. L'amore prepara il terreno. L'amore è la possibilità di conoscere se stessi; l'amore è la giusta via per conoscere se stessi.

Una volta mi trovavo in compagnia di un monaco buddhista, Jagdish Kashyap, ormai morto da tempo. Era

18

un brav'uomo. Stavamo parlando del *Dhammapada*, quando ci imbattemmo in questo sutra; lui cominciò a parlare dell'osservazione, come se non avesse letto affatto la prima parte. Nessun buddhista tradizionale presta attenzione alla prima parte, semplicemente la evita e va oltre.

Dissi a Bhikshu Jagdish Kashyap: «Aspetta! Stai trascurando una parte essenziale. L'osservazione è il secondo passo, ma tu ne stai facendo il primo. *Non può* essere il primo passo».

Allora rilesse il sutra e disse, confuso: «Ho letto il *Dhammapada* per tutta la vita e questo sutra milioni di volte. La mia preghiera mattutina, ogni giorno, è ripetere il *Dhammapada*. Potrei recitarlo a memoria, ma non ho mai pensato che *Ama te stesso* fosse la prima parte della meditazione, mentre l'osservazione fosse la seconda».

Questo succede a milioni di buddhisti in tutto il mondo, e anche ai neobuddhisti, perché oggi il buddhismo si sta diffondendo in Occidente. Anche lì è arrivato il momento del Buddha: oggi l'Occidente è pronto a comprendere il Buddha, ma sta facendo lo stesso errore. Nessuno pensa che l'amore di sé debba essere il punto di partenza per la conoscenza, per l'osservazione di sé. Infatti, se non ti ami, non puoi incontrare te stesso, non puoi confrontarti con te stesso. Scapperai. La tua stessa osservazione potrebbe essere un modo di evitare te stesso.

Primo: *Ama te stesso...* e subito dopo, *Osserva: oggi, domani, sempre.*

Crea un'energia d'amore intorno a te stesso. Ama il tuo corpo e la tua mente. Ama tutto il tuo sistema, il tuo intero organismo, accettalo per ciò che è: questo è «amore».

Non cercare di reprimere. Noi reprimiamo solo quando odiamo, quando siamo contrari a qualcosa. Non reprimere, infatti, in quel caso come faresti a osservare? E noi non possiamo guardare il nemico negli occhi; possiamo farlo solo con la persona che amiamo. Se non sei un amante di te stesso, non riuscirai a guardare nei tuoi occhi, nel tuo volto, nella tua realtà.

L'osservazione è meditazione, la parola che il Buddha usa per «meditazione». Egli dice: «Sii consapevole, sii all'erta, non cadere nell'inconscio». Non agire come un sonnambulo, una macchina, un automa. Ma è così che agiscono le persone.

Michele si è appena trasferito in un nuovo alloggio e decide di andare a conoscere i vicini che vivono nell'appartamento di fronte al suo. Proprio quel giorno la porta è aperta e lui, con piacevole sorpresa, si trova di fronte a una bellissima bionda, avvolta in una vestaglia succinta e trasparente che non lascia nulla all'immaginazione.

Michele la guarda dritta negli occhi e dice con fare deciso: «Ciao! Sono il tuo nuovo *zucchero* di fronte! Potrei avere una tazza di *vicino*?».

La gente vive inconsapevolmente. Non si accorge di ciò che dice, di ciò che fa; non è attenta. Le persone tirano a indovinare, non vedono; non hanno alcuna capacità intuitiva, né potrebbero averla. L'intuito emerge solo grazie a un atteggiamento molto vigile, attento e presente; in quel caso puoi vedere anche a occhi chiusi. Ora come ora, non sei in grado di vedere nemmeno a occhi aperti. Tiri a indovinare, arguisci, proietti, imponi sul reale le tue impressioni.

Grazia è sdraiata sul lettino dello psicoanalista.

«Chiuda gli occhi e si rilassi» dice lo psicoanalista «Tenterò un esperimento.»

Estrae un portachiavi di cuoio dalla tasca, lo apre e sbatte le chiavi. «Cosa le ricorda questo suono?» chiede

«Il sesso» sussurra lei.

Quindi lo psicoanalista chiude il portachiavi e lo passa sul palmo della mano di lei. Il suo corpo s'irrigidisce.

«E questo?» chiede lui.

«Il sesso» mormora nervosamente Grazia.

«Adesso apra gli occhi» le dice il dottore «e mi dica per ché quello che ho fatto le ricorda il sesso.»

Grazia sbatte le ciglia esitante, poi vede il portachiavi nella mano dello psicoanalista e diventa rossa in viso.

«Be', tanto per cominciare» balbetta lei «ho pensato che il primo suono fosse la sua chiusura lampo che si stava aprendo...»

La tua mente non fa che proiettare, proietta continua. mente se stessa. Interferisce costantemente con la realtà, dandole un colore, una forma e un aspetto che non le appartengono. La mente non ti permette mai di vedere la realtà per ciò che è; ti lascia vedere soltanto quello che vuole lei.

Un tempo gli scienziati pensavano che gli occhi, le orecchie, il naso e gli altri sensi, insieme alla mente, non fossero altro che aperture sulla realtà, ponti verso di essa. Adesso la concezione è cambiata radicalmente; ora gli scienziati affermano che la mente e i sensi non sono aperture sulla realtà, ma guardiani contro di essa. Solo il due per cento della realtà riesce a passare oltre questi guardiani e a entrare in te; il novantotto per cento è tenuto al di fuori. E quel due per cento che penetra nel tuo essere non è più la stessa cosa. Deve oltrepassare così tante barriere, conformarsi a così tante idee della mente, che quando arriva da te è deformato.

«Meditazione» vuol dire mettere la mente da parte in modo che non interferisca più con la realtà e tu possa vedere le cose per quello che sono.

Ma perché la mente interferisce? Perché è creata dalla società, è il suo agente dentro di te. Non è al tuo servizio, ricordalo! È la tua mente, ma non è al tuo servizio; fa parte di una cospirazione contro di te. È stata condizionata dalla società; la società le ha inculcato molte cose. È la tua mente, ma non funziona più come qualcosa al tuo servizio, è al servizio della società. Se sei cristiano, funziona come un agente della chiesa cristiana; se sei hindu, la tua mente è hindu; se sei buddhista, la tua mente è buddhista. Ma la realtà non è né cristiana, né hindu, né buddhista; la realtà è semplicemente ciò che è.

Devi mettere da parte queste menti: la mente comunista, quella fascista, quella cattolica, quella protestante... esistono tremila religioni sulla Terra, grandi e piccole; poi ci sono sette più piccole e poi sette all'interno delle sette; in tutto, sono tremila. Per cui esistono tremila tipi di mente... e la realtà, l'esistenza, la verità è una sola!

«Meditazione» significa mettere la mente da parte e osservare. Il primo passo – *Ama te stesso* – ti aiuterà tantissimo. Amandoti, distruggerà molto di ciò che la società ti ha inculcato, diventerai più libero dalla società e dal suo condizionamento.

E il secondo passo è: *osserva*. Semplicemente *osserva*. Il Buddha non dice cosa va osservato: osserva ogni cosa! Quando cammini, osserva il tuo camminare; quando mangi, osserva il tuo mangiare; quando fai la doccia, osserva l'acqua fredda che scende su di te, la sensazione che ti dà,

22

il freddo, il brivido che corre lungo la tua schiena... osserva ogni cosa: *oggi, domani, sempre.*

Arriverà un momento, alla fine, in cui sarai in grado di osservare anche il tuo sonno. Quello è il momento culminante dell'osservazione. Il corpo si addormenta e all'interno c'è un osservatore che resta sveglio, che guarda in silenzio il corpo profondamente addormentato. Quello è il culmine dell'osservazione. Ora come ora accade esattamente l'opposto: il corpo è sveglio, ma *tu* sei addormentato. Nell'altro caso *tu* sarai sveglio e il corpo sarà addormentato.

Il corpo ha bisogno di riposo, ma la consapevolezza non ha bisogno di sonno. La tua consapevolezza è la tua *presenza consapevole*, è l'essere desti: quella è la sua vera natura. Il corpo si stanca perché vive sotto la legge della gravità. È la gravità che ti stanca: ecco perché se corri velocemente o se sali le scale ti stanchi subito, perché la gravità ti spinge verso il basso. In realtà, stare in piedi o seduti è stancante; solo quando sei sdraiato, orizzontalmente, il corpo si riposa un poco, perché in quel caso sei in armonia con la legge di gravità. Quando sei in piedi, in verticale, vai contro quella legge; il sangue fluisce verso la testa, contro la legge di gravità. Il cuore deve pompare con forza.

Ma la consapevolezza non è sottoposta alla legge della gravità; per questo non si stanca mai. La gravità non ha potere sulla consapevolezza, perché quest'ultima non è una roccia, non ha peso. È sottoposta a una legge totalmente diversa: la legge della grazia o, come è nota in Oriente, la legge della levitazione. «Gravità» vuol dire spingere verso il basso, «levitazione» spingere verso l'alto.

Il corpo è continuamente spinto verso il basso: ecco perché alla fine dovrà giacere nella tomba. Quello sarà il suo riposo autentico: polvere alla polvere. Il corpo è tornato alla sua fonte, l'agitazione è finita: adesso non ci sono conflitti. Gli atomi del tuo corpo conosceranno il riposo solo nella tomba.

L'anima si eleva sempre più in alto. Man mano che diventi più consapevole, più sei presente e osservi e più cominci ad avere delle ali   poi tutto il cielo diventa tuo.

L'uomo è un punto di incontro tra Terra e cielo, tra anima e corpo

I meriti dell'egoismo

Se non sei egoista, non sarai altruista, ricorda. Se non sei egoista, non sarai generoso; solo una persona profondamente egoista può essere altruista. Ma questo va compreso, perché sembra un paradosso.

Cosa vuol dire essere egoisti? Il primo elemento, quello fondamentale, è essere centrati su di sé. Il secondo, anch'esso importante, è cercare sempre la propria beatitudine. Se sei centrato su di te, sarai egoista in tutto ciò che farai. Potresti metterti al servizio degli altri, ma solo perché ti piace, perché ami farlo, ti senti felice ed estatico mentre lo fai: solo perché senti di agire così; non stai adempiendo alcun obbligo, non stai servendo l'umanità. Non sei un grande martire, non ti stai sacrificando. Queste sono tutte parole prive di senso. Semplicemente, sei felice a modo tuo, fai ciò che ti fa sentire bene. Vai all'ospedale e conforti i malati, oppure vai dai poveri e li aiuti, ma è una cosa che ami fare. È così che cresci. Dentro di te, in profondità, ti senti felice e silenzioso, soddisfatto di te stesso.

Una persona centrata su di sé è sempre alla ricerca della propria felicità. E la cosa più bella è che più cerchi la tua felicità, più aiuterai gli altri a essere felici. Infatti, questo è l'unico modo al mondo di essere felici. Se tutti intorno a te sono infelici, non puoi essere felice, perché l'uomo non è un'isola, è parte di un grande continente. Se vuoi essere felice, dovrai aiutare coloro che ti circondano a esserlo; allora, e solo allora, potrai essere felice.

Devi creare intorno a te l'atmosfera della felicità. Se tutti sono tristi, come puoi essere felice? Sarai contagiato. Non sei una roccia, ma un essere molto delicato e sensibile; se intorno a te sono tutti infelici, la loro infelicità ti contagerà. L'infelicità è contagiosa come una malattia. Anche la felicità è contagiosa come una malattia. Se aiuti gli altri a essere felici, in ultima analisi, aiuti te stesso a esserlo. Una persona profondamente interessata alla propria felicità è sempre interessata anche alla felicità degli altri; ma non per loro, bensì per se stessa. In cuor suo è interessata a se stessa, per questo aiuta gli altri. Se tutti venissero educati a essere egoisti, il mondo intero sarebbe felice. L'infelicità non sarebbe possibile.

Se vuoi essere sano, non puoi vivere tra persone malate. In questo caso, come potresti restare sano? Sarebbe impossibile, andrebbe contro le leggi della natura. Devi aiutare gli altri a essere sani; in un clima di salute la tua salute diventa possibile.

Insegna a ogni essere umano l'egoismo, e l'altruismo verrà da sé. L'altruismo è, in ultima analisi, egoismo; all'inizio può sembrare altruismo, ma alla fine è qualcosa che ti appaga. E a quel punto la felicità può essere moltiplicata: tante sono le persone felici intorno a te, altrettanta è la felicità che continua a riversarsi dentro di te. Puoi diventare straordinariamente felice.

E una persona felice lo è al punto da voler essere lasciata sola. Desidera che la sua intimità venga protetta; desidera vivere con i fiori, con la poesia, con la musica.

Perché dovrebbe preoccuparsi di andare in guerra, uccidere ed essere uccisa? Perché dovrebbe avere tendenze omicide o suicide? Solo persone altruiste possono fare queste cose, perché non hanno mai conosciuto l'estasi che potrebbero vivere. Non hanno mai fatto l'esperienza di cosa voglia dire «essere», di cosa significhi «celebrare». Non hanno mai danzato, non hanno mai assaporato la vita, non hanno mai avuto alcun bagliore del divino; tutti quei bagliori vengono da una felicità, una sazietà, un appagamento profondi.

Una persona altruista è priva di radici, di centratura; vive una profonda nevrosi. Va contro natura: non può essere né sana né integra. Sta lottando contro la corrente della vita, dell'essere, dell'esistenza: sta cercando di essere altruista; non può riuscirci, perché solo una persona egoista può esserlo.

Quando sei felice, puoi condividere la tua felicità; quando non lo sei, come potresti farlo? Per condividere bisogna innanzitutto avere. Una persona altruista è sempre seria, malata e angosciata. Ha mancato la sua vita. E ricorda, ogni volta che manchi la tua vita, sviluppi tendenze omicide, suicide. Quando una persona vive nell'infelicità, desidera distruggere.

L'infelicità è distruttiva, la felicità è creativa. Esiste una sola creatività: quella dell'estasi, dell'allegria, della gioia. Quando sei felice, vuoi creare qualcosa: un giocattolo, una poesia, un dipinto, una cosa qualsiasi. Ogni volta che sei pieno di gioia, quando la gioia della vita diventa straripante, cerchi un modo per esprimerla, crei qualcosa, qualsiasi cosa, ma quando sei infelice, vuoi schiacciare e distruggere. Vorresti diventare un politico, un soldato; vorresti creare una situazione in cui poter essere distruttivo.

Ecco perché, di tanto in tanto, da qualche parte sulla

Terra scoppiano delle guerre. È una malattia grave. Ma tutti i politici continuano a parlare di pace: preparano la guerra e parlano di pace. Di fatto, dicono: «Prepariamo la guerra per proteggere la pace». Piuttosto irrazionale! Se stai preparando la guerra, come puoi proteggere la pace? Per proteggere la pace, bisogna preparare la pace.

Ecco perché, in tutto il mondo, ogni nuova generazione rappresenta un grandissimo pericolo per il potere costituito. Il suo unico interesse è la felicità; è interessata all'amore, alla meditazione, alla musica, alla danza... i politici, in tutto il mondo, sono sempre preoccupati. Le nuove generazioni non sono interessate alla politica, che sia di destra o di sinistra; no, quello non è affatto un loro interesse. I giovani non appartengono ad alcun «ismo».

Una persona felice appartiene a se stessa. Perché dovrebbe appartenere a qualche organizzazione? Quella è la via di una persona infelice: appartenere a un'organizzazione, a qualche tipo di folla. Poiché non ha radici in sé, non appartiene a se stessa. Quel senso di sradicamento crea in lei un'ansia profonda: deve appartenere a qualcosa. Crea dunque un'appartenenza sostitutiva: diventa membro di un partito politico, di un partito rivoluzionario, di una religione, di qualsiasi cosa. Adesso sente di avere trovato il suo posto, di appartenere: c'è una folla in cui ha messo radici.

Bisognerebbe essere radicati in se stessi, perché la via che parte da se stessi si addentra in profondità nell'esistenza. Se appartieni a una folla, ti trovi in un'impasse. Da lì non è possibile alcuna crescita ulteriore: sei in un vicolo cieco.

Ebbene, io non ti insegno a essere altruista, perché so che, se sei egoista, sarai altruista automaticamente, spontaneamente. Se non sei egoista, hai mancato te stesso; a quel punto non puoi entrare in contatto con nessun altro, perché manca il contatto fondamentale. Hai sbagliato il primo passo.

Dimenticati il mondo, la società, le utopie e Karl Marx, dimenticati tutto questo. Resterai vivo ancora per pochi anni; goditeli, divertiti, sii felice, danza, ama e grazie al tuo amore, alla tua danza, al tuo profondo egoismo, l'energia comincerà a straripare. Sarai in grado di condividere con gli altri. L'amore, per me, è una delle cose più egoiste che esistano.

I due tipi d'amore

*Quando parli dell'amore ci sono attimi in cui vedo le cose
con occhi diversi: sicuramente tu offri un mutamento radicale di prospettiva su questo eterno quesito, ma le tue affer-
mazioni mi sembrano alquanto ardite, per poterle rapporta-
re alla psicologia dell'intero genere umano. Per esempio,
riconosco che il mio amore dipende totalmente dal mondo
esterno, per cui riesco comunque a intuire il tuo parlare di
completezza dentro di sé.*

*Mi chiedo: che cosa accade all'amore se non c'è niente e
nessuno che possa riconoscerlo e sentirlo? E tu chi saresti
senza discepoli che ti amano?*

La prima cosa: ci sono due tipi di amore. C.S. Lewis ha
diviso l'amore in due tipi: «l'amore-bisogno» e «l'amore-
dono». Anche Abraham Maslow divide l'amore in due tipi. Il primo lo chiama «amore-carenza» e il secondo
«amore-essere». La distinzione è significativa e dev'essere
compresa.

L'«amore-bisogno» o l'«amore-carenza» dipende dall'altro, è amore immaturo. In realtà non è amore vero, è un
bisogno. Tu usi l'altro, lo usi come un mezzo: sfrutti, ma-
nipoli, domini. In questo caso l'altro è reso succube, viene

praticamente distrutto; ma anche l'altro fa esattamente la stessa cosa: tenta di manipolarti, di dominarti, di possederti, di usarti. Usare un altro essere umano non ha niente a che fare con l'amore: sembra amore, ma è una moneta falsa. Eppure questo è ciò che accade quasi al novantanove per cento della gente perché la prima lezione d'amore l'impari nella tua infanzia.

Un bambino nasce e dipende dalla madre. Il suo amore verso la madre è un «amore-carenza»: ha bisogno della madre, non può sopravvivere senza di lei. Ama la madre perché è la sua vita. In realtà, non c'è amore; amerebbe qualsiasi donna: chiunque lo protegga, lo aiuti a sopravvivere, chiunque soddisfi il suo bisogno. La madre è una sorta di cibo di cui si nutre, dalla madre non riceve solo latte, ma anche amore, e anche questo è un bisogno.

Milioni di persone rimangono infantili per tutta la vita, non crescono mai. Invecchiano, ma nella loro mente non crescono mai; la loro psicologia rimane infantile, immatura. Hanno sempre bisogno di amore. Sono sempre affamate d'amore, lo bramano come il cibo.

L'uomo matura nel momento in cui comincia ad amare piuttosto che ad avere bisogno. Comincia a traboccare, a condividere; comincia a donare. La differenza è fondamentale. Nel primo caso ciò che importa è come avere di più; nel secondo, l'importante è come donare sempre di più e incondizionatamente. Questo significa crescita, è l'inizio della maturità.

Una persona matura dà. Solo una persona matura può dare, perché solo una persona matura può avere. In questo caso l'amore non è dipendente, e tu puoi amare, che l'altro ci sia o no. In questo caso l'amore non è una relazione, è uno stato dell'essere.

Ebbene, cosa succederebbe se tutti i miei discepoli

scomparissero e io restassi solo? Pensi che farebbe qualche differenza? Cosa succede quando un fiore sboccia in mezzo a una foresta senza che ci sia nessuno ad apprezzarlo, a sentire la sua fragranza, nessuno che commenti e dica: «Che bello», che goda della sua bellezza, che ne gioisca, nessuno con cui condividere; cosa accade al fiore in quel caso? Muore? Soffre? Si lascia prendere dal panico? Si suicida? Semplicemente continua a fiorire. Non fa alcuna differenza se qualcuno passa oppure no, è irrilevante; il fiore continua a diffondere la sua fragranza nel vento. Continua a offrire la sua gioia a Dio, al Tutto.

Se fossi solo, anche allora il mio amore sarebbe uguale. Non siete voi a creare il mio amore. Se fosse così, naturalmente senza di voi il mio amore sparirebbe. Non siete voi a fare scaturire amore dal mio essere, sono io a riversarlo su di voi: è «amore-dono», «amore-essere».

E io non sono del tutto d'accordo con C.S. Lewis e Abraham Maslow. Il primo tipo di «amore», quello che loro definiscono così, non è amore, è solo un bisogno. Come può un bisogno essere amore? L'amore è un lusso. È abbondanza. Significa possedere così tanta vita che non sai più cosa farne, quindi la condividi. Significa avere nel cuore infinite melodie da cantare; che qualcuno ascolti o no è irrilevante. Anche se nessuno ascolta, devi comunque cantare, devi danzare la tua danza.

Gli altri possono ricevere, o perdere l'opportunità, ma per quanto ti riguarda, l'amore scorre e trabocca. I fiumi non fluiscono per te, lo fanno che tu ci sia o no. Essi non scorrono per la tua sete, per i campi assetati; semplicemente scorrono. Tu puoi lenire la tua sete, o puoi perderne l'opportunità... dipende da te. In realtà il fiume non stava scorrendo per te, semplicemente scorreva. Che tu usi la sua acqua per il tuo campo, per i tuoi bisogni, è casuale.

Un Maestro è un fiume, il discepolo è casuale. Il Maestro scorre; tu puoi partecipare, puoi gioirne, puoi condividere il suo essere, puoi esserne travolto, ma egli non lo fa per te, non fluisce per te in particolare, semplicemente fluisce. Ricordalo. E questo è ciò che io chiamo amore maturo, vero, autentico, amore sincero.

Quando dipendi dall'altro c'è sempre miseria. Nel momento in cui sei dipendente, cominci a sentirti miserabile, poiché la dipendenza è schiavitù. Allora cominci a vendicarti in modi sottili, perché la persona da cui devi dipendere acquista potere su di te. A nessuno piace che qualcuno abbia potere su di lui, a nessuno piace essere dipendente, perché la dipendenza uccide la libertà, e l'amore non può fiorire nella dipendenza. L'amore è un fiore della libertà: ha bisogno di spazio, di spazio assoluto. L'altro non deve interferire. È una realtà molto sottile.

Quando sei dipendente, l'altro certamente ti dominerà, e tu cercherai di dominare l'altro. Questa è la lotta che ha luogo tra i cosiddetti amanti; essi sono nemici intimi: continuamente in lotta. Che cosa stanno facendo mariti e mogli? Certo, l'amore è molto raro; lottare è la regola, amare è un'eccezione. Ed essi tentano di dominare in tutti i modi, persino attraverso l'amore. Se il marito chiede alla moglie di fare l'amore, lei si nega, è subdola. Alla fine si concede, ma con molta riluttanza; vuole che tu le scodinzoli intorno. E il marito fa la stessa cosa. Quando la moglie ha bisogno del suo amore e glielo chiede, il marito dice che è stanco. In ufficio c'era troppo lavoro, «un vero superlavoro», e lui vorrebbe andare a dormire.

Ho letto una lettera scritta da Mulla Nasruddin alla moglie. Ascoltate.

Alla mia cara, sempre amata mogliettina.

Durante l'anno appena trascorso ho cercato di fare l'amore con te per 365 volte, una media di una volta al giorno, e quella che segue è una lista delle ragioni che hai dato per respingermi:

Settimana sbagliata: 11 volte.

«I bambini si sveglieranno»: 7 volte.

Troppo caldo: 15 volte.

Troppo freddo: 3 volte.

Troppo stanca: 19 volte.

Troppo tardi: 16 volte.

Troppo presto: 9 volte.

Fai finta di dormire: 33 volte.

«La finestra è aperta, i vicini potrebbero sentire»: 3 volte.

Mal di schiena: 16 volte.

Mal di denti: 2 volte.

Mal di testa: 6 volte.

Non dell'umore giusto: 31 volte.

«Il bambino è agitato, potrebbe piangere»: 18 volte.

Guardato la televisione fino a tardi: 15 volte.

Maschera di fango: 8 volte.

Crema sulla faccia: 4 volte.

Troppo ubriaco: 7 volte.

Dimenticato di andare in farmacia: 10 volte.

Ospiti che dormono nella stanza vicina: 7 volte.

Capelli appena fatti: 28 volte.

«Sai pensare solo a quello?»: 62 volte.

Carissima, pensi che potremo migliorare i nostri punteggi nell'anno che sta per iniziare?

Il tuo marito innamorato, Mulla Nasruddin.

Questi sono i modi con cui si manipola, si affama l'altro; lo si fa diventare sempre più affamato, e quindi sempre più dipendente.

Naturalmente, in questo gioco le donne sono più diplomatiche degli uomini, perché l'uomo è già potente. Non ha bisogno di trovare modi astuti e sottili per essere forte, lo è già. Procura il denaro, questo è il suo potere. Fisicamente è più forte, questo è il suo potere. Nei secoli l'uomo ha condizionato la donna a pensare che lui sia potente e che lei non lo sia. In tutti i modi ha sempre cercato di trovare una donna che gli sia inferiore in tutto. Un uomo non vuole essere sposato con una donna più istruita di lui, perché in quel caso è in gioco il potere. Non vuole sposare una donna più alta di lui, perché una donna più alta sembra superiore. Non vuole sposare una donna troppo intellettuale, perché discuterebbe, e la discussione può distruggere il potere. Un uomo non vuole una donna famosa, perché lui avrebbe un ruolo subalterno. E per secoli l'uomo ha voluto una donna più giovane di lui. Come mai? Perché tua moglie non può essere più vecchia di te? Cosa c'è di sbagliato? Solo questo: una donna più vecchia ha più esperienza, questo distrugge il tuo potere.

Quindi l'uomo ha sempre voluto una donna inferiore sotto ogni aspetto, ecco perché le donne sono diventate più basse. Non c'è ragione per cui siano più basse degli uomini, nessuna ragione al mondo; lo sono diventate perché venivano sempre preferite le donne più basse. Con il tempo l'idea è entrata nella loro mente così profondamente che hanno finito per perdere la loro altezza. Hanno perduto la loro intelligenza, perché una donna intelligente non era necessaria; una donna intelligente era un caso anormale. Ti sorprenderà sapere che proprio in questo secolo l'altezza delle donne sta di nuovo aumentando. E ti sorprenderà... persino le loro ossa stanno diventando più grandi, e il loro scheletro si sta ingrossando. In soli cinquant'anni... soprattutto in America. E anche la loro mente sta crescendo e sta diventando più grande di quanto sia stata in passato: il loro cranio si sta espandendo.

Grazie all'idea di libertà che si è andata via via diffondendo alcuni condizionamenti profondi sono stati distrutti. L'uomo ha già il potere per cui non ha bisogno di essere molto astuto, di essere molto indiretto. Le donne non hanno potere. Quando non hai potere devi essere più diplomatico, è un surrogato. Il solo modo in cui le donne possono sentirsi forti è sentirsi necessarie, sentire che l'uomo ha continuamente bisogno di loro.

Questo non è amore, è una continua contrattazione. E tutti contrattano continuamente sul prezzo; è una lotta perenne. C.S. Lewis e Abraham Maslow suddividono l'amore in due tipi. Io non lo faccio. Io dico che il primo tipo d'amore è solo un nome, una moneta falsa; non è reale. Solo il secondo tipo d'amore è amore vero.

L'amore accade soltanto quando sei maturo. Diventi capace di amare solo quando sei cresciuto. Quando sai che l'amore non è un bisogno ma un traboccare: «amore-essere» o «amore-dono»... in questo caso dai senza condizioni.

Il primo tipo, il cosiddetto amore, deriva dal profondo bisogno dell'altro, mentre l'«amore-dono» o l'«amore-essere» fluisce o trabocca da una persona matura a un'altra, è frutto dell'abbondanza; si viene inondati d'amore. È in te e comincia a muoversi intorno a te, proprio come quando accendi una lampada e la luce comincia a diffondersi nell'oscurità. L'amore è un derivato dell'essere: quando tu sei hai l'aura dell'amore intorno a te; quando non sei, non possiedi quell'aura. E quando non ce l'hai, chiedi all'altro di darti amore.

Lasciamelo ripetere: quando non hai amore, chiedi all'altro di dartelo; sei un mendicante. E l'altro chiede a te di darglielo. Ebbene, due mendicanti che tendono le mani l'uno di fronte all'altro, ed entrambi sperano che l'altro abbia l'amore... ovviamente entrambi alla fine si sentiranno sconfitti, entrambi si sentiranno ingannati.

Puoi chiedere a qualsiasi marito e a qualsiasi moglie, puoi chiedere a ogni amante: entrambi si sentono ingannati; che l'altro avesse l'amore era una tua proiezione. Se la tua proiezione è sbagliata, cosa può farci l'altro? La tua proiezione si è infranta, semplicemente perché l'altro non si è dimostrato all'altezza, ecco tutto. Ma l'altro non ha alcun obbligo di soddisfare le tue aspettative.

E anche l'altro si sente ingannato, perché a sua volta sperava che l'amore fluisse da te. Entrambi speravate che l'amore sarebbe fluito dall'altro, e ne eravate entrambi privi. Come sarebbe potuto nascere l'amore? Al massimo potrete essere miserabili insieme. Prima eravate infelici da soli, separati, ora potete esserlo insieme. E ricorda, quando due persone sono infelici insieme, non si tratta di una semplice addizione, ma di una moltiplicazione.

Da solo ti sentivi frustrato, ora vi sentite frustrati insieme. Di buono in questo c'è che ora puoi gettare la responsabilità sull'altro: l'altro ti sta rendendo infelice... questo è il solo vantaggio. Ti puoi sentire a tuo agio. «Non c'è niente di sbagliato in me... ma l'altro... che devo fare con una moglie come questa, inacidita, brontolona?» È inevitabile essere infelici. «Cosa devo fare con un marito come questo, un uomo orribile, un avaro?» Ora puoi gettare la responsabilità sull'altro; hai trovato un capro espiatorio. Ma la miseria rimane, si moltiplica.

Ebbene questo è il paradosso: coloro che si innamorano non hanno amore, ecco perché si innamorano. E poiché non hanno amore, non possono darne. E ancora una cosa: una persona immatura si innamora sempre di un'altra persona immatura, perché parlano la stessa lingua. Una persona matura ama una persona matura. Una persona immatura ama una persona immatura.

Puoi continuare a cambiare marito o moglie mille volte, troverai di nuovo lo stesso tipo di persona e la stessa miseria ripetuta in forme diverse; ma la stessa miseria ripetuta è praticamente la stessa cosa. Puoi cambiare moglie, ma tu sei immutato, e non cambi. Ebbene, chi sceglierà l'altra moglie? Tu, e la scelta sarà di nuovo frutto della tua immaturità. Sceglierai di nuovo un tipo di donna simile.

Il problema di base nell'amore è che prima devi diventare maturo, allora troverai un partner maturo; le persone immature non ti attireranno affatto. È proprio così. Se hai venticinque anni non ti innamori di un bambino di due. È esattamente così. Quando sei una persona matura psicologicamente, spiritualmente, non ti innamori di un bambino. Non succede, non può succedere. Lo vedi anche tu quanto sarebbe assurdo.

In effetti una persona matura non si innamora, si eleva nell'amore. L'espressione inglese *fall in love*, «cadere in amore», non è corretta. Solo le persone immature cadono; inciampano e cadono in amore. Se in qualche modo riuscivano a stare in piedi, non sono in grado di farlo per sempre... trovano una donna e si perdono, trovano un uomo e si perdono. Erano sempre pronte a cadere a terra e a strisciare; non hanno spina dorsale, non hanno l'integrità che permette loro di stare sole.

Una persona matura possiede l'integrità per essere sola. E quando una persona matura dà amore, lo dà senza vincoli: semplicemente dona. Quando una persona matura dà amore, ti è grata per averlo accettato, non viceversa.

Non si aspetta che tu le sia riconoscente; no, niente affatto, non ha neppure bisogno dei tuoi ringraziamenti. Ringrazia te per aver accettato il suo amore. E quando due persone mature sono in amore, accade uno dei più grandi paradossi della vita, uno dei fenomeni più belli: sono insieme e tuttavia tremendamente sole; sono insieme al punto da essere quasi una sola persona. Ma la loro unità non distrugge la loro individualità, anzi l'aumenta: diventano più individui. Due persone mature in amore si aiutano a vicenda per diventare più libere, senza politica, né diplomazia, né tentativi di dominare. Come puoi dominare la persona che ami?

Pensaci. Il dominio ha a che fare con l'odio, con la rabbia, con l'ostilità. Come puoi pensare di dominare qualcuno che ami? Vorresti vederlo totalmente libero, indipendente; gli vorresti dare maggior individualità. Ecco perché lo definisco il più grande paradosso: persone simili sono insieme a tal punto da essere quasi uno, ma in quell'unità sono ancora individui. Le loro individualità non sono cancellate, si sono rafforzate. La libertà le ha arricchite entrambe.

Le persone immature che cadono in amore distruggono a vicenda la propria libertà, creano un legame, una prigione. Le persone mature in amore si aiutano a essere libere; si aiutano l'un l'altra a distruggere ogni tipo di legame. E quando l'amore fluisce nella libertà c'è bellezza. Quando l'amore fluisce nella dipendenza c'è bruttezza.

Ricorda, la libertà è un valore più alto dell'amore. Ecco perché in India noi chiamiamo l'Assoluto *moksha*; *moksha* significa libertà. La libertà è un valore più alto. Quindi se l'amore distrugge la libertà, non ha alcun valore. L'amore può essere lasciato cadere; la libertà dev'essere salvata: è un valore più elevato. E senza libertà non potrai mai essere felice, non è possibile. Libertà è il desiderio in-

trinseco di ogni uomo, di ogni donna: libertà totale, assoluta. Ecco perché si inizia a odiare tutto ciò che è distruttivo nei confronti della libertà.

Non odii forse l'uomo che ami? Non odii la donna che
ami? Tu odii fatalmente. È un male necessario; devi tollerarlo. Poiché non sei in grado di stare da solo devi riuscire a stare con qualcuno, e devi adeguarti alle richieste del-
l'altro. Devi tollerare, devi sopportarle.

L'amore, per essere vero, dev'essere «amore-essere»,
«amore-dono». «Amore-essere» indica uno stato dell'a-
more. Quando sei arrivato a casa, quando hai conosciuto
chi sei, allora un amore sorge nel tuo essere. Allora la fragranza si diffonde e tu puoi donarla ad altri. Come puoi
donare qualcosa che non hai? Per darlo, il primo requisito essenziale è possederlo.

Nella tua domanda dici: *Il mio amore dipende totalmente dal mondo esterno...*

Allora non è amore; oppure, se vuoi giocare con le parole
come C.S. Lewis e A.H. Maslow, chiamalo «amore-bisogno», «amore-carenza». Sarebbe come chiamare una malattia «malattia-sana»: non ha significato, è una contraddizione in termini. «Amore-carenza» è una contraddizione in
termini, ma, se sei troppo attaccato alla parola «amore»
puoi chiamarlo «amore-carenza» o «amore-bisogno».

*Riesco comunaue a intuire il tuo parlare di completezza
dentro di sé...*

No, ancora non puoi capirlo. Tu mi ascolti, lo capisci
intellettualmente, ma ancora non puoi comprenderlo. In
realtà, io parlo una lingua, e tu ne capisci un'altra Io sto

gridando da un livello dell'essere e tu stai ascoltando da un altro. Certo, sto usando le stesse parole che usi tu, ma io non sono come te, quindi come posso dare a quelle parole lo stesso significato che tu dai a esse? Intellettualmente puoi comprendere... e sarà un malinteso: ogni comprensione intellettuale è un malinteso.

Lascia che ti racconti alcuni aneddoti.

Un francese in visita in Irlanda sale su un treno, entra in uno scompartimento e trova due commessi viaggiatori che stanno chiacchierando: «Dove sei stato di recente?».
L'altro risponde: «Sono appena stato a Kilmary e ora sto andando a Kilpatrick. E tu?».
Il primo dice: «Sono stato a Kilkenny e a Kilmichael e ora sono diretto a Kilmore».
Il francese ascolta sbalordito. «Delinquenti assassini!» pensa, e scende alla prima stazione.*

Ascolta di nuovo: Kil-mary, Kil-patrick, Kil-kenny, Kil-michael e Kil-more: Kil-more... il francese dev'essersi spaventato... «Delinquenti assassini!»
Qualcosa di molto simile accade continuamente. Io dico qualcosa, tu capisci qualcos'altro. Ma è naturale, non lo sto condannando, semplicemente ti rendo consapevole che accade

C'erano tre ragazzi, uno si chiamava Guai, uno Buonemaniere, e uno Badaagliaffarituoi. Il padre era un filosofo, per cui aveva dato loro nomi molto significativi. Ebbene, è

---

* in inglese *kill* significa «uccidere»; *kill more* significa «uccidere di più»! (*NdT*)

molto pericoloso dare nomi significativi alla gente... Guai si era perso, così Buonemaniere e Badaagliaffarituoi andarono alla stazione di polizia. Badaagliaffarituoi disse a Buonemaniere: «Tu aspetta qui fuori» ed entrò.

Al poliziotto di guardia disse: «Mio fratello si è perso».

Il poliziotto chiese: «Qual è il tuo nome?».

«Badaagliaffarituoi.»

«Dove sono le tue buone maniere?» sbottò il poliziotto.

«Fuori dalla porta.»

«Stai cercando guai?»

«Sì, l'hai visto, forse?»

Questo succede continuamente. Io dico che, finché non sarai totale dentro di te, l'amore non fluirà. Naturalmente comprendi le parole, ma dai a esse il tuo significato. Quando dico: «A meno che tu non sia totale dentro di te», non sto proponendo una teoria, non sto affatto filosofando; sto semplicemente indicando un fatto reale. Sto dicendo: «Come puoi dare se non hai? E come puoi traboccare, se sei vuoto?». E l'amore è un traboccare: quando possiedi più di quanto hai bisogno, solo allora puoi dare, in questo caso è «amore-dono».

Come puoi donare se non hai? Tu questo lo ascolti e lo comprendi, ma poi sorge un problema perché la comprensione è intellettuale. Se ciò che dico è penetrato nel tuo essere, se ne hai colto la realtà, allora non sorgerà alcuna domanda. In questo caso dimenticherai tutte le tue relazioni dipendenti e comincerai a lavorare sul tuo essere: eliminando, purificando, ripulendo, rendendo più attenta e consapevole la parte più profonda di te; comincerai a lavorare in quella direzione. E più sentirai di raggiungere una certa totalità, più sentirai l'amore crescere: è una conseguenza.

L'amore fa parte della totalità.

In questo caso la domanda non esisterà più. Ma la domanda c'è, quindi non hai capito. Hai ascoltato come fosse una teoria e l'hai compresa, ne hai compreso la logica. Capire la logica non è abbastanza, dovrai sentirne il sapore.

Riconosco che il mio amore dipende totalmente dal mondo esterno, per cui riesco comunque a intuire il tuo parlare di completezza dentro di sé.
Mi chiedo: che cosa accade all'amore se non c'è niente e nessuno che possa riconoscerlo e sentirlo?

L'amore non ha bisogno di essere riconosciuto: non ha bisogno di riconoscimenti, di certificati, di qualcuno che lo assapori. Il riconoscimento dell'altro è accidentale, non è essenziale all'amore; l'amore continuerà a fluire. Anche se nessuno lo assapora, se nessuno lo riconosce, se nessuno si sente felice, deliziato per causa sua, l'amore continua a fluire, perché nel fluire stesso c'è una gioia, una beatitudine immensa. Nel fluire stesso... quando la tua energia fluisce...

Sei seduto in una stanza vuota e l'energia fluisce e riempie la stanza del tuo amore; non c'è nessuno – le pareti non diranno «grazie» – nessuno che lo riconosca, nessuno che lo assapori, ma questo non ha alcuna importanza. La tua energia che si libera, che scorre... ti senti felice. Il fiore è felice quando la sua fragranza si diffonde nel vento, anche se il vento ne è inconsapevole.

E infine chiedi: *E tu chi saresti senza discepoli che ti amano?*

Io sono quello che sono. Che i discepoli ci siano o no, è indifferente; io non dipendo da voi. E tutto il mio sforzo qui tende a fare sì che anche voi diventiate indipendenti da me.

43

Sono qui per darvi libertà. Non voglio imporvi alcunché, non voglio menomarvi in alcun modo; voglio solo che siate voi stessi. E il giorno in cui sarete indipendenti da me, allora mi amerete veramente... non prima.

Io vi amo, non posso farne a meno. Il punto non è se io vi possa amare o no, semplicemente vi amo. Se voi non foste qui, questo auditorium sarebbe pieno del mio amore; non farebbe alcuna differenza. Questi alberi, questi uccelli continuerebbero a ricevere il mio amore. E anche se tutti gli alberi e tutti gli uccelli scomparissero, non farebbe alcuna differenza; l'amore fluirebbe comunque. L'amore è, quindi fluisce

L'amore è un'energia dinamica, non può essere statico. Se qualcuno vi attinge, bene. Se nessuno partecipa, va bene lo stesso.

Cosa disse Dio a Mosè... lo ricordate? Quando Mosè incontrò Dio, naturalmente Dio gli diede dei messaggi da portare alla sua gente. Mosè era un vero ebreo, e chiese: «Signore, ti prego dimmi il tuo nome! Chiederanno: "Chi ti ha dato questi messaggi?". Chiederanno il nome di Dio, quindi dimmi: come ti chiami?».

E Dio disse: «Io sono colui che sono. Va' dalla tua gente e di' loro che "io sono colui che sono" ha detto questo. È un messaggio che viene da "io sono colui che sono"».

Sembra assurdo, ma è incredibilmente significativo: io sono colui che sono. Dio non ha nome, nessuna definizione, solo essere

44

Il vero amore

L'amore reale, da ciò che dici, mi sembra associabile alla ricerca dell'Assoluto: solo realizzandolo si può trovare completezza e piena realizzazione. Ma questa ricerca è individuale: come spiegare dunque il ruolo di completamento giocato dall'amato – di cui parla il Tantra, per esempio – rispetto alla ricerca del nostro sé?

Occorre capire una cosa molto intricata e complessa. Se non sei innamorato, ti senti isolato; se sei innamorato, se lo sei davvero, sei solo.

Sentirsi soli implica tristezza, essere soli significa non provare tristezza alcuna. Sentirsi soli è una sensazione di incompletezza: hai bisogno di qualcuno che non c'è. L'isolamento è oscurità, priva del minimo bagliore di luce; è una casa buia in cui si aspetta qualcuno che venga a ravvivarla con un po' di luce.

La solitudine non è isolamento e ti dà un senso di completezza. Non hai bisogno di nessuno e basti a te stesso. È ciò che accade in amore! Gli amanti sono soli, perché attraverso l'amore entrano in contatto con la loro intima completezza. L'amore ti rende completo. Coloro che si

45

amano si condividono perché è in gioco la loro energia straripante, non perché questa sia un loro bisogno.

Due persone che si sentono sole possono stipulare un patto e mettersi insieme. Non si amano, ricordalo, quindi restano sole; ebbene, grazie alla presenza dell'altro, non avvertono la solitudine, ecco tutto. In qualche modo ingannano se stesse: il loro amore, infatti, non è altro che un artificio per ingannare se stesse: «Non sono solo, c'è qualcun altro presente». E poiché sono due persone sole a incontrarsi, fondamentalmente la loro solitudine si moltiplica. Ed è ciò che avviene di solito.

Da solo ti senti isolato e quando hai un rapporto ti senti infelice: è un'osservazione che si può fare quotidianamente. Quando le persone sono sole si sentono isolate e, quindi, sono alla spasmodica ricerca di qualcuno con cui entrare in rapporto. Quando entrano in relazione con qualcuno, scatta l'infelicità e a quel punto pensano che sarebbe stato meglio stare sole; il che è un eccesso. Che cosa succede in questo caso?

Due persone sole si incontrano, vale a dire due persone malinconiche, tristi e infelici si incontrano. L'infelicità si moltiplica: come possono due bruttezze diventare bellezza? Come possono due persone che si sentono sole mettersi insieme e diventare completezza, totalità? Non è possibile. Si sfruttano reciprocamente, cercando in qualche modo di ingannarsi a vicenda, ma quell'inganno non arriva lontano. Nel momento in cui la luna di miele è finita, è finito anche il matrimonio. Si tratta di una cosa provvisoria, si tratta solo di un'illusione.

L'amore vero non è una ricerca per cauterizzare l'isolamento. Il vero amore è trasformare l'isolamento in solitudine, aiutare l'altro, se lo ami, a essere solo. Tu non ne sei il completamento; non cerchi, in un modo o nell'altro, di completare l'amato con la tua presenza. Niente affatto: lo aiuti a essere solo, a essere così pieno del proprio essere da non trasformare te in un bisogno.

Quando una persona è totalmente libera, grazie a quel la libertà è possibile una condivisione. In quel caso, que` sta persona può dare molto, senza che ciò sia un bisogno, senza che ci sia un baratto; dà molto perché ha molto, dà per la gioia di dare.

Coloro che si amano sono soli e chi ti ama veramente non distruggerà mai la tua solitudine, ma la rispetterà completamente perché è sacra, non interferirà con essa, non devasterà quello spazio.

Di solito, però, chi si vuole bene, il cosiddetto bene, ha molta paura dell'altro e della solitudine dell'altro, dell'in-dipendenza dell'altro; ne ha molta paura perché ritiene che, se l'altro è indipendente, non avrà più bisogno di lui e quindi lo metterà da parte. Pertanto la moglie farà in modo che il marito rimanga in uno stato di dipendenza, di perenne bisogno, perché lei sia sempre importante. E il marito cercherà in ogni modo di fare sì che la moglie ab-bia sempre bisogno di lui per poter essere importante. Questo è un baratto e c'è sempre conflitto, battaglia. La lotta è semplicemente dovuta al fatto che ognuno ha biso-gno della propria libertà.

L'amore lascia posto alla libertà; non solo le lascia posto, la rafforza. Qualunque cosa distrugga la libertà non è amo-re. Deve trattarsi di altro, perché amore e libertà vanno a braccetto, sono due ali dello stesso gabbiano. Ogni volta che vedi il tuo amore in conflitto con la tua libertà, signifi-ca che stai facendo qualcos'altro in nome dell'amore.

Fa' in modo che questo sia il tuo criterio: la libertà è il criterio; l'amore ti dà libertà, ti rende libero, ti affranca e quando sarai completamente te stesso, proverai gratitudine per la persona che ti ha aiutato. Quella gratitudine ha qualcosa di religioso, senti nell'altra persona qualcosa di divino. Lui, o lei, ti hanno reso libero e l'amore non si è trasformato in possessività.

Quando l'amore si deteriora, diventa possessività, gelosia, lotta per il potere, politica, dominio, manipolazione e migliaia di altre cose, tutte orribili. Quando l'amore si libra alto nel più puro dei cieli è libertà, libertà totale; allora è *moksha*, libertà assoluta.

Tu chiedi: *L'amore reale, da ciò che dici, mi sembra associabile alla ricerca dell'Assoluto: solo realizzandolo si può trovare completezza e piena realizzazione. Ma questa ricerca è individuale: come spiegare dunque il ruolo di completamento giocato dall'amato – di cui parla il Tantra, per esempio – rispetto alla ricerca del nostro Sé?*

Il Tantra è l'amore più puro. Il Tantra è la metodologia tesa a purificare l'amore da tutti i suoi veleni. Se sei innamorato, dell'amore di cui io sto parlando, il tuo stesso amore aiuterà l'altro a raggiungere la propria integrità. Il tuo stesso amore diverrà per l'altro una forza in grado di cementare. Nel tuo amore l'altro si cristallizzerà, perché gli porterà libertà; all'ombra del tuo amore e sotto la sua protezione l'altro comincerà a crescere.

Ogni crescita ha bisogno d'amore, ma di amore incondizionato. Se l'amore reca in sé delle condizioni, la crescita non può essere totale, perché quelle condizioni saranno di ostacolo. Ama incondizionatamente! Non chiedere niente in cambio. Otterrai molto in maniera spontanea, ma questa è un'altra questione; in amore non essere un mendicante, sii un imperatore. Da' e resta semplicemente a vedere che cosa accade... quando avrai dato ti sarà reso moltiplicato per mille. Tuttavia occorre imparare, altrimenti si resta avari; di solito si dà un po', e ci si aspetta in cambio molto, e questa attesa, questa aspettativa distrugge completamente la bellezza della cosa.

Quando ti aspetti qualcosa e nutri quindi delle aspettative, l'altro sente che lo stai usando. Potrà dirtelo oppure no, comunque si sentirà manipolato. E quando si verifica questo tipo di strumentalizzazione, sorgerà il desiderio di ribellarsi, perché va contro l'intimo bisogno dell'anima, in quanto qualsiasi richiesta proveniente dall'esterno ti disgregherà, ti dividerà. Qualsiasi richiesta proveniente dall'esterno è un crimine contro di te, perché la tua libertà ne viene contaminata. In questo caso non sarai più sacro, non sarai più «il fine»: verrai semplicemente adoperato come strumento, e l'atto più immorale del mondo è usare qualcuno come un mezzo.

Ciascun essere è di per se stesso un fine. L'amore ti tratta come un fine e non devi essere trascinato da alcuna aspettativa.

Il Tantra è la forma più elevata d'amore. Il Tantra è la scienza, lo Yoga dell'amore. Ecco dunque alcune cose che vanno ricordate: ama, ma non per bisogno, semmai come condivisione. Ama senza aspettare nulla, ma solo per dare. Ama, ma ricorda che l'amore non deve diventare una prigione per l'altro. Ama, ma sta' molto attento, perché ti stai muovendo su un terreno sacro. Stai per accedere al più alto e al più puro dei templi.

Sta' attento! Fuori dal tempio liberati da ogni impurità. Quando ami una persona, amala come se fosse nientemeno che un dio. Non amare una donna in quanto donna, né un uomo in quanto uomo, perché se ami un uomo in quanto uomo, il tuo amore diverrà molto, molto comune: non si eleverà granché al di sopra della lussuria. Se ami una donna in quanto donna, il tuo amore non si eleverà più di tanto: ama una donna come se fosse una divinità allora l'amore diverrà venerazione.

Nel Tantra l'uomo che desidera fare l'amore con una donna deve venerarla per mesi come se fosse una divinità; deve visualizzare in lei la dea-madre. Quando quella visualizzazione è totale, quando non affiora alcuna concupiscenza, quando vedere la donna nuda seduta di fronte a lui gli fa semplicemente provare un fremito di energia divina, senza alcuna bramosia, quando la stessa forma della donna si fa divina, tutti i pensieri si bloccano e l'unico sentimento è la riverenza, allora gli è consentito fare l'amore.

Sembra un po' assurdo e paradossale: quando non c'è alcun bisogno di fare l'amore, allora è consentito farlo. Quando la donna è divenuta una dea, allora l'uomo può fare l'amore. A quel punto gli è consentito perché allora l'amore può librarsi alto e giungere all'apice, a un culmine. Ora l'amore non sarà di questa Terra, non sarà di questo mondo, non sarà tra due corpi, bensì tra due esseri. Sarà l'incontro di due esistenze, di due anime che si avvicineranno, si scioglieranno e si fonderanno, ed entrambe ne usciranno più sole che mai.

Solitudine significa purezza, significa che sei solo te stesso e nessun altro. Solitudine vuole dire che sei oro puro; oro e nient'altro. Semplicemente te stesso. L'amore ti rende solo. L'isolamento scomparirà, mentre affiorerà la solitudine. L'isolamento è uno stato in cui sei malato, annoiato e stanco di te stesso, per cui desideri trasferirti altrove e dimenticare te stesso in qualcun altro. La solitudine è presente quando è il tuo stesso essere a farti fremere, quando sei in uno stato di beatitudine semplicemente a causa del tuo stesso essere. Non hai bisogno di andare in alcun posto, perché il bisogno è scomparso. Basti a te stesso. Ora, però, nel tuo essere accade qualcosa di nuovo: hai così tanto dentro di te da non poterlo più contenere, devi condividerlo, devi dare. Chiunque sia ad accettare il tuo dono, gli sarai grato di averlo accettato, perché lo avrebbe potuto rifiutare.

Coloro che amano si sentono riconoscenti per il fatto che il loro amore sia stato accettato. Si sentono riconoscenti perché erano così colmi di energia e avevano bisogno di qualcuno in cui riversarla. Quando un fiore sboccia e dona la sua fragranza al vento, si sente grato al vento perché la fragranza gravava sempre più intensamente su di esso, stava diventando un peso insopportabile; proprio come una donna gravida che dopo nove mesi vede il figlio tardare la sua venuta al mondo: si sentirebbe appesantita, gravata da quel peso, vorrebbe condividere il figlio con il mondo. Ecco il significato della nascita.

Fino a quel momento questa donna ha portato il figlio dentro di sé, era solo suo e di nessun altro, ma ora è troppo: non riesce a contenerlo. Deve condividerlo con il mondo. La madre deve abbandonare la sua avarizia. Quando il bimbo sarà uscito dal suo grembo, non apparterrà più unicamente a lei; con il passare del tempo si allontanerà, si allontanerà sempre di più per andare a fare parte del grande mondo.

La stessa cosa avviene quando una nuvola è carica di pioggia pronta a sciogliersi; quando la pioggia cade, quando piove, la nube si sente alleggerita, ed è felice e grata alla terra assetata che ha accettato la sua pioggia.

Ci sono due tipi di amore: nel primo caso si tratta dell'amore che provi quando ti senti isolato, senti la necessità di andare verso l'altro. Nel secondo caso si tratta dell'amore che provi quando non ti senti isolato, ma in solitudine. Nel primo caso andrai in cerca di qualcosa, nel secondo cercherai di dare qualcosa. Colui che dà è un imperatore.

Ricorda: il Tantra non è l'amore comune, non ha niente a che fare con la lussuria, è invece la più grande trasformazione della lussuria in amore. La ricerca dell'Assoluto è individuale, ma è l'amore a renderti individuo. Se non ti rende tale, se cerca di renderti schiavo, allora non si tratta di amore, ma di odio che si spaccia per amore. La finzione dell'amore rivela un odio nascosto che si barcamena in qualche modo, asserendo di essere amore.

L'amore di questo tipo uccide, distrugge l'individualità, fa di te qualcosa meno di un individuo; ti schiaccia, ti impoverisce; non ne sei valorizzato, non provi alcuna riconoscenza. Sei trascinato nel fango e senti di avere a che fare con qualcosa di sporco.

L'amore dovrebbe donarti libertà, non fermarti a qualcosa di inferiore. L'amore dovrebbe fare di te una nuvola bianca, completamente libera, un viandante nel cielo della libertà senza radici affondate da qualche parte. L'amore non è un vincolo, mentre la lussuria lo è.

La meditazione e l'amore sono le due vie tramite le quali ottenere l'individualità di cui sto parlando; entrambi hanno profondi legami reciproci, infatti sono entrambi facce della stessa moneta.

Se mediti, prima o poi ti imbatterai nell'amore. Se mediti profondamente, prima o poi comincerai a sentir nascere in te un amore immenso, un amore che non hai mai conosciuto prima. Si tratta di una qualità nuova del tuo essere, di una nuova porta che si apre. Senti una fiamma nuova ardere dentro di te e desideri condividerla.

Se amerai profondamente, con il tempo acquisirai la consapevolezza che il tuo amore si trasformerà sempre di più in meditazione. Una forma sottile di silenzio si farà strada in te, i pensieri spariranno, il vuoto sparirà. Silenzio! Stai entrando in comunione con la tua profondità abissale.

L'amore ti rende più meditativo, se percorre le vie giuste. La meditazione ti induce ad amare, se percorre le vie giuste.

Sostanzialmente, esistono solo due tipi di persone al mondo: coloro che trovano la propria meditazione attraverso l'amore e coloro che trovano l'amore attraverso la meditazione. Per coloro che troveranno la meditazione attraverso l'amore c'è il Tantra: questa è la loro scienza. Per coloro che troveranno l'amore attraverso la meditazione c'è lo Yoga: questa è la loro scienza.

Tantra e Yoga: ecco le uniche due vie fondamentali. Entrambe, tuttavia, possono rivelarsi sbagliate se non le comprenderai bene. Ascolta, il criterio è questo: se la tua meditazione non diventa amore, sappi che hai sbagliato in qualcosa; e scoprirai che novantanove persone che meditano su cento hanno sbagliato. Più si addentrano nella loro meditazione, più entrano in conflitto con l'amore. Infatti, cominciano a temerlo, iniziano a pensare all'amore come a una distrazione, quindi la loro meditazione non è autentica. Una meditazione dalla quale non scaturisce amore non è affatto tale, semmai è una scappatoia, di certo non è una crescita. È come se un seme cominciasse a temere di diventare una pianta, di germogliare e quindi di donare al vento la propria fragranza; quel seme è diventato avaro.

Troverai questo tipo di meditatori in tutta l'India. La loro meditazione non è giunta a fioritura, ma si è inaridita lungo la strada. Essi sono bloccati, e non scoprirai alcuna grazia sui loro volti, non scorgerai intelligenza nei loro occhi. Intorno a loro avvertirai un'atmosfera di ottusità e stupidità. Non li troverai attenti, consapevoli, vitali. Un alone di morte... perché se si è vivi si deve amare. Evitare l'amore significa evitare la vita.

Queste persone saranno sempre in fuga verso l'Himalaya o verso qualunque altro luogo dove possano vivere senza avere nessuno intorno a sé. Il loro essere sole non sarà mai tale, sarà sempre isolamento e lo si può leggere sul loro viso. Non sono contente di essere sole: sulla loro faccia vedrai una sorta di martirio – che sciocchezza! – come se si stessero immolando; in realtà troverai solo ego e nessuna umiltà e questo perché ovunque appare l'umiltà, anche l'amore è presente. Se l'ego diventa troppo forte, l'amore può essere completamente distrutto, perché l'ego è l'opposto dell'amore.

Lo Yoga è nelle mani della gente sbagliata. La stessa cosa è avvenuta con il Tantra. In nome del Tantra la gente ha cominciato a soddisfare la propria lussuria e le proprie perversioni. Non è mai diventato fonte di meditazione, bensì una scaltra razionalizzazione della lussuria, del sesso e delle passioni. È diventato un trucco, dietro il quale è possibile nascondersi. Il Tantra è diventato un velo dietro cui nascondersi, dietro cui mascherare ogni sorta di perversione.

Ricorda, quindi: l'uomo è molto astuto. Ha distrutto lo Yoga e ha distrutto il Tantra. Sta' all'erta! Entrambi sono cose buone, da entrambi si possono trarre immensi benefici, ma il criterio al quale attenersi consiste nel ricordare che, se stai praticando uno dei due in maniera corretta, l'altro dovrà seguire come un'ombra. Se questo non avviene, allora hai sbagliato qualcosa.

Torna indietro, ricomincia: addentrati nella tua mente, analizzala e scoprirai che da qualche parte hai ingannato te stesso; e non sarà difficile scoprirlo, perché se puoi ingannare gli altri, non puoi ingannare te stesso. È impossibile. Guardando dentro di te arriverai a comprendere dov'è sorto l'inganno. Nessuno riesce a ingannare se stesso! È impossibile. Come potresti farlo?

Un inferno da attraversare

Le tue parole, la tua prospettiva sull'amore mi spingono «altrove», in tutti i sensi. Tu dai vita a uno specchio limpido nel quale si riflette il dramma dell'amore, la tragedia che l'amore è nella mia vita. Qualcosa che echeggia queste parole di Humphrey Bogart: «Donna... vivere con te è un inferno, ed è un inferno vivere senza di te».
Che fare?

Si deve attraversare questo inferno. Si deve sperimentare sia l'inferno creato dal vivere con una donna, sia l'inferno che nasce quando si vive senza una donna. E questo vale non solo per la donna, ma anche per l'uomo; dunque, non essere il solito maschio sciovinista! È una realtà che s' applica a entrambi i contesti, una spada a doppio taglio Anche le donne sono stanche di vivere con gli uomini, e anche loro sono frustrate quando devono vivere da sole.

Di fatto, questo è uno dei dilemmi umani fondamenta li, dev'essere compreso: tu non puoi vivere senza una don na perché non sai come vivere con te stesso. Non sei abbastanza meditativo.

La meditazione è l'arte di vivere con se stessi. Non è altro che questo, è semplicemente questo: l'arte di essere gioiosamente soli. Un meditatore può stare seduto gioiosamente solo per mesi, per anni. Non spasima per la presenza dell'altro, poiché la sua stessa estasi interiore è tale e così grande, è così potente da dominarlo... dunque, perché preoccuparsi dell'altro? Se l'altro entra nella sua vita, non è affatto un bisogno: è un lusso.

E io sono assolutamente a favore del lusso, poiché significa questo: se l'altro è presente, ne puoi gioire; se non lo è, gioisci comunque.

Un bisogno è un fenomeno complesso. Per esempio, pane e companatico sono bisogni, viceversa i fiori in giardino sono un lusso; puoi vivere senza, non morirai. Invece, senza pane e companatico non puoi vivere.

Per l'uomo che non è in grado di vivere con se stesso l'altro è un bisogno, un bisogno assoluto poiché, quando si trova da solo con se stesso, si annoia: è così annoiato dalla propria presenza che vuole un qualsiasi impegno con qualcun altro. E poiché è un bisogno, diventa una dipendenza: devi dipendere dall'altro. Poiché diventa una dipendenza, ecco che odii, ti ribelli, opponi resistenza, in quanto si tratta di una schiavitù. La dipendenza è una sorta di schiavitù, e nessuno vuole essere uno schiavo.

Un uomo incontra una donna poiché non è in grado di vivere da solo. Anche la donna non lo è, per questo vuole incontrare un uomo, altrimenti non ce ne sarebbe bisogno. Entrambi sono annoiati da se stessi ed entrambi pensano che l'altro li aiuterà a liberarsi dalla noia.

Certo, all'inizio sembrerà così, ma solo all'inizio. Man mano che la relazione si stabilizzerà, e ciò accadrà ben presto, i due vedranno che la noia non è affatto stata distrutta; anzi, non solo è raddoppiata: è moltiplicata.

È successo questo: prima erano annoiati con se stessi, adesso lo sono anche con l'altro, poiché più ti avvicini a lui, più lo conosci, più l'altro in pratica diventa una parte di te.

Ecco perché, se vedi una coppia annoiata camminare di fianco a te, puoi essere certo che i due sono sposati. Se non sono annoiati, puoi essere certo che ancora non lo sono: quell'uomo potrebbe camminare con la moglie di qualcun altro, ecco perché sprizza di gioia!

Quando due persone sono innamorate – quando l'uomo ancora non ha sedotto la donna, e quando la donna ancora non si è convinta a vivere per sempre con l'uomo – entrambe fingono una gioia straordinaria. E qualcosa in quella gioia è anche vera, poiché l'uomo spera: «Chissà? Potrei liberarmi dalla mia noia, dalla mia angoscia, dalla mia ansia, dal mio senso di isolamento. Questa donna potrebbe aiutarmi» e la donna spera la stessa cosa. Ma, non appena si è insieme tutte quelle speranze scompaiono, e di nuovo si precipita nella disperazione. Adesso si è ancora annoiati, e il problema è centuplicato... ebbene, come liberarsi da questa donna?

Poiché non sei meditativo, hai bisogno degli altri per tenerti occupato. E poiché non sei meditativo, non sei neppure in grado di amare, infatti l'amore è una gioia che straripa. Se sei annoiato con te stesso, che gioia potrai mai condividere con l'altro? Di conseguenza, anche stare con lui diventa un inferno.

In questo senso, Jean-Paul Sartre ha ragione: l'altro è l'inferno. In realtà non è così, sembra solo che lo sia. L'inferno esiste dentro di te, nel tuo non essere meditativo, nella tua incapacità di stare solo ed essere estatico. Ed entrambi i partner sono incapaci di stare soli ed essere estatici; ebbene, entrambi staranno alla gola dell'altro, alla continua ricerca di un po' di felicità da succhiare, da strappare in modo famelico. Entrambi lo fanno, ed entrambi sono mendicanti.

Ho sentito raccontare di due psicoanalisti che si incontrano per strada. Il primo dice all'altro: «Ti trovo bene... e io come sto?».

Nessuno conosce se stesso, nessuno ha alcuna familiarità con se stesso. Noi vediamo soltanto il volto dell'altro. Una donna ci sembra bella, un uomo ci sembra bello, sorridente... tutti sorridono; non conosciamo affatto le loro angosce. Forse, tutti quei sorrisi sono solo una facciata per ingannare gli altri, e per ingannare se stessi. Forse, dietro quei sorrisi si nascondono fiumi di lacrime. Forse, quell'uomo, quella donna hanno paura: se non sorridessero, potrebbero scoppiare in un pianto a dirotto, disperato.

D'altra parte, quando vedi l'altro, vedi semplicemente la superficie, e ti innamori della superficie. Quando poi ti avvicini, ben presto ti rendi conto che gli abissi interiori dell'altro sono oscuri quanto lo sono i tuoi. Anche l'altro è un mendicante, come lo sei tu. Ebbene... due mendicanti che mendicano tra di loro: l'inferno è inevitabile!

Certo, Humphrey Bogart ha ragione: «*Donna... vivere con te è un inferno, ed è un inferno vivere senza di te*».

Ma il problema non sono le donne, né lo sono gli uomini: è una questione di meditazione e d'amore. La meditazione è la fonte dentro di te da cui scaturisce la gioia, e da lì inizia poi a straripare. Solo se hai gioia a sufficienza da condividere, solo in questo caso il tuo amore sarà un appagamento. Se non hai alcuna gioia da condividere, il tuo amore sarà faticoso, qualcosa che ti esaurisce e ti esaspera, qualcosa di noioso.

In questo caso, ogni volta che stai con una donna ti annoi e vuoi liberarti di lei; e quando sei solo, ti annoi con te stesso e vuoi liberarti dalla tua solitudine, per cui ti metti alla disperata ricerca di una donna. Questo è un circolo vizioso! Puoi continuare a muoverti come un pendolo da un estremo all'altro, per tutta la vita.

Metti a fuoco il problema reale! E il problema reale non ha nulla a che vedere con l'uomo o con la donna; ha qualcosa a che fare con la meditazione e con la fioritura della meditazione nell'amore, nella gioia, nella beatitudine.

Come prima cosa medita, sii estatico, in seguito sorgerà spontaneamente un amore straripante. A quel punto essere con gli altri è bello, ed è altrettanto bello essere soli; e in quel caso è anche semplice: tu non dipendi dagli altri e non rendi gli altri dipendenti da te. Allora si tratta sempre di amicizia, di vera amicizia; non diventa mai una relazione, è sempre un essere in rapporto. Ti rapporti all'altro, ma non crei mai un matrimonio. Il matrimonio è sempre frutto della paura, essere in rapporto scaturisce dall'amore.

Siete in rapporto: finché le cose scorrono è qualcosa di bello che condividete. E se vedete che è venuto il momento di lasciarsi, poiché i vostri sentieri giungono a un crocevia e prendono strade diverse, vi salutate con profonda gratitudine per tutto ciò che avete rappresentato l'uno per l'altro, per tutte le gioie e tutti i piaceri e tutti i bellissimi momenti che avete condiviso... e vi separate semplicemente, senza infelicità, senza dolore.

Nessuno potrà mai garantire che due persone saranno felici di stare insieme per sempre, perché le persone cambiano. Quando incontri una donna, è una persona e altrettanto vale per te. Dopo dieci anni tu sarai un'altra persona e altrettanto sarà lei. Siete simili a un fiume: l'acqua scorre continuamente. Le persone che si erano innamorate non esistono più, entrambe sono scomparse. Ebbene, a quel punto possono restare aggrappate a una promessa fatta da *qualcun altro*: nessuno dei due individui attuali ha mai fatto una promessa simile!

Un vero uomo di comprensione non fa mai promesse per il domani, può solo dire: «Per il momento». Un uomo veramente onesto non può promettere assolutamente nulla, come potrebbe? Chi conosce cosa accadrà domani? Potrebbe venire, potrebbe non arrivare mai. E nel domani che verrà: «Io non sarò più lo stesso, tu non sarai più la stessa». Nel domani che verrà: «Tu potresti trovare qualcun altro con cui ti armonizzi più in profondità, io potrei trovare qualcuno con cui mi accompagno più armoniosamente». Questo mondo è sconfinato: perché confinarlo a ciò che si prova oggi? Tenete le porte aperte, lasciate spazio a tutte le alternative.

Certo, io sono contro il matrimonio. È il matrimonio che genera tutti i problemi. È il matrimonio a essere diventato qualcosa di abnorme, di disgustoso. Il matrimonio è l'istituzione più orribile che esista al mondo, poiché costringe le persone a essere false: con il tempo cambiano, ma devono continuare a fingere di essere sempre le stesse.

Un vecchietto di ottant'anni stava festeggiando il suo cinquantesimo anniversario di matrimonio con la moglie settantacinquenne.

Decisero di andare nell'hotel che si trovava nella stessa località montana in cui avevano passato la loro luna di miele.

La nostalgia! Ebbene, lui adesso ha ottant'anni e lei ne ha settantacinque, eppure... prenotano lo stesso hotel, e la stessa stanza! Tentano in tutti i modi di rivivere quei giorni fantastici, di cinquant'anni prima.

Quando viene il momento di andare a letto, la donna

sussurra: «Non l'hai dimenticato, vero? Mi bacerai con lo stesso ardore di quella notte?».

Il vecchio resta un attimo perplesso e poi replica: «Va bene». Poi si alza.

Al che è la donna a restare perplessa e gli chiede: «Dove stai andando?».

E l'uomo: «A rimettermi la dentiera...!».

Tutto è cambiato. Ebbene, questo bacio, con la dentiera o senza, non sarà mai più lo stesso. Ma l'uomo acconsente: «Va bene»! E quel viaggio dev'essere stato stancante per un uomo di ottant'anni... ma la gente continua a comportarsi come se nulla fosse cambiato.

Una donna di età avanzata si sposò con un vecchietto altrettanto venerando. Dev'essere accaduto in America, dove altrimenti? Solo in America nessuno sembra invecchiare, tutti fingono continuamente di essere nel pieno della giovinezza.

Ebbene, i due andarono in luna di miele. Quella sera, il vecchio prese la mano della moglie tra le sue e la strinse per due, tre minuti – fu l'unica cosa che riuscirono a fare, riguardo al fare l'amore – poi si addormentarono.

La sera successiva, di nuovo il vecchietto strinse la mano della donna, ma questa volta solo per un minuto: tre minuti gli sembrarono troppi.

E la terza sera, quando l'uomo si avvicinò alla donna per stringerle la mano, lei commentò, girandosi sull'altro lato: «Questa sera no, ho il mal di testa!».

Pochissime persone crescono veramente; anche se invecchiano, non crescono mai. Invecchiare non è sinonimo di crescere: la vera maturità viene solo dalla meditazione.

61

Impara a essere silenzioso, in pace, quieto e immobile. Impara a essere una nonmente: quello dev'essere l'inizio per qualsiasi ricercatore della verità. Prima di quel passo non si deve fare nulla e, dopo averlo fatto, tutto diventa facile. Nel momento in cui scopri di essere assolutamente felice ed estatico, anche se scoppiasse la Terza guerra mondiale e il mondo intero scomparisse e tu restassi solo, la cosa non ti toccherebbe minimamente. Continueresti a star seduto sotto il tuo albero a fare *vipassana*.

Il giorno in cui nella tua vita accadrà quel momento potrai condividere la tua gioia, e a quel punto sarai in grado di dare amore. Prima di allora sarà inevitabilmente qualcosa di infelice, ritmato tra speranze e frustrazioni, desideri e fallimenti, sogni... con il risultato di trovarti in mano e in bocca solo della polvere.

Sta' attento, non sprecare tempo. Prima ti sintonizzi con la nonmente meglio è. A quel punto in te possono fiorire molte cose: amore, creatività, spontaneità, gioia, preghiera, gratitudine, Dio.

Alcuni interrogativı di fondo

1. *Per favore, potresti parlare della differenza che passa tra un sano amore per se stessi e un orgoglio egocentrico?*

Esiste una differenza enorme, anche se le due cose si assomigliano molto. Un sano amore per se stessi ha un immenso valore spirituale. Se una persona non ama se stessa, non sarà mai in grado di amare nessun altro. La prima onda d'amore deve nascere nel tuo cuore; se non è sorta per te stesso, non può sorgere per nessun altro, perché chiunque altro è molto distante da te.

Dunque, si deve amare il proprio corpo, si deve amare la propria anima, si deve amare la propria totalità. Ed è qualcosa di naturale, altrimenti non sarai affatto in grado di sopravvivere. Ed è bello perché ti rende bello: la persona che ama se stessa è piena di grazia, è elegante. La persona che ama se stessa inevitabilmente diventerà più silenziosa, più meditativa, più immersa nella preghiera rispetto a una persona che non si ama.

Se non ami la tua casa, non la pulirai; se non l'ami, non la dipingerai; se non l'ami, non l'abbellirai con un giardino e con un laghetto di fiori di loto. Se ami te stesso, creerai intorno al tuo essere un giardino. Cercherai di fare crescere il tuo potenziale, cercherai di esprimere tutto ciò che in te può essere espresso. Se ami, continuerai a riversare amore su di te, continuerai a nutrire il tuo essere.

E se ami te stesso rimarrai sorpreso: gli altri ti ameranno. Nessuno ama una persona che non ama se stessa. Se neppure tu riesci ad amare te stesso, chi si accollerà questo peso? E la persona che non ama se stessa non può restare neutrale. Ricorda: nella vita non esiste alcuna neutralità.

L'uomo che non si ama, odia; è inevitabile che odii: la vita non conosce neutralità; implica sempre una scelta. Se non ami non vuol dire che puoi restare semplicemente in quella condizione di non-amore. È impossibile, odierai!

E chi odia se stesso diventa distruttivo. La persona che odia se stessa odierà tutti gli altri, indistintamente; sarà sempre in collera, violenta, costantemente rabbiosa. Chi si odia come può sperare di essere amato dagli altri? La sua vita sarà totale distruzione. Amare se stessi è un alto valore spirituale.

Io insegno l'amore per se stessi. Ma ricorda, amore per se stessi non significa orgoglio egocentrico, niente affatto, significa esattamente l'opposto. La persona che ama se stessa scopre che in lei non esiste alcun sé. L'amore dissolve sempre il sé: questo è uno dei segreti alchemici che dev'essere compreso, appreso, sperimentato. L'amore dissolve sempre il sé. Ogni volta che ami, il sé scompare. Quando ami una donna, almeno nei pochi istanti in cui senti amore reale per lei, in te non esiste un sé, alcun ego.

L'ego e l'amore non possono esistere insieme. Sono come la luce e l'oscurità: quando viene la luce, l'oscurità si dissolve. Se ami te stesso, ti sorprenderai: l'amore per se stessi implica la scomparsa del sé. Nell'amore per se stessi non esiste mai un sé. Questo è il paradosso: l'amore per se stessi è totale assenza di sé. Non è egocentrismo; perché ogni volta che esiste la luce non c'è alcuna oscurità, e ogni volta che esiste amore non c'è alcun sé.

L'amore scioglie il sé congelato. Il sé è simile a un cubetto di ghiaccio, l'amore è simile al sole del mattino. Il calore dell'amore... e il sé inizia a sciogliersi. Più ami te stesso meno troverai un sé dentro di te, per cui diventa una meditazione profonda, uno slancio appassionato verso il divino.

E tu lo sai! Forse non sai nulla dell'amore per te stesso, perché non ti sei mai amato. Ma hai amato gli altri, e devi aver colto dei bagliori fugaci. Devono esserci stati istanti rarissimi in cui per un secondo, improvvisamente, tu non eri più presente e solo l'amore esisteva, solo l'energia dell'amore fluiva, senza avere un centro: dal nulla verso il nulla. Quando due amanti sono seduti vicini, due nulla sono seduti vicini, due zero siedono vicini; e questa è la bellezza dell'amore: ti svuota totalmente del tuo sé.

Ricorda, dunque: l'orgoglio egocentrico non è mai amore per se stessi. L'orgoglio egocentrico è esattamente l'opposto. La persona che non è riuscita ad amare se stessa diventa egocentrica. L'orgoglio egocentrico è ciò che gli psicoanalisti chiamano uno schema di vita narcisistica, è narcisismo.

Di certo conosci la parabola di Narciso: si era innamorato di se stesso. Guardando una pozza d'acqua immobile si innamorò del suo stesso riflesso.

Ebbene, osserva la differenza: l'uomo che ama se stesso non ama il suo riflesso, semplicemente si ama. Non occorre alcuno specchio; conosce se stesso dall'interno. Non ti conosci, forse; non sai di essere? Ti serve una prova della tua esistenza? Hai bisogno di uno specchio che ti dimostri che esisti? Se non ci fossero specchi, dubiteresti della tua esistenza?

Narciso si innamorò del suo riflesso, non di se stesso. Questo non è vero amore per se stessi. Si innamorò di un riflesso; il riflesso è l'altro. Si divise in due: Narciso era dissociato, la sua era una forma di schizofrenia. Era diventato due persone: l'amante e l'amato. Era diventato il suo stesso oggetto d'amore, ed è ciò che accade a molte persone che credono di essere innamorate.

Quando ti innamori di una donna, osserva, sta' attento: può essere solo narcisismo; il volto della donna, i suoi occhi, le sue parole possono semplicemente funzionare come un lago immoto in cui vedi il tuo riflesso.

Ho osservato che su cento amanti, novantanove sono narcisisti. Non amano la donna che hanno di fronte, amano il riconoscimento che dimostra loro, l'attenzione che la donna dà loro, le lusinghe con cui li seduce.

In una notte di luna piena due amanti sedevano su una spiaggia, dal mare si alzavano cavalloni giganteschi che sciabordavano fino alla riva... si avvicinava l'ora dell'alta marea, e l'amante urlò al mare: «Ti ordino di sollevarti in onde ancora più grandi, e di venire a posarti ai miei piedi!». E le onde d'incanto si sollevarono e corsero umilmente a lambire i piedi dei due fidanzati.

La donna si strinse di più al cuore dell'amato, lo strinse a sé, lo baciò e gli sussurrò: «Lo sapevo fin dal primo momento che eri un mago! Persino il mare ti ubbidisce!».

E continua ad accadere! La donna adula l'uomo, l'uomo adula la donna; è un reciproco lusingarsi. La donna dice: «Nessuno è bello come te. Sei un miracolo! Sei l'uomo più grande che Dio abbia mai creato. Persino Alessandro Magno non era nessuno paragonato a te». E tu ti gonfi, fai la ruota come un pavone; il petto si allarga, la testa inizia a ergersi: ti senti importante benché siano solo sciocchezze. E a tua volta dici alla donna: «Sei la donna più perfetta mai creata da Dio. Persino Cleopatra non era nulla in confronto. Non credo che Dio potrà mai fare di meglio. Non ci sarà mai un'altra donna così bella».

E questo lo chiamate amore! Questo è narcisismo. L'uomo diventa un laghetto immoto e riflette la donna, la donna diventa un laghetto immoto e riflette l'uomo; di fatto quel laghetto non si limita a riflettere la verità, l'abbellisce, fa di tutto per renderla sempre più bella. Questo è ciò che la gente chiama amore: non lo è! Questo è soddisfarsi l'ego a vicenda.

Il vero amore non conosce affatto l'ego. Il vero amore inizia con l'amore per se stessi.

È naturale, hai questo corpo, questo essere, hai radici in esso; godine, abbelliscilo, celebralo! E non si tratta di orgoglio o di ego, perché non ti stai paragonando a qualcuno. L'ego sorge solo con il confronto. L'amore per se stessi non conosce confronto; tu sei tu, tutto qui! Non sostieni che qualcuno ti è inferiore; non fai affatto confronti. Ogni volta che subentra il confronto, sappi che non è amore: in un modo o nell'altro è un trucco, un sottile inganno dell'ego.

L'ego vive di confronti. Quando dici a una donna: «Ti amo», ha un valore; quando le dici: «Cleopatra al tuo confronto non era niente», ne ha un altro, totalmente diverso, è l'opposto. Perché tirare in ballo Cleopatra? Cleopatra viene usata solo per gonfiare l'ego. Ama quest'uomo... perché chiamare in causa Alessandro Magno?

L'amore non conosce confronti, l'amore ama semplicemente senza fare paragoni.

Ricorda dunque, ogni volta che esiste un confronto è solo orgoglio egocentrico, è narcisismo. E ogni volta che non c'è confronto è amore, sia verso se stessi sia verso gli altri.

In un amore vero non esiste alcuna divisione. Gli amanti si fondono l'uno nell'altro. Nell'amore egocentrico c'è una divisione enorme, la divisione dell'amante dall'amato. In un vero amore non esiste relazione. Lasciamelo ripetere: in un amore vero non c'è relazione, perché non ci sono due persone che si mettono in relazione. In un vero amore c'è solo amore, un fiorire, una fragranza, una fusione, un dissolversi. Solo in un amore egocentrico sono presenti due persone: l'amante e l'amato. E ogni volta che l'amante e l'amato sono presenti, l'amore scompare. Ogni volta che c'è amore, sia l'amante sia l'amato scompaiono nell'amore.

L'amore è un fenomeno così grandioso che non gli puoi sopravvivere.

Il vero amore è sempre nel presente. L'amore egocentrico è sempre nel passato oppure nel futuro. In un vero amore esiste una tranquillità appassionata. Sembrerà paradossale, ma tutte le grandi verità della vita sono paradossali!

La chiamo una tranquillità appassionata perché c'è calore, ma non c'è un fuoco. Di certo esiste il calore, ma c'è anche tranquillità, una condizione di estrema calma, di rilassamento e raccoglimento. L'amore placa lo stato febbrile; ma se non è vero amore bensì un amore egocentrico, allora c'è un fuoco inestinguibile. In questo caso la passione è come una febbre, non c'è affatto tranquillità.

Se riesci a ricordare queste cose, avrai un criterio per giudicare. Ma si deve partire dal punto in cui ci si trova: si deve partire da se stessi, non è possibile altrimenti. Parti dunque da dove sei.

Ama te stesso, amati immensamente, e proprio in questo amore il tuo orgoglio, il tuo ego e le altre assurdità scompariranno. Quando saranno scomparsi, il tuo amore inizierà a toccare gli altri. E non sarà una relazione, ma una comunione, una condivisione; non sarà un rapporto soggetto-oggetto, ma una fusione, un'unione; non sarà uno stato febbrile, ma una quieta passione. Sarà allo stesso tempo calore e freschezza; ti darà il primo assaggio della paradossalità della vita.

2. Perché l'amore è così doloroso?

L'amore è doloroso perché apre la via all'estasi. L'amore è doloroso perché trasforma: l'amore è mutazione. Ogni trasformazione sarà necessariamente accompagnata dal dolore, poiché le vecchie abitudini vanno abbandonate per il nuovo. Il vecchio ti è familiare, è rassicurante, ti dà garanzie, mentre il nuovo ti è del tutto sconosciuto. Ti muoverai in un oceano inesplorato. Con l'ignoto, con ciò che è nuovo non puoi usare la mente; la tua mente è a suo agio solo con il vecchio, confortevole, sicuro mondo di sempre, il mondo delle convenienze. In quel caso può funzionare, è abilissima; viceversa, con ciò che è nuovo la mente è del tutto inutile.

Ecco perché si ha paura, ed ecco perché quando si lascia il vecchio mondo, sicuro e confortevole, si soffre. È lo stesso dolore che prova il bambino quando esce dal ventre della madre. È lo stesso tipo di sgomento che l'uccello prova quando esce dall'uovo, ed è lo stesso tipo di sofferenza che l'uccello sentirà quando, per la prima volta, cercherà di schiudere le sue piccole ali. La paura dell'ignoto e la sicurezza di ciò che si conosce... l'insicurezza dello sconosciuto, l'imprevedibilità dell'ignoto ti terrorizzano.

E poiché, in questo caso, la trasformazione comporterà

il passaggio da uno stato di sé a uno stato di non-sé, l'agonia sarà estremamente profonda. Ma non puoi provare l'estasi senza passare attraverso l'agonia. Se l'oro vuole essere purificato, deve passare attraverso il fuoco.

L'amore è una fiamma che brucia.

A causa delle pene dell'amore milioni di persone vivono una vita priva d'amore; anch'esse soffrono, ma è una sofferenza futile. Soffrire nell'amore non è soffrire invano. Soffrire nell'amore è fonte di immensa creatività: ti innalza a vette di consapevolezza più elevate. Soffrire senza amore è assolutamente uno spreco, non ti porta da nessuna parte, ti lascia sempre a girare nello stesso circolo vizioso.

Un uomo senza amore è un narcisista, è chiuso. Conosce solo se stesso. Ma quanto può conoscersi, se non ha mai conosciuto l'altro? Di fatto, solo l'altro ti dà la possibilità di specchiarti: senza conoscere l'altro non conoscerai mai te stesso. L'amore è fondamentale anche per la conoscenza di sé. Colui che non ha mai conosciuto l'altro all'interno di un amore profondo, di una passione intensa, di un'estasi totale, non sarà neppure in grado di conoscere se stesso, perché non avrà uno specchio in cui vedere il proprio riflesso.

Una relazione è uno specchio, e più l'amore è puro, più è intenso, migliore e più limpido sarà lo specchio. Ma perché il tuo amore raggiunga quelle altezze, devi essere aperto. Un amore elevato richiede il tuo essere vulnerabile. Devi abbandonare la tua corazza, e questo è doloroso, devi smetterla di essere costantemente sulla difensiva, devi disfarti della tua mente calcolatrice, devi rischiare, devi vivere pericolosamente. L'altro può ferirti: per questo si ha paura a essere vulnerabili. L'altro può respingerti: per questo hai paura di innamorarti.

Vedrai la tua immagine riflessa nell'altro, e potrebbe

essere qualcosa di orrendo; da qui la tua ansia, per questo eviti lo specchio; ma evitandolo non diventerai bello all'improvviso; ed evitando le esperienze che la vita ti offre non crescerai mai. Devi accettare la sfida.

Si deve passare attraverso l'amore, penetrarlo a fondo. Questo è il primo passo verso Dio, e non puoi evitarlo. Coloro che cercano di eludere l'amore non giungeranno mai a Dio. Questo passo è assolutamente indispensabile, perché solo quando la presenza dell'altro ti provoca, diventi consapevole della tua totalità; quando la tua presenza è valorizzata dalla presenza dell'altro, finalmente ti liberi dal tuo narcisismo, dal tuo mondo chiuso e vieni sospinto verso il cielo aperto.

L'amore è un cielo aperto. Essere in amore significa essere sulle ali del vento. Certo, il cielo sconfinato fa molta paura.

E lasciar cadere l'ego è molto doloroso, perché siamo stati abituati, ci è stato sempre insegnato a coltivarlo. Noi pensiamo che l'ego sia il nostro unico tesoro. Giorno dopo giorno l'abbiamo protetto, l'abbiamo decorato, l'abbiamo lucidato e reso più sottile, e quando l'amore bussa finalmente alla porta, ti accorgerai che ora non ti resta altro da fare, per innamorarti, se non mettere da parte il tuo ego: è naturale che sia doloroso! Questo ego brutto e ridicolo, il lavoro di tutta una vita, contiene tutto quanto hai creato: è l'idea che «io sono separato dall'esistenza».

Questa idea è orribile, perché non è vera. Questa idea è illusoria, ma la nostra società esiste e si basa proprio sull'idea che ogni individuo sia una persona, non una presenza.

In realtà, al mondo non esiste alcuna persona, ma solo presenza. Tu non esisti, non sei un ego separato dal Tutto, ne sei parte. Il Tutto ti permea, respira in te, pulsa in te, il Tutto è la tua vita.

L'amore ti fa sperimentare, per la prima volta, come essere in sintonia con qualcosa che non è il tuo ego. L'amore ti dà la prima lezione su come puoi entrare in sintonia con qualcuno che non ha mai fatto parte del tuo ego.

Se riesci a essere in armonia con una donna, se riesci a essere in armonia con un amico, con un uomo, se riesci a essere in armonia con il tuo bambino, o con tua madre, perché non dovresti essere in grado di sentirti in armonia con tutti gli esseri umani?

E se l'armonia con una singola persona ti procura una gioia così profonda, cosa succederà se riuscirai a essere in armonia con tutti gli esseri umani? E se puoi essere in armonia con tutti gli esseri umani, perché non dovresti essere in armonia con tutti gli esseri viventi? Se puoi essere in armonia con tutti gli esseri umani, perché non dovresti essere in armonia con gli animali, gli uccelli e le piante? Un passo conduce all'altro.

L'amore è una scala: comincia con una persona e finisce con la totalità. L'amore è l'inizio, Dio è la fine. Aver paura dell'amore, aver timore delle pene che ti fanno crescere attraverso l'amore significa rimanere imprigionati in una cella oscura.

L'uomo moderno vive ormai in una tetra prigione, è diventato un narcisista. Il narcisismo è l'ossessione più grande della mente moderna.

Questo dà origine a molti problemi, tutti assolutamente privi di senso. Esistono problemi creativi perché conducono a una consapevolezza più alta; e ci sono problemi che non portano da nessuna parte, ti tengono semplicemente impastoiato, ti legano solo alla vecchia confusione di sempre.

L'amore crea molti problemi e tu puoi evitarli decidendo di sfuggirlo. Ma questi problemi sono fondamentali!

Devono essere guardati in faccia, affrontati, devi viverli, penetrarli a fondo e andarne al di là.

Per andarne al di là si deve penetrare a fondo l'amore: è l'unica cosa al mondo che valga la pena di fare. Il resto è secondario. Tutto quanto aiuta l'amore è bene, il resto è superfluo. L'amore è il fine, ogni altra cosa è solo uno strumento, un mezzo; quindi, entra nell'amore, anche se il dolore che lo accompagna è immenso.

Se non percorri questo sentiero, cosa che molta gente ha deciso di fare, rimarrai fissato in te stesso; in questo caso la tua vita non sarà un pellegrinaggio, la tua vita non sarà un fiume che scorre verso l'oceano; in questo caso la tua vita è una pozza stagnante, qualcosa di sporco, dove presto resterà solo acqua putrida e fango. Se vuoi rimanere limpido e puro, devi continuare a fluire. Un fiume resta limpido perché continua a scorrere. Scorrere è il processo che permette di rimanere sempre vergini.

Un amante rimane sempre puro e innocente. Tutti gli amanti sono vergini. Coloro che non amano non possono restare vergini, diventano ottusi, stagnanti, e prima o poi cominciano a puzzare; e accade sempre prima del previsto, perché non hanno alcun posto dove andare. La loro vita si è inaridita.

Questa è la condizione in cui si trova l'uomo moderno. Per questo motivo sono esplose tante forme di nevrosi; ha preso vita ogni tipo di pazzia. Le malattie psicologiche hanno raggiunto proporzioni endemiche. Non si tratta più di poche persone psicologicamente malate, in realtà l'intero pianeta è diventato un manicomio. L'intera umanità soffre di nevrosi. E questa nevrosi scaturisce dal tuo ristagno narcisistico.

Ciascuno è fissato nell'illusione personale di avere un sé separato, così la gente finisce per impazzire. E questa pazzia è assolutamente priva di senso, improduttiva, priva di qualsiasi creatività. Oppure la gente comincia a pensare di suicidarsi. Anche questi suicidi sono improduttivi e privi di creatività.

Forse non ti suicidi prendendo del veleno o buttandoti in un burrone o sparandoti alla testa, ma puoi suicidarti seguendo un processo molto lento, ed è ciò che succede quasi a tutti. Pochissime persone si suicidano con un colpo solo, la maggior parte della gente ha optato per un suicidio lento, una morte graduale, uno spegnersi giorno per giorno. Ma la tendenza al suicidio è diventata un fatto pressoché universale.

Questo non è il modo di vivere, e la causa, il motivo fondamentale è che abbiamo dimenticato il linguaggio dell'amore. Non abbiamo più il coraggio sufficiente per affrontare l'avventura chiamata amore.

Ecco perché la gente è tanto interessata al sesso, perché il sesso non presenta alcun rischio. È un fenomeno effimero, non ti coinvolge a fondo.

L'amore è coinvolgente, è un impegno, non è un sentimento passeggero. Una volta che ha messo radici può durare per sempre. Può diventare un impegno che dura tutta la vita. L'amore ha bisogno di intimità e solo quando entri in intimità con qualcuno, l'altro si trasforma in uno specchio.

Quando ti incontri con una donna o con un uomo solo sessualmente, in realtà non vi incontrate affatto, in effetti cercate di evitare l'incontro con l'anima dell'altro. Ti limiti a usare il suo corpo e poi scappi, e l'altro usa il tuo corpo e poi scappa. Non entri mai in intimità fino a rivelare all'altro il tuo volto originale.

L'amore è il *koan* Zen più grande che ci sia.

L'amore fa soffrire, ma non evitarlo. Se lo eviti, rinunci alla più grande opportunità di crescita che tu possa incontrare. Penetralo a fondo, soffri le pene dell'amore, poiché attraverso questa sofferenza giungerai a un'estasi infinita. Certo, sarà anche un'agonia, ma è da questa agonia che nasce l'estasi. Certo, dovrai morire in quanto ego, ma se puoi morire in quanto ego, rinascerai come un Dio, come un Buddha. E l'amore ti offrirà il primo assaggio del Tao, del sufismo, dello Zen. L'amore ti darà la prima prova che la vita non è affatto priva di significato.

Chi afferma che la vita non ha alcun significato, che non vale la pena di viverla, non ha mai conosciuto l'amore. Parlando così, dimostra che la sua è stata una vita priva d'amore.

Lascia che ci sia dolore, abbandonati a questa sofferenza. Passa attraverso questa notte oscura e finirai per incontrare un'alba meravigliosa. Solo dal ventre della notte oscura il sole può innalzarsi. Il mattino può arrivare solo attraverso il buio della notte.

La mia via è l'amore. Io insegno amore, solo amore e nient'altro. Puoi benissimo lasciar perdere Dio, poiché è solo una parola vuota; puoi lasciar perdere ogni preghiera, poiché si tratta soltanto di rituali che gli altri ti hanno imposto. L'amore è la preghiera naturale, quella che nessuno ti ha imposto. È nato con te. L'amore è il vero Dio. Non il Dio dei teologi, ma il Dio del Buddha, di Gesù, di Maometto, il Dio dei sufi. L'amore è uno stratagemma, un metodo per ucciderti in quanto individualità separata e per aiutarti a diventare l'infinito, per scomparire come una goccia di rugiada e diventare l'oceano, ma prima dovrai varcare la porta dell'amore.

Certo, quando si comincia a svanire come rugiada al sole, dopo aver vissuto così a lungo come una goccia separata, si prova dolore, perché tu hai sempre pensato: «Io sono questa entità... e ora si sta dissolvendo, sto morendo».

Non stai affatto morendo, solo l'illusione sta morendo. Ti sei identificato con quell'illusione, questo è vero, ma l'illusione resta sempre un'illusione e, solo quando si sarà dissolta, sarai in grado di vedere chi sei, e questa rivelazione ti condurrà al picco supremo della gioia, della beatitudine e dell'estasi.

3. Perché sul frontone del tempio greco di Delfi è scritto «Conosci te stesso» e non «Ama te stesso»?

La mente greca è ossessionata dal sapere, pensa sempre in questi termini: come arrivare a conoscere. Ecco perché i greci hanno prodotto la tradizione più insigne di filosofi, pensatori, logici... grandi menti razionali, ma la loro passione è il sapere.

Per come la vedo io, nel mondo esistono solo due tipi di mentalità: la greca e l'hindu. La passione della mentalità greca è il sapere, quella della mentalità indiana l'essere. La passione indiana non riguarda tanto il sapere, quanto l'essere. *Sat*, l'essere, è la vera ricerca: chi sono io? Il fine non è arrivare a sapere «chi sono io» da un punto di vista logico, ma immergersi nella propria esistenza in modo che sia possibile assaporarla, «esserla»; infatti, in realtà non esiste altro modo per conoscere. Se chiedi agli hindu, ti risponderanno che non esiste altra forma di conoscenza che «essere». Come puoi conoscere l'amore? L'unico modo è diventare una persona che ama. Ama, e conoscerai. Ma se stai cercando di restare fuori dall'esperienza per rimanere un osservatore, forse potrai imparare qualcosa sull'amore, ma non conoscerai mai l'amore.

La mentalità greca ha prodotto la scienza, con tutti i suoi sviluppi. La scienza moderna è una conseguenza della mentalità greca: insiste sull'essere privi di passione, sul restare all'esterno, sull'osservare senza pregiudizi. Sii oggettivo e impersonale: questi sono i requisiti fondamentali se vuoi essere uno scienziato. Sii impersonale, non permettere alle tue emozioni di colorare alcunché; sii spassionato, come se non avessi interesse in alcuna ipotesi. Osserva semplicemente la realtà senza farti coinvolgere, restane al di fuori. Non partecipare. Questa è la passione greca: una ricerca spassionata del sapere.

È stata utile, ma solo in una direzione: quella della materia. Questo è il modo per conoscere la materia. Per questa via non potrai mai arrivare a conoscere la mente o la consapevolezza, ma solo la materia; puoi conoscere ciò che sta all'esterno, mai ciò che sta all'interno. Infatti, con ciò che è interiore hai già un coinvolgimento. Non c'è modo di starne al di fuori, perché ci sei già dentro. L'interiorità sei tu: come puoi uscirne? Io posso osservare spassionatamente una pietra, una roccia, un fiume, perché sono separato, ma come posso osservare me stesso in modo spassionato? Sono coinvolto in ciò che osservo, non posso starne al di fuori. Non posso ridurmi a un oggetto, resterò comunque il soggetto; qualunque cosa faccia, resterò colui che conosce, non il conosciuto.

Per cui la mentalità greca a poco a poco si è spostata verso la materia. Il detto, l'iscrizione sul tempio di Delfi «Conosci te stesso» è diventata la fonte dell'intero progresso scientifico. Piano piano, l'idea stessa di un sapere spassionato ha condotto la mentalità occidentale fuori dal proprio essere.

La mentalità hindu, l'altro tipo di mentalità esistente al mondo, ha un'altra direzione: la direzione dell'essere.

Nelle *Upanishad*, il grande Maestro Udallak dice al figlio e discepolo Swetketu: «Tu sei quello; *tatwamasi*, Swetketu». Tu sei quello: non c'è alcuna distinzione tra «te» e «quello». *Quella* è la tua realtà, *tu* sei la realtà: non c'è distinzione. Non è possibile conoscerla allo stesso modo in cui conosci una roccia o altri oggetti; puoi solo «esserla».

Ma nel tempio di Delfi, naturalmente, c'era scritto: «Conosci te stesso». È eloquente rispetto alla mentalità greca. Poiché il tempio si trova in Grecia, l'iscrizione è greca. Se il tempio fosse stato in India, l'iscrizione sarebbe stata: «Sii te stesso», perché «tu sei quello». La mentalità hindu si è avvicinata sempre di più all'essere: per questo non è diventata scientifica; è diventata religiosa, ma non scientifica; è diventata introversa, ma ha levato ogni ormeggio dal mondo esteriore. La mentalità hindu è diventata ricchissima interiormente, ma poverissima esteriormente.

Ebbene, è necessaria una grande sintesi tra la mentalità hindu e quella greca. Per la Terra questa può rivelarsi una grandissima benedizione. Finora è stato impossibile, ma oggi esistono le condizioni fondamentali, e una sintesi è possibile. L'Oriente e l'Occidente si stanno incontrando, in modo molto sottile. Gli orientali vanno in Occidente per imparare la scienza, per diventare scienziati, e i ricercatori occidentali vanno in Oriente per imparare che cos'è la religione. Sta avvenendo un grande mescolamento, una grande fusione.

In futuro, l'Oriente non sarà più Oriente e l'Occidente non sarà più Occidente. La Terra diventerà un villaggio globale: un piccolo luogo in cui ogni distinzione sarà scomparsa. Allora, per la prima volta, nascerà una grande sintesi, la più grande mai esistita: essa non penserà per estremi, non dirà che se vai all'esterno, se cerchi il sapere, perderai le radici nell'essere; oppure, se cerchi nell'essere, perderai le tue radici nel mondo, nel regno della scienza. Le due cose possono coesistere, e ogni volta che ciò accade, l'uomo ha entrambe le ali per volare nei cieli più elevati, altrimenti, hai un'ala sola.

Per come la vedo io, la mentalità hindu è carente tanto quanto quella greca. Entrambe rappresentano solo metà della realtà. La religione è una metà, e la scienza è un'altra metà. Deve succedere qualcosa che possa fare incontrare la scienza e la religione in un insieme più grande, in cui la scienza non nega la religione e la religione non condanna la scienza.

Perché sul frontone del tempio greco di Delfi è scritto «Conosci te stesso» e non «Ama te stesso»?

Amare se stessi è possibile solo quando si diviene se stessi, quando si è se stessi; altrimenti non è possibile. L'unica alternativa è continuare a cercare di conoscere chi sei, dall'esterno; osservare dall'esterno chi sei, in modo oggettivo e non intuitivo.

La mentalità greca ha sviluppato un'enorme abilità logica. Aristotele è diventato il padre di tutta la logica e di tutta la filosofia. La mentalità orientale sembra illogica, e lo è. La stessa insistenza sulla meditazione è illogica, perché la meditazione afferma che puoi conoscere solo quando la mente, il pensiero, vengono abbandonati e ti immergi nel tuo essere in modo così totale che non resta nemmeno un pensiero a disturbarti. Solo allora puoi conoscere. Viceversa la mentalità greca sostiene che puoi conoscere solo quando il pensiero è chiaro, logico, razionale e sistematico. La mentalità hindu dice: «Solo quando il pensiero scompare completamente è possibile conoscere». Sono due cose diversissime, due direzioni totalmente opposte, ma è possibile sintetizzarle.

Una persona può usare la mente quando lavora con la materia; in quel caso, la logica è un ottimo strumento. Ma la stessa persona può mettere la mente da parte quando entra nella sua stanza di meditazione, e passare alla nonmente. Infatti, tu non sei la mente: essa è solo uno strumento come la mano, come le gambe. Se voglio camminare, uso le gambe; se non voglio camminare, non le uso. Allo stesso modo, se stai cercando di conoscere la materia, puoi usare logicamente la mente; è giustissimo, in quel caso va bene. Ma quando vai dentro di te, metti la mente da parte. Adesso le gambe non sono necessarie, la mente è inutile. Ora hai bisogno di un profondo, silente stato di non-pensiero.

Entrambe queste cose possono accadere nella stessa persona; e quando dico questo, lo affermo per mia esperienza personale. Io faccio entrambe le cose: quando è necessario, posso diventare logico come qualsiasi greco; quando non lo è, posso diventare assurdo e illogico come qualsiasi hindu. Quindi, se dico questo, lo intendo davvero; non è un'ipotesi. È la mia esperienza.

La mente può essere usata e messa da parte. È uno strumento, uno splendido strumento; non c'è bisogno di restarne così ossessionati, così attaccati; in questo caso si trasforma in una malattia. Prova a pensare a un uomo che vuole sedersi, ma non ci riesce perché dice: «Come faccio a sedermi, se ho due gambe?». Oppure, a un uomo che vuole restare tranquillo e silenzioso, ma non ci riesce perché dice: «Ho una mente». È la stessa cosa.

Bisognerebbe essere così abili da saper mettere da parte anche uno strumento intimo come la mente. Si può fare, ed è stato fatto, anche se non su vasta scala. Ma sarà fatto sempre di più, e questo è ciò che sto cercando di realizzare in questo momento, con te. Ti parlo, discuto con te di problemi... tutto ciò è logico, vuol dire usare la mente. Ma poi ti dico: «Abbandona la mente ed entra in meditazione profonda. Se danzi, danza in modo così totale che dentro di te non resti alcun pensiero e tutta la tua energia si trasformi in danza. Oppure canta, ma canta e non fare nient'altro. Oppure siediti, ma sta' seduto e non fare altro; sii in *zazen*, non lasciar passare un solo pensiero. Stai semplicemente e assolutamente tranquillo». Queste sono cose contraddittorie.

Tutte le mattine mediti e vieni ad ascoltarmi. Tutte le mattine mi ascolti e poi vai a meditare; questo è contraddittorio. Se io fossi solo greco, ti parlerei, comunicherei con te in modo logico, ma poi non ti direi di meditare. Sarebbe stupido. Se fossi solo hindu, non ci sarebbe bisogno di parlarti. Potrei dire: «Va' a meditare, a che serve parlare? Bisogna diventare silenziosi». Io sono entrambe le cose. E questa è la mia speranza: anche tu diventerai entrambe le cose, perché in quel caso l'esistenza ne sarà immensamente arricchita. Allora non ti starai perdendo alcunché; tutto sarà assorbito e sarai diventato una grande orchestra. A quel punto ogni polarità si incontrerà in te.

Per i greci l'idea stessa di amare se stessi sarebbe stata assurda, perché avrebbero replicato – e non senza logica – che l'amore è possibile solo tra due persone. Puoi amare qualcun altro, puoi amare persino il tuo nemico, ma come puoi amare te stesso? Sei solo, e l'amore può esistere tra una dualità, tra una polarità, come puoi amare te stesso? Per la mentalità greca l'idea stessa di amare se stessi è assurda: per l'amore è necessario l'altro.

Per quanto riguarda la mentalità hindu, nelle *Upanishad* si afferma che tu ami tua moglie non per il suo bene, ma per il tuo. Ami te stesso attraverso di lei. L'ami perché ti dà piacere... in profondità, ami il tuo piacere. Ami tuo figlio o un tuo amico non a causa loro, ma a causa tua. In profondità, tuo figlio ti rende felice, il tuo amico ti rallegra. Questo è ciò che stai cercando. Per cui le *Upanishad* affermano che in realtà tu ami te stesso. Anche se sostieni di amare gli altri, è solo una via per amare te stesso, una via lunga e tortuosa per amare te stesso. Secondo gli hindu non esiste altra possibilità: puoi amare solo te stesso. Viceversa i greci dicono che è impossibile amare se stessi, perché sono necessarie almeno due persone.

Se lo chiedi a me, io sono sia hindu che greco. Se lo chiedi a me, dirò che l'amore è un paradosso, un fenomeno estremamente paradossale. Non cercare di ridurlo a una polarità soltanto; sono necessarie entrambe le polarità. L'altro è necessario, ma nell'amore profondo l'altro scompare. Se osservi due persone che si amano, sono allo stesso tempo due persone e una sola. Questo è il paradosso e la bellezza dell'amore: esse sono due, certo, tuttavia sono anche una persona sola. Se questa unità non è accaduta, l'amore non è possibile. Forse stanno facendo qualcos'altro e lo chiamano «amore». Se sono ancora due persone, e non sono anche un'unica entità, l'amore non è accaduto. Ma nemmeno se sei solo, senza nessun altro, l'amore è possibile.

L'amore è un fenomeno paradossale. All'inizio ha bisogno di due persone, ma alla fine queste devono esistere come una persona sola. È l'enigma più grande, il rebus più difficile.

4. *Come posso amare meglio*

L'amore è sufficiente a se stesso, non ha bisogno di miglioramenti. È perfetto così com'è, non deve in alcun modo essere più perfetto. Il desiderio stesso dimostra un fraintendimento sull'amore e sulla sua natura. Puoi avere un cerchio perfetto? Tutti i cerchi sono perfetti, e se non lo fossero non sarebbero cerchi. La perfezione è intrinseca a un cerchio e la stessa legge si applica all'amore. Non puoi né amare di meno né amare di più, perché non si tratta di una quantità. È una qualità e non è misurabile.

La tua stessa domanda dimostra che non hai mai assaporato l'amore; inoltre, stai cercando di nascondere la tua mancanza d'amore dietro il desiderio di sapere «come amare meglio». Nessuno che conosca l'amore potrebbe fare una simile domanda.

L'amore va compreso, ma non in quanto infatuazione biologica: quella è lussuria. Esiste in tutti gli animali e non ha nulla di speciale, è presente persino negli alberi. È il modo con cui la natura si riproduce. In essa non c'è nulla di spirituale e niente di particolarmente umano. Quindi la prima cosa da fare è distinguere chiaramente tra la lussuria e l'amore. La lussuria è una passione cieca, l'amore è la fragranza di un cuore silente, sereno, meditativo. L'amore non ha nulla a che fare con la biologia, la chimica o gli ormoni.

L'amore è il volo della tua consapevolezza verso realtà più elevate, al di là del corpo e della materia. Quando avrai compreso che l'amore è qualcosa di trascendentale, non costituirà più un interrogativo. Il vero interrogativo è come trascendere il corpo, come conoscere qualcosa dentro di te che vada al di là di tutto ciò che è misurabile. Questo è il significato della parola «materia»: deriva da una radice sanscrita, *matra*, che vuol dire misura, indica ciò che può essere misurato. La parola «metro» deriva dalla stessa radice. L'interrogativo fondamentale è come trascendere ciò che è misurabile per accedere a ciò che è incommensurabile. In altre parole, come trascendere la materia e aprire gli occhi verso una maggiore consapevolezza. E non ci sono limiti alla consapevolezza: più diventi consapevole, più comprendi quante cose sono ancora possibili. Quando raggiungi una vetta, davanti a te ne sorge un'altra. È un pellegrinaggio eterno. L'amore è una conseguenza del risveglio della consapevolezza. È come la fragranza di un fiore. Non cercarla nelle radici, perché non sta lì. La tua biologia sono le tue radici, la tua consapevolezza è la tua fioritura. Man mano che diventerai sempre più un loto di consapevolezza aperto, rimarrai sorpreso, sconcertato da un'esperienza incredibile, che può solo essere definita «amore». Sei così pieno di gioia e di estasi che ogni fibra del tuo essere sta danzando di beatitudine. Sei come una nuvola che desidera sciogliersi in pioggia, diluviare.

Quando la tua beatitudine straripa, in te sorge una fortissima aspirazione: condividerla. Quella condivisione è amore.

L'amore non è qualcosa che ottieni da qualcuno che non ha raggiunto la beatitudine. Ma questa è la disgrazia del mondo intero: tutti chiedono e pretendono di essere amati. Tu non puoi amare, perché non sai che cos'è la consapevolezza. Tu non conosci *satyam*, *shivam*, *sundram*; non conosci la verità, non conosci l'esperienza del divino, non conosci la fragranza della bellezza.

Che cosa hai da dare tu? Sei così vuoto, così povero... nel tuo essere non cresce nulla, non c'è niente di verde. Dentro di te non ci sono fiori, la tua primavera non è ancora arrivata.

L'amore è una conseguenza. Quando la primavera arriva e improvvisamente cominci a fiorire, a sbocciare, a liberare e condividere la tua fragranza potenziale, quella grazia, quella bellezza... questo è l'amore.

Non voglio ferirti, ma non ho alternative: devo dirti la verità. Tu non sai che cos'è l'amore. Non lo puoi sapere, perché non sei ancora andato in profondità nella tua consapevolezza. Non hai fatto esperienza alcuna di te stesso, non sai minimamente chi sei. In questa cecità, in questa ignoranza, in questa inconsapevolezza, l'amore non si sviluppa. Stai vivendo in un deserto. In questo deserto, in questa oscurità, è impossibile che l'amore fiorisca.

Prima di tutto dovrai essere pieno di luce e di gioia, al punto che comincerai a straripare. Quell'energia straripante è amore. Allora saprai che l'amore è l'energia più perfetta del mondo. Non è mai né di meno né di più. Ma la nostra educazione è così nevrotica, così psicologicamente malata, da distruggere ogni possibilità di crescita interiore. Fin dall'inizio ti è stato insegnato a essere un perfezionista, e per questo applichi le tue idee perfezioniste a qualsiasi cosa, persino all'amore.

Proprio l'altro giorno mi sono imbattuto in un'affermazione: un perfezionista è una persona che si dà grandi pene, ma che dà pene ancora più grandi agli altri. E il risultato non è altro che un mondo infelice!

Tutti stanno cercando di essere perfetti. E quando qualcuno cerca di essere perfetto, comincia ad aspettarsi che tutti gli altri lo siano. Comincia a condannare le persone, a umiliarle. Questo è ciò che tutti i tuoi cosiddetti santi hanno fatto nel corso della storia. Questo è ciò che le tue religioni ti hanno fatto: hanno avvelenato il tuo essere con l'idea della perfezione.

Poiché non riesci a essere perfetto, cominci a sentirti in colpa e a perdere il rispetto per te stesso. E l'uomo che ha perso rispetto per se stesso ha perso tutta la sua dignità. Il tuo orgoglio è stato schiacciato, la tua umanità è stata distrutta da parole bellissime come «perfezione».

L'uomo non può essere perfetto. Certo, c'è qualcosa che l'uomo può sperimentare, ma che va al di là del concetto ordinario di uomo. Se un uomo non sperimenta qualcosa del divino, non può conoscere la perfezione. La perfezione non è qualcosa di simile a una disciplina; non è qualcosa che puoi praticare. Non la puoi raggiungere a furia di prove di recitazione; ma questo è ciò che è stato insegnato a tutti, e il risultato è un mondo pieno di ipocriti: essi sanno benissimo di essere poveri e vuoti, ma fingono di possedere ogni tipo di qualità, e di fatto non sono altro che parole vuote.

Quando dici a qualcuno: «Ti amo», hai mai pensato che cosa vuoi dire? È solo un'infatuazione biologica tra i due sessi? Se è così, una volta che avrai soddisfatto il tuo appetito animale tutto il tuo cosiddetto amore scomparirà. Non era altro che fame: ora l'hai saziata ed è tutto finito. La stessa donna che sembrava la più bella del mondo, lo stesso uomo che sembrava Alessandro Magno... adesso cominci a pensare come liberartene!

Sarà illuminante comprendere questa lettera di Patrizio alla sua amata Marzia:

> Mia cara Marzia,
>   per il tuo bene scalerei la montagna più alta e nuoterei nell'oceano più tempestoso. Affronterei ogni difficoltà per stare un momento al tuo fianco.
>
>   Tuo devotissimo Patrizio.
>
> P.S.: Verrò a trovarti venerdì sera, se non piove.

Quando dici a qualcuno: «Ti amo», non sai cosa stai dicendo. Non sai che è solo lussuria nascosta dietro una parola bellissima, «amore». Scomparirà. È qualcosa di molto effimero.

L'amore è qualcosa di eterno. È l'esperienza dei Buddha, non delle persone inconsapevoli di cui è pieno il mondo intero. Solo pochissime persone hanno conosciuto l'amore, ma si tratta delle vette più elevate, più illuminate, più risvegliate dell'intera consapevolezza umana.

Se davvero vuoi conoscere l'amore, dimenticati l'amore e ricorda la meditazione. Se vuoi portare rose nel tuo giardino, dimenticati le rose e prenditi cura del roseto. Nutrilo, annaffialo, controlla che riceva la giusta quantità di sole e di acqua. Se hai pensato a tutto, al momento giusto le rose spunteranno. Non puoi costringerle a spuntare in anticipo, non le puoi forzare; né puoi chiedere a un cespuglio di rose di essere più perfetto.

Hai mai visto una rosa che non sia perfetta? Cosa vuoi di più? Ogni rosa, nella sua unicità, è perfetta. Non riesci a vedere la sua infinita bellezza, la sua gioia assoluta mentre danza nel vento, nella pioggia, nel sole? Una piccola, ordinaria rosa irradia lo splendore segreto dell'esistenza.

L'amore è una rosa nel tuo essere; ma devi preparare il terreno, scaccia l'oscurità e l'inconsapevolezza. Diventa sempre più attento e consapevole, e l'amore arriverà da solo, al momento giusto. Non te ne devi preoccupare. E ogni volta che arriva, è sempre perfetto.

L'amore è un'esperienza spirituale; non ha nulla a che vedere con i sessi e i corpi, perché riguarda l'essere più profondo. Ma tu non sei mai entrato nel tuo tempio. Non conosci affatto chi sei, ma stai cercando di scoprire come amare meglio. Innanzitutto, sii te stesso, conosci te stesso, e l'amore arriverà come una ricompensa. È una ricompensa dall'aldilà. È come una pioggia di fiori... ricolma il tuo essere. Ed è una pioggia senza fine, che porta con sé un fortissimo desiderio di condividere.

Nel linguaggio umano quella condivisione può solo essere indicata con la parola «amore». Non vuol dire molto, ma indica la giusta direzione.

L'amore è un'ombra della consapevolezza, dell'essere vigili. Sii più cosciente, e l'amore arriverà. È un ospite che arriva senza eccezioni da coloro che sono pronti a riceverlo. Tu non sei nemmeno pronto a riconoscerlo! Se l'amore venisse alla tua porta, non lo riconosceresti; se bussasse alla tua porta, potresti trovare mille e una scusa. Potresti pensare che è un forte vento, o qualcos'altro, e non gli apriresti. E anche se aprissi, non riconosceresti l'amore, perché non lo hai mai visto prima; come puoi riconoscerlo?

Puoi riconoscere solo qualcosa che già conosci. Quando l'amore arriva per la prima volta e riempie il tuo essere, ne sei totalmente travolto e stordito. Non sai che cosa sta succedendo. Sai che il tuo cuore sta danzando, che sei circondato da una musica celestiale, assapori fragranze che prima non hai mai conosciuto. Ma ci vuole un po' di tempo per mettere tutte queste esperienze insieme e ricordarsi che forse questo è l'amore. A poco a poco esso sedimenta nel tuo essere.

Solo i mistici conoscono l'amore; a parte i mistici, nessuna categoria di esseri umani l'ha mai sperimentato. L'amore è un monopolio assoluto dei mistici. Se vuoi conoscerlo, dovrai entrare nel mondo dei mistici.

Gesù dice: «Dio è amore». Egli faceva parte di una scuola misterica, gli Esseni, un'antica scuola di mistici. Ma forse non completò gli studi in quella scuola, perché ciò che afferma è semplicemente sbagliato. Dio non è amore: l'amore è Dio. La differenza è enorme, non si tratta di una semplice inversione di parole. Quando affermi che Dio è amore, stai semplicemente dicendo che l'amore

88

è solo un attributo di Dio. Egli è anche saggezza, è compassione, è perdono... oltre all'amore, può essere milioni di cose; l'amore è solo uno degli attributi di Dio.

In realtà, anche farne un piccolo attributo di Dio è molto illogico e irrazionale, perché se Dio è amore, egli non può essere «giusto». Se Dio è amore, non può essere crudele abbastanza da gettare i peccatori all'inferno per l'eternità. Se Dio è amore, non può essere anche la legge. Un grande mistico sufi, Omar Khayyam, dimostra più comprensione di Gesù quando afferma: «Continuerò a essere semplicemente me stesso. Non prenderò minimamente in considerazione i preti e i predicatori, perché ho fiducia che l'amore di Dio è abbastanza vasto; non posso commettere un peccato che sia più grande del suo amore. Quindi, perché preoccuparsi? Le nostre mani e i nostri peccati sono piccoli; non possiamo arrivare molto lontano. Come possiamo commettere peccati che l'amore di Dio non possa perdonare? Se Dio è amore, nel giorno del giudizio non potrà salvare i santi e gettare per l'eternità milioni e milioni di persone nell'inferno».

Gli insegnamenti degli Esseni erano esattamente l'opposto; Gesù li cita nel modo sbagliato. Forse non era molto addentro ai loro insegnamenti. Essi dicevano: «L'amore è Dio». Ciò fa un'enorme differenza. In questo caso Dio diventa solo un attributo dell'amore, non è altro che una qualità dell'incredibile esperienza dell'amore. In questo caso Dio non è più una persona, ma solo un'esperienza di coloro che hanno conosciuto l'amore. Ora Dio, rispetto all'amore, diventa secondario. E io ti dico che gli Esseni avevano ragione: l'amore è il valore assoluto, la fioritura finale; al di là di esso non c'è nulla, per questo non puoi perfezionarlo.

In realtà, prima che tu lo raggiunga, dovrai scomparire. Quando ci sarà l'amore, non ci sarai tu.

Un grande mistico orientale, Kabir, ha fatto un'affermazione molto importante, che può fare solo una persona che abbia conseguito la realizzazione, che sia entrata nel santuario interiore della sua realtà ultima. L'affermazione è: «Ho cercato la verità ma, strano a dirsi, finché colui che cercava era presente, la verità non è stata trovata. E quando la verità è stata scoperta, mi sono guardato in giro... io non c'ero. Una volta trovata la verità, colui che la cercava non c'era più; e quando colui che la cercava era presente, la verità non era da nessuna parte».

La verità e colui che la cerca non possono esistere insieme. Tu e l'amore non potete esistere insieme. La coesistenza non è possibile: o tu o l'amore, puoi scegliere. Se sei pronto a scomparire, a fonderti e a dissolverti, lasciando dietro di te solo una pura consapevolezza, l'amore fiorirà. Non puoi perfezionarlo, perché non sarai presente. Comunque, in primo luogo, l'amore non ha bisogno della perfezione: arriva sempre perfetto.

Tuttavia «amore» è una di quelle parole che tutti usano e nessuno capisce. I genitori dicono ai figli: «Ti amiamo», ma loro sono le persone che li rovinano. Sono le persone che trasmettono ai figli ogni sorta di pregiudizio, di superstizione obsoleta. Sono le persone che appesantiscono i figli con l'intero peso dell'immondizia che ogni generazione ha portato sulle proprie spalle e continua a trasferire alla generazione successiva. La follia persiste... e assume le dimensioni di una montagna.

Tuttavia, tutti i genitori pensano di amare i propri figli. Se davvero li amassero, non li desidererebbero a loro immagine e somiglianza, perché loro sono solo e unicamente infelici. Qual è la loro esperienza della vita? Dolore puro, sofferenza... la vita per i genitori non è stata un dono del cielo, ma una maledizione; tuttavia, vogliono che i figli siano esattamente come loro.

Una volta sono stato ospite di una famiglia. Una sera ero seduto nel loro giardino; il sole stava tramontando ed era una sera bellissima, silenziosa. Gli uccelli stavano facendo ritorno agli alberi e il piccolo bambino della famiglia era seduto al mio fianco. Gli chiesi: «Sai chi sei?». I bambini sono più aperti e sensibili delle persone mature, perché queste ultime sono già rovinate, corrotte, inquinate da ogni tipo di ideologia e religione. Il bambino mi guardò e disse: «Mi stai facendo una domanda molto difficile».

Chiesi: «Cosa c'è di difficile?».

Rispose: «Il fatto è che sono figlio unico e, per quanto posso ricordare, ogni volta che viene un ospite, qualcuno dice che ho gli occhi di mio padre, qualcun altro che ho il naso di mia madre, qualcun altro ancora che ho il viso di mio zio. Per cui non so chi sono: nessuno mi dice mai che ho qualcosa di mio».

Questo è ciò che sta accadendo a ogni bambino. Non gli permetti di sperimentare se stesso, di diventare se stesso. Continui a caricarlo delle tue ambizioni frustrate. Tutti i genitori desiderano che il figlio sia a loro immagine. Ma un bambino ha un suo destino; se diventa la tua immagine, non diventerà mai se stesso. E se non diventi te stesso, non sarai mai appagato, non ti sentirai mai a tuo agio con l'esistenza. Sarai sempre nella condizione di chi sta mancando qualcosa.

I tuoi genitori ti amano, ma ti dicono anche che devi amarli perché sono tuo padre e tua madre. È un fenomeno strano, ma nessuno sembra esserne consapevole: solo perché sei una madre, non vuol dire che il bambino ti debba amare. Devi essere degna d'amore; il fatto che sei una madre non basta. Se sei un padre, questo non vuol dire che diventi automaticamente degno d'amore. Il semplice fatto di essere un padre non sviluppa nel bambino un intensissimo sentimento d'amore. Però è ciò che ci si aspetta .. e il povero bambino non sa cosa fare. Comincia a fingere: questa è l'unica possibilità. Comincia a sorridere, quando nel suo cuore non ci sono sorrisi; comincia a mostrare amore, rispetto, gratitudine... ma è tutto falso. Diventa fin dall'inizio un attore, un ipocrita, un politico.

Vivi in un mondo in cui genitori, insegnanti, preti ti hanno corrotto, ti hanno portato via da te stesso e hanno sostituito il tuo vero sé, è così per tutti. Il mio sforzo è ridonarti il tuo centro. Chiamo questa centratura «meditazione». Io voglio che tu sia semplicemente te stesso, con una profonda autostima, con la dignità di sapere che l'esistenza aveva bisogno di te: a quel punto puoi cominciare a cercare te stesso. Prima arriva al centro, poi comincia a cercare chi sei.

Conoscere il proprio volto originale è l'inizio di una vita d'amore e celebrazione. Allora sarai in grado di donare un'infinità d'amore, perché non è qualcosa di esauribile; è incommensurabile, non lo si può esaurire in alcun modo. E più lo doni, più diventi capace di donarlo.

L'esperienza più grande della vita ti accade quando dai senza condizioni, senza aspettarti nemmeno un semplice «grazie». Al contrario, un amore reale e autentico si sente in debito verso la persona da cui viene accettato. Quest'ultima avrebbe potuto respingerlo.

Quando cominci a donare amore con un profondo senso di gratitudine per tutti coloro che lo accettano, avrai una sorpresa: sarai diventato un imperatore, non sei più un mendicante che implora l'amore con una ciotola, bussando a ogni porta. E le persone alle cui porte stai bussando non possono darti amore, sono loro stesse mendicanti. I mendicanti si chiedono amore l'un l'altro e provano rabbia e frustrazione, perché l'amore non arriva. Ma questo è inevitabile. L'amore appartiene al mondo degli imperatori, non dei mendicanti. E un uomo è un imperatore quando è così colmo d'amore da poterlo donare senza condizioni.

A quel punto avrai una sorpresa ancora più grande: quando cominci a donare il tuo amore a chiunque, persino agli stranieri... infatti, il punto non è a chi lo doni, in quanto la gioia di donare è tale e così grande che nessuno si preoccupa di colui che riceve. Quando questo spazio entra nel tuo essere, cominci a donare a tutti indistintamente: non solo agli esseri umani, ma anche agli animali, agli alberi, alle stelle più lontane, perché l'amore è qualcosa che può arrivare anche alla stella più lontana, grazie al tuo sguardo amorevole. Grazie al tuo tocco, l'amore può essere trasmesso a un albero. Non c'è bisogno di dire una sola parola... può essere trasmesso nel silenzio più assoluto. Non è necessario dire qualcosa, perché si dichiara da solo. Ha le sue vie per arrivare alle profondità più grandi, dentro il tuo essere.

Innanzitutto sii ricolmo d'amore, poi la condivisione accadrà. E la sorpresa più grande è questa: tanto doni, altrettanto cominci a ricevere da fonti, prospettive e uomini ignoti, dagli alberi, dai fiumi, dalle montagne. Da ogni angolo, da ogni cantuccio dell'esistenza, l'amore comincia a riversarsi su di te. Più dai, più ricevi. La vita si trasforma in una danza d'amore allo stato puro.

DALLA RELAZIONE AL RELAZIONARSI

Quando senti di non essere più dipendente da nessuno, dentro di te nascono una quiete, un silenzio e un abbandono profondi. Questo non vuol dire che smetti di amare. Al contrario, per la prima volta sperimenti una qualità e una dimensione nuove dell'amore; un amore che non è più biologico, ma è più vicino a un rapporto d'amicizia, più di qualsiasi relazione. Ecco perché non uso neppure l'espressione «rapporto di amicizia», perché quel «rapporto» ha soffocato moltissime persone

Una luna di miele che non ha fine

L'amore non è una relazione. L'amore mette in contatto due esseri, ma non è una relazione. La relazione è qualcosa di concluso, è un sostantivo: è arrivata la conclusione, la luna di miele è finita. Adesso non c'è più gioia, né entusiasmo, ormai tutto è finito.

Puoi mantenerla in vita solo per tener fede alle tue promesse. Puoi mantenerla in vita perché è conveniente e confortevole, ti coccola! Puoi mantenerla in vita perché non hai nient'altro da fare. Puoi mantenerla in vita perché, se la smantellassi, ti creeresti un'infinità di complicazioni.

La relazione è qualcosa di completo, di finito, di concluso. L'amore non è mai una relazione, l'amore è un rapportarsi continuo tra due esseri: è sempre un fiume che fluisce, senza una fine. L'amore non conosce conclusioni: la luna di miele inizia e non finisce mai. Non è come un racconto che ha un inizio ben preciso e a un certo punto ha una fine: è un fenomeno continuo. Gli amanti finiscono, l'amore continua; è una continuità: è un verbo, non un sostantivo.

Come mai l'uomo riduce a una relazione la bellezza di essere in contatto con l'altro? Perché ha tanta fretta? Perché rapportarsi è una situazione insicura, mentre la relazione dà una sicurezza, una certezza. Relazionarsi con l'altro è solo l'incontro tra due estranei che possono stare insieme anche solo per una notte e potrebbero dirsi addio il mattino successivo... chissà cosa potrà accadere domani? E noi abbiamo tutti una paura tale da voler rendere l'incontro sicuro e prevedibile. Vogliamo che il domani sia consono alle nostre idee, non gli permettiamo di seguire il proprio corso. Ecco perché riduciamo immediatamente ogni verbo a un sostantivo.

Ti innamori di una donna o di un uomo e immediatamente cominci a pensare al matrimonio. Vuoi trasformare l'amore in un contratto legale. Come mai? Perché la legge si intromette nell'amore? La legge si intromette perché in realtà l'amore non c'è. È solo una fantasia, e tu sai che la fantasia sparirà; vuoi stabilizzarla prima che sparisca, prima che scompaia vuoi fare qualcosa che renda impossibile una separazione.

In un mondo migliore, con persone più meditative, con più bagliori di illuminazione diffusi sulla Terra, la gente amerà, amerà moltissimo, ma l'amore rimarrà un relazionarsi tra due esseri umani e non diventerà mai una relazione. Non sto affermando che il loro amore sarà solo momentaneo; anzi, in questo caso, con ogni probabilità il loro amore andrà più in profondità del vostro, avrà un'intimità più elevata, racchiuderà più poesia e sarà più vicino a Dio. In quel caso ci sarebbero tutte le possibilità che il loro amore duri molto più a lungo di quanto durano ora le vostre cosiddette relazioni; ma quell'amore non sarà garantito dalla legge, dal tribunale o dalla polizia.

La sua garanzia sarà interiore; ci sarà un impegno preso dal cuore, ci sarà una comunione silenziosa. Se sei felice con qualcuno, vorrai che la tua felicità aumenti sempre di più; se gioisci dell'intimità con qualcuno, vorrai esplorare sempre di più questa intimità. E ci sono alcuni fiori dell'amore che sbocciano solo dopo una lunga intimità. Ci sono anche fiori stagionali: in sei settimane sbocciano, e dopo altre sei appassiscono e spariscono per sempre. Ci sono fiori che impiegano pochi anni per arrivare alla fioritura, altri che ne impiegano molti. Più lungo è il tempo impiegato più l'amore va in profondità.

Ma dev'essere l'impegno di un cuore verso un altro cuore. Un impegno che non ha neppure bisogno delle parole, perché le parole possono profanarlo. Dev'esserci una comunione silenziosa: occhi negli occhi, da cuore a cuore, da un essere all'altro. Questa comunione dev'essere compresa, non espressa a parole.

È veramente sgradevole vedere le persone andare in chiesa o in municipio a celebrare il loro matrimonio. È assolutamente abnorme, quasi inumano. È la semplice dimostrazione che non hanno fiducia in se stesse e nell'altro: hanno più fiducia nella legge di quanta ne abbiano nella loro voce interiore. È la semplice dimostrazione che non hanno fiducia nel loro amore, si fidano solo della legge.

Dimentica la relazione e impara a relazionarti con un altro essere. Quando entri in una relazione, cominci a darla per scontata, sia tu che il tuo partner vi date per acquisiti: questo distrugge tutti gli amori. La donna pensa di conoscere l'uomo e l'uomo pensa di conoscere la donna: in realtà nessuno dei due conosce l'altro. È impossibile: l'altro rimane un mistero. E dare per scontato l'altro significa insultarlo, mancargli di rispetto.

Sei davvero ingrato se pensi di conoscere tua moglie. Come puoi conoscere la donna? Come puoi conoscere l'uomo? Sono esseri in evoluzione, non cose. La donna che hai conosciuto ieri, oggi non c'è più. Nel Gange è fluita moltissima acqua: quella donna è un'altra, è una persona totalmente diversa. Entra di nuovo in contatto con lei, ricomincia da capo, non dare niente per scontato.

E tu, al mattino, guarda il viso dell'uomo con il quale hai dormito la notte scorsa. Non è più la stessa persona, in lui sono avvenuti tantissimi cambiamenti, al punto da essere incalcolabili. Questa è la differenza tra una persona e una cosa. L'arredamento nella camera è immutato, ma l'uomo e la donna non sono più gli stessi. Continua a esplorare, comincia da capo. Questo è ciò che intendo, quando dico di relazionarsi all'altro, di essere in contatto con lui.

Relazionarsi con l'altro significa che ricominci sempre da capo, tenti continuamente di familiarizzare con lui. Ancora e di nuovo vi presentate, continuate a scoprirvi a vicenda, tentate di vedere tutte le sfaccettature della personalità altrui. Cerchi continuamente di penetrare sempre più in profondità nei regni interiori dell'altro, nei recessi più intimi del suo essere. Tenti di svelare un mistero che non può essere svelato.

Questa è la gioia dell'amore: l'esplorazione della consapevolezza. E se entri in contatto con l'altro e non riduci questo relazionarsi a una relazione, per te l'altro diventa uno specchio. Mentre esplori lui, inconsciamente esplori anche te stesso. Mentre vai in profondità nell'altro e conosci i suoi sentimenti, i suoi pensieri, le sue emozioni più profonde, conosci anche le tue. Ciascun amante diventa lo specchio per l'amato, in questo caso l'amore diventa meditazione. La relazione è qualcosa di orribile, relazionarsi è bellissimo.

In una relazione entrambe le persone diventano cieche rispetto all'altro. Prova a pensarci: quanto tempo è passato dall'ultima volta che sei stato «occhi negli occhi» con tua moglie? Oppure quanto tempo è passato dall'ultima volta che hai guardato tuo marito? Forse sono passati degli anni! Chi guarda la propria moglie? Dai per scontato di conoscerla a fondo. Che cosa potresti vedere di più? Sei più interessato agli estranei che a una persona che conosci: conosci l'intera topografia del suo corpo, conosci le sue reazioni, sai che tutto ciò che è già accaduto tra voi accadrà di nuovo. È un ciclo che si ripete continuamente.

Non è così, in realtà non è così. Niente si ripete, mai: tutto si rinnova ogni giorno. Sono solo i tuoi occhi che invecchiano, è la tua facoltà di recepire che invecchia, è il tuo specchio che si impolvera e tu diventi incapace di riflettere l'altro.

Per questo ti dico: entra in contatto con l'altro, relazionati con lui. Quando dico questo, intendo dire: rimani continuamente in luna di miele. Continuate a cercare e a investigare l'uno nell'essere dell'altro per trovare nuovi modi di amarvi, per trovare nuovi modi di stare insieme. Ogni persona è un mistero incredibile, infinito, inesauribile e inestinguibile, al punto che non è possibile poter dire, un giorno: «Ormai la conosco», oppure: «Ormai lo conosco». Al massimo potresti dire: «Ho fatto del mio meglio, ma il mistero rimane un mistero!».

Di fatto, più conosci l'altro e più l'altro diventa misterioso. In questo caso l'amore è una continua avventura.

Dalla lussuria all'amore
e all'amare

Nella normale condizione mentale dell'uomo l'amore è praticamente impossibile. È possibile solo quando si è raggiunto l'essere, non prima. Prima di quel momento si tratta sempre di qualcos'altro. Noi continuiamo a chiamarlo amore, ma qualche volta è stupido definirlo tale.

Una persona si innamora di una donna perché gli piace il modo in cui cammina, in cui dice: «Ciao», la sua voce, i suoi occhi. Proprio l'altro giorno stavo leggendo di una donna che diceva, a proposito di un uomo: «Ha le sopracciglia più belle del mondo». Non c'è nulla di sbagliato in questo – le sopracciglia possono essere bellissime – ma, se ti innamori di due sopracciglia, prima o poi rimarrai delusa, perché sono una componente molto superficiale di una persona.

Ma la gente si innamora di cose così trascurabili! L'aspetto, gli occhi... queste non sono cose essenziali. Infatti, quando vivi con una persona, non stai vivendo con una porzione del corpo, con le sopracciglia o con il colore dei capelli. Quando vivi con una persona, quest'ultima è un fenomeno immenso e sconfinato... è praticamente indefinibile, e queste piccole cose superficiali, prima o poi perdono di significato; ma poi, improvvisamente, si resta sorpresi: cosa fare?

Ogni storia d'amore comincia in modo romantico. Ma

dopo la luna di miele è tutto finito, perché non si può vivere per sempre in una favola. Bisogna affrontare la realtà, e quest'ultima è completamente diversa.

Quando vedi una persona, non vedi la sua totalità, ma solo la superficie. È come se ti fossi innamorato di una macchina per il suo colore. Non hai nemmeno guardato nel cofano; potrebbe non esserci il motore, oppure qualcosa potrebbe non funzionare. In ultima analisi, il colore non serve a nulla.

Quando due persone si mettono insieme, le loro realtà interiori si urtano e le cose esteriori perdono di significato. A cosa servono le sopracciglia, i capelli e la pettinatura? Cominci a dimenticarli. Non ti attraggono più, perché li hai a portata di mano. E più conosci la persona più ti spaventi, perché ti rendi conto della sua follia, e lei a sua volta impara a conoscere la tua. Entrambi vi sentite ingannati e vi arrabbiate; cominciate a vendicarvi, a prendervi delle rivincite sull'altro, come se vi avesse raggirato o imbrogliato. Nessuno sta ingannando nessuno, anche se tutti vengono ingannati.

Questa è una delle cose più importanti da comprendere: quando ami una persona, l'ami perché non è disponibile; se quella persona diventa disponibile, come può sopravvivere l'amore?

Volevi diventare ricco perché eri povero; il desiderio di arricchirti esisteva a causa della tua povertà. Adesso che sei ricco non te ne importa più nulla. Oppure prendila così: poiché hai fame, sei ossessionato dal cibo; ma quando ti senti bene e il tuo stomaco è pieno, chi se ne preoccupa? Chi pensa al cibo?

Lo stesso accade con il tuo cosiddetto amore. Fai la corte a una donna e la donna si tira indietro, scappa da te. Tu la brami sempre di più e la tua corte si fa più insistente. Fa parte del gioco. Ogni donna sa, in cuor suo, di dover scappare, in modo che l'inseguimento possa durare più a lungo. Naturalmente non deve allontanarsi al punto da farti dimenticare di lei, deve restare in vista: allettante, affascinante, seducente, invitante e tuttavia in fuga.

Quindi, prima l'uomo insegue la donna e la donna cerca di scappare. Una volta che l'uomo ha afferrato la donna, immediatamente la corrente si inverte: l'uomo comincia a scappare e la donna lo insegue: «Dove stai andando?», «Con chi stavi parlando?», «Perché sei in ritardo?», «Con chi sei stato?».

Il problema sta tutto nel fatto che erano attratti l'uno dall'altra perché non si conoscevano. L'ignoto, il non familiare, era l'attrazione. Adesso si conoscono bene; hanno fatto l'amore molte volte, in pratica è diventata una ripetizione. Al massimo è un'abitudine, uno svago, ma la favola è finita. Entrambi sono annoiati. L'uomo e la donna sono diventati una routine, l'uno per l'altra. Non possono vivere l'uno senza l'altra a causa della routine, ma non possono nemmeno vivere insieme perché l'idillio non c'è più.

Questo è il momento in cui bisogna capire se si trattava d'amore oppure no. Ma non bisogna ingannare se stessi, bisogna essere chiari. Se era amore, o se anche solo un frammento di quella relazione era amore, queste cose passeranno. In questo caso si dovrebbe capire che queste sono cose naturali; non c'è nulla per cui arrabbiarsi. E tu ami ancora l'altra persona; anche se la conosci, continui ad amarla.

In realtà, se c'è amore, l'ami di più, perché sai. Se c'è amore, l'unione sopravvive; se non c'è, scompare. Entrambe le situazioni vanno bene.

Per una mente ordinaria ciò che io chiamo amore è impossibile. Accade solo quando hai un essere molto integro. L'amore è una funzione dell'essere integro. Non è una favola, non ha nulla a che vedere con simili stupidaggini. Va direttamente alla persona e guarda dentro l'anima. In quel caso, l'amore è una sorta di affinità con l'essere più intimo dell'altro... il che è qualcosa di totalmente diverso. Tutte le storie d'amore potrebbero – dovrebbero – svilupparsi in questo modo, ma su cento storie d'amore, novantanove non arrivano mai a quel punto. I problemi e le difficoltà sono così grandi da distruggere ogni cosa.

Non sto dicendo, però, che bisogna aggrapparsi a una relazione. È necessario restare all'erta e consapevoli. Se il tuo amore consiste solo in queste stupidaggini, scomparirà. Non vale la pena preoccuparsene. Ma se è autentico, sopravvivrà a tutte le difficoltà. Quindi osserva, semplicemente...

Il punto non è l'amore; il punto è la tua consapevolezza. Questa potrebbe essere una situazione grazie alla quale la tua consapevolezza aumenterà e diventerai più attento a te stesso. Forse questo amore scomparirà, ma quello successivo andrà meglio; sceglierai con una consapevolezza migliore. Oppure questo amore, con una consapevolezza migliore, cambierà qualità. Quindi, qualsiasi cosa accada, si dovrebbe restare aperti...

L'amore ha tre dimensioni. Una è quella animale: non è altro che lussuria, un fenomeno fisico. L'altra è quella umana: è più elevata della lussuria, della sessualità, della sensualità. Non è un semplice uso dell'altro come mezzo. La prima è solo uno sfruttamento: l'altro viene usato come mezzo. Nella seconda l'altro non viene usato come uno strumento, ma è uguale a te. L'altro è fine a se stesso come te, e l'amore non è uno sfruttamento, bensì una reciproca condivisione del vostro essere, della vostra gioia, della vostra musica, della vostra pura poesia della vita. È qualcosa di mutuo e reciproco.

La prima dimensione è possessiva, la seconda non-possessiva. La prima crea una schiavitù, la seconda dona libertà. E la terza dimensione dell'amore è religiosa, divina: accade quando non c'è un oggetto d'amore, quando l'amore non è affatto una relazione ma diventa uno stato del tuo essere. Sei semplicemente in amore, ma non verso qualcuno in particolare. Sei in uno stato d'amore, per cui qualunque cosa fai, la fai con amore; chiunque incontri, lo incontri con amore. Anche se tocchi un sasso, lo fai come se toccassi la persona che ami; persino se guardi gli alberi, i tuoi occhi sono colmi d'amore.

La prima dimensione usa l'altro come un mezzo; nella seconda, l'altro non è più uno strumento; nella terza, l'altro è completamente scomparso. La prima crea schiavitù, la seconda dona libertà, la terza va al di là di entrambe: è la trascendenza di ogni dualità. Non esiste né il soggetto né l'oggetto d'amore, ma solo l'amore in sé.

Questo è lo stato finale dell'amore, lo scopo che dobbiamo realizzare in vita. La maggior parte delle persone resta confinata alla prima dimensione. Solo pochissimi accedono alla seconda, e ancora più raro è il fenomeno che io definisco della terza dimensione. Soltanto un Buddha, un Gesù... ci sono pochissime persone che hanno conosciuto la terza dimensione dell'amore: è possibile contarle sulle dita delle mani. Ma se tieni gli occhi fissi sulla stella più lontana, può succedere. E quando succede, sei appagato. A quel punto nella tua vita non manca nulla, e in quell'appagamento c'è una gioia eterna. Nemmeno la morte può distruggerla.

Lasciate che vi sia spazio...

Nel *Profeta* di Kahlil Gibran, Almustafà dice: *Lasciate che vi sia spazio nella vostra unione, e tra voi danzino i venti dei cieli.*
Amatevi l'un l'altro, ma non fatene una prigione d'amore: piuttosto vi sia un moto di mare tra le sponde delle vostre anime.

Se il vostro essere insieme non è frutto della lussuria, il vostro amore andrà sempre più in profondità con il passare del tempo. La lussuria appiattisce ogni cosa, poiché alla biologia non interessa che rimaniate insieme oppure no. Il suo unico interesse è la riproduzione, per la quale l'amore non è affatto necessario: potete continuare a generare figli senza alcun amore.

Ho osservato ogni sorta di animali. Ho vissuto nelle foreste, sulle montagne, e sono sempre rimasto perplesso: quando gli animali fanno l'amore sembrano sempre molto tristi.

Non ho mai visto un solo animale fare l'amore con gioia, sembra che qualche forza sconosciuta li obblighi a farlo. Non è frutto di una loro scelta, non è una loro libertà ma la loro schiavitù. Questo li rende tristi.

Ho osservato la stessa cosa nell'uomo. Avete mai visto un marito e una moglie per strada? Forse non sapete se due persone sono marito e moglie, ma se entrambe hanno un volto triste potete esser certi che sono sposate!

Una volta viaggiavo in treno da Delhi a Srinagar e nel mio scompartimento c'era solo un altro posto libero. Arrivò una coppia di giovani: un uomo e una donna molto belli. Poiché entrambi non potevano sedersi nell'unico posto libero, lui andò in un altro scompartimento. Ma a ogni stazione si presentava con dolci, frutta, fiori.

Io osservavo quello spettacolo... io non sono altro che un semplice osservatore... a un certo punto chiesi alla donna da quanto fossero sposati, e lei mi rispose: «Da circa sette anni».

Le dissi: «Non mentirmi! Puoi ingannare chiunque ma non me... voi non siete sposati!».

Rimase sconvolta. Un estraneo, con cui non aveva mai parlato... che si era limitato a osservare; mi chiese come l'avessi capito.

Dissi: «Non è una gran scoperta, è qualcosa di elementare. Se fosse tuo marito, saresti fortunata se, una volta scomparso, ricomparisse alla stazione d'arrivo!».

Disse: «Non mi conosci, né io conosco te. Ma ciò che dici è vero. È il mio amante, un amico di mio marito».

Commentai: «In questo caso è tutto chiaro!».

Che cosa va storto tra i mariti e le mogli, persino dopo un matrimonio d'amore? Il fatto è che non si tratta d'amore, e tutti l'hanno accettato, come se conoscessero cos'è l'amore: è pura e semplice lussuria. Ben presto vi ritrovate stanchi l'uno dell'altro. La biologia vi ha ingannati per rispettare il proprio programma biologico, finalizzato alla procreazione, e nel giro di pochissimo non trovate più nulla di nuovo: la stessa faccia, la stessa geografia, la stessa topografia. Quante volte l'avete esplorata? A causa del matrimonio il mondo intero vive nella tristezza, eppure tutti restano ancora inconsapevoli della causa.

L'amore è uno dei fenomeni più misteriosi che esistano. Ed è dell'amore che Almustafà sta parlando: se non si tratta di lussuria non potrete annoiarvi.

Almustafà dice: *Lasciate che vi sia spazio nella vostra unione.*

State insieme, ma non cercate di dominarvi, non cercate di possedervi e non distruggete l'individualità dell'altro

Purtroppo è ciò che viene fatto, ovunque. Perché mai la donna dovrebbe prendere il nome dell'uomo? Ha un suo nome, ha una sua individualità. Pensate a un uomo che prende il nome della donna: nessun uomo lo farà mai.

Perché la donna dovrebbe andare a vivere nella casa dell'uomo? Perché non dovrebbe essere l'uomo a vivere nella casa della donna?

Ogni tanto accade che un uomo si sposi a condizione di andare a vivere nella casa della moglie, perché i genitori di lei sono anziani e non hanno altri figli che si prendano cura di loro. Ma ci avete fatto caso? Quando un uomo va a vivere nella casa della moglie, viene biasimato da tutti. Viene deriso, come se avesse perso la sua virilità... mentre nessuno deride la donna.

Il mio consiglio è questo: nel momento in cui un uomo e una donna decidono di vivere insieme, dovrebbero avere ciascuno la propria casa. Nessuno dovrebbe andare nella casa dell'altro, perché nell'attimo stesso in cui qualcuno va a casa di qualcun altro diventa inevitabilmente uno schiavo, e gli schiavi non possono essere felici. Hanno perso la loro integrità, la loro individualità. Hanno venduto se stessi.

Se vivete insieme, *lasciate che vi sia spazio*... se il marito torna a casa tardi, non occorre che la moglie lo interroghi su dove è stato, sul perché è in ritardo. Egli ha diritto alla propria libertà, è un individuo libero. Siete due individui che vivono insieme e nessuno invade lo spazio dell'altro. Se la moglie torna tardi, non è necessario chiederle dov'è stata. Chi sei per farlo? Lei ha la propria libertà, il proprio spazio.

Purtroppo questo accade ogni giorno, in tutte le case: la gente litiga per inezie, ma in profondità l'elemento della discordia è che nessuno è pronto a lasciare che l'altro abbia il proprio spazio, la propria libertà.

Le cose che piacciono possono essere diverse. A tuo marito può piacere qualcosa, a te qualcos'altro. Questo non vuol dire che dobbiate iniziare a litigare perché, in quanto marito e moglie, dovreste avere le stesse preferenze.

E poi, tutti questi interrogatori... ogni marito, quando torna a casa, rumina nella mente le stesse domande: «Cosa mi chiederà? Come risponderò?». E la donna sa già cosa chiederà e cosa il marito le risponderà, e sa che tutte quelle risposte sono false, inventate. Il marito la sta ingannando...

Che amore è mai questo: sempre sospettoso, sempre timoroso, vittima di qualche gelosia? Se tua moglie ti vede con un'altra donna – anche se state solo ridendo o chiacchierando – è sufficiente per litigare tutta la notte. E tu ti penti della tua scelta: questo è troppo... solo per aver riso un po' con qualcun altro! E se il marito vede la moglie con un altro uomo e lei si rivela più allegra, più

110

felice, è sufficiente per creare agitazione, scompiglio nel suo animo.

La gente è inconsapevole del fatto che non sa assolutamente cosa sia l'amore. L'amore non sospetta mai, non è mai geloso. L'amore non interferisce mai nella libertà dell'altro. L'amore non impone mai nulla all'altro. L'amore dona libertà, e la libertà può esistere solo se nell'essere insieme esiste spazio.

Questa è la bellezza di Kahlil Gibran... è un'intuizione importantissima. In amore si dovrebbe essere felici di vedere che la propria donna è felice con qualcun altro, perché l'amore vuole che la sua donna sia felice; l'amore vuole che il marito sia felice, quindi se sta parlando con un'altra donna ed è felice, la moglie dovrebbe essere contenta, non è il caso di sollevare discussioni.

Due persone stanno insieme per rendere più felici le loro esistenze, invece accade l'esatto opposto. Sembra che tutte le mogli e tutti i mariti stiano insieme per rendersi reciprocamente infelici, per rovinarsi a vicenda la vita. Il motivo è questo: essi non comprendono neppure il significato dell'amore.

Lasciate che vi sia spazio nella vostra unione... non è affatto una contraddizione. Più spazio vi date a vicenda, più sarete insieme. Più libertà vi concederete, più sarete intimamente uniti. E non sarete nemici intimi, ma amici intimi!

E lasciate che tra voi danzino i venti dei cieli. Questa è una legge fondamentale dell'esistenza: stare troppo insieme, non lasciare alcuno spazio per la libertà, distrugge il fiore dell'amore. Lo si schiaccia, non gli si lascia lo spazio per crescere.

Da tempo gli scienziati hanno scoperto che gli animali hanno un territorio, delimitano un loro spazio vitale. Avrai visto i cani che fanno pipì sui pali, pensi che sia inutile? Non lo è affatto: stanno tracciando dei confini: «Questo è il mio territorio». L'odore dell'urina impedirà a tutti gli altri cani di entrare in quello spazio: finché gli altri cani restano anche solo a un passo di distanza, verranno ignorati, se superano quei confini scoppiano subito delle zuffe.

Tutti gli animali selvatici fanno la stessa cosa. Persino un leone non ti farà nulla, se non superi i confini del suo territorio, ti considera un gentleman! Se però entri nel suo regno, non importa chi sei, verrai ucciso.

Ancora non abbiamo scoperto questa stessa esigenza di spazio vitale negli esseri umani: di certo l'avrai percepita, ma non è ancora stata stabilita su basi scientifiche. Se usi un treno locale per andare a Bombay, lo troverai così affollato... la gente è tutta in piedi, pochissimi riescono a trovare un posto per sedersi. Ma osserva le persone che stanno in piedi: anche se sono strette le une alle altre, fanno di tutto per non toccarsi.

Man mano che il mondo sarà sempre più sovrappopolato, aumenterà la gente che impazzisce, che si suicida, che compie omicidi, per il semplice motivo che non trova un proprio spazio vitale.

Gli amanti, quanto meno, dovrebbero essere abbastanza sensibili: la moglie ha bisogno del proprio spazio e così il marito.

Uno dei libri che amo di più è una delle ultime opere poetiche di Rabindranath Tagore, *Akhari Kavita*, (*L'ultimo poema*). Non si tratta di una raccolta di poesie, ma di un racconto, sebbene strano, estremamente profondo e ricco di intuizioni.

Una giovane donna e un uomo si innamorarono e, come accade sempre, volevano sposarsi subito. La donna pose solo una condizione... era molto istruita, molto sofisticata, molto ricca. E l'uomo le disse: «Accetto qualsiasi tua condizione, ma non posso vivere senza di te».

Lei replicò: «Prima di tutto ascolta la mia condizione, poi pensaci. Non è una condizione qualsiasi... non dovremo vivere nella stessa casa. Io possiedo una grandissima proprietà e un lago bellissimo circondato da alberi, giardini e prati: ti farò costruire una casa sull'altra sponda, proprio di fronte a quella in cui vivo io».

L'uomo commentò: «Ma così che senso ha sposarsi?».

La donna spiegò: «Sposarsi non significa distruggersi a vicenda. Io ti dono uno spazio tuo, e conservo il mio. Una volta ogni tanto, camminando in giardino potremo incontrarci. Una volta ogni tanto, mentre andiamo in barca sul lago, potremo incontrarci... per caso! Oppure, ogni tanto potrò invitarti a prendere un tè da me, oppure tu potrai invitare me».

L'uomo disse: «Questa idea è semplicemente assurda!».

Al che la donna concluse: «Allora scordati il matrimonio.

Questa è la sola idea giusta, solo così il nostro amore potrà continuare a crescere, perché noi resteremo sempre freschi e nuovi l'uno agli occhi dell'altra; non ci daremo per scontati... io conserverò il diritto di rifiutare un tuo invito, e tu conserverai la libertà di rifiutare il mio: in nessun modo le nostre libertà verranno intaccate. E tra queste due libertà cresce lo splendido fenomeno dell'amore».

Ovviamente l'uomo non poté comprendere e rinunciò all'idea di sposarsi a quella condizione.

Ma anche Rabindranath rivela la stessa intuizione di Kahlil Gibran... ed essi scrissero praticamente nello stesso periodo.

Se questo è possibile – se riuscite ad avere spazio e intimità al tempo stesso – allora *tra voi danzeranno i venti dei cieli*.

Amatevi l'un l'altro, ma non fatene una prigione d'amore.

L'amore dovrebbe essere un dono dato e preso in libertà, ma non dovrebbe esistere alcuna pretesa. Altrimenti, ben presto vi ritroverete insieme eppur lontani e remoti come due stelle.

Nessuna comprensione vi avvicinerà più: non avete lasciato lo spazio necessario per costruire un ponte che vi colleghi.

Piuttosto vi sia un moto di mare tra le sponde delle vostre anime... non fatene una cosa statica, non fatene una routine: *Piuttosto vi sia un moto di mare tra le sponde delle vostre anime*.

Se potrete avere al tempo stesso la libertà e l'amore, non avrete bisogno più di altro. Avrete ottenuto ogni cosa, tutto ciò per cui si vive vi sarà stato dato.

Il *koan* della relazione

L'amore, la relazione è il miglior *koan* che esista. Questo è il modo in cui usiamo la relazione nel nostro contesto di ricerca del vero. La relazione è un enigma senza indizi: per quanto provi a risolverlo, non ci riuscirai mai. Nessuno ci è mai riuscito. La relazione è tale per cui resta semplicemente enigmatica. Più cerchi di demistificarla, più diventa misteriosa; più cerchi di comprenderla, più diventa sfuggente.

È un *koan* ben più grande di quelli che i Maestri Zen hanno assegnato ai loro discepoli, perché i loro *koan* sono meditativi: in essi si è soli. Quando ti viene dato il *koan* della relazione, è qualcosa di molto più complicato, perché siete in due. Inoltre, siete fatti e condizionati in modo diverso, vi dirigete in direzioni differenti, rappresentate polarità opposte, vi manipolate reciprocamente, cercate di possedere, di dominare... esistono mille e un problema.

Quando si medita, l'unico problema è come restare in silenzio, come non farsi dominare dai pensieri. Nella relazione esistono mille e un problema. Se stai in silenzio, è un problema. Prova a sederti in silenzio accanto a tua moglie e vedrai; ti balzerà subito addosso: «Perché stai in

115

silenzio? Cosa nascondi?». Oppure parla, ma sarai sempre nei guai: qualunque cosa tu dica, sarai sempre frainteso.

Nessuna relazione può mai arrivare a un punto in cui non esistono problemi. E se qualche volta vedi una relazione in cui non ci sono più problemi, vuol dire semplicemente che non è più una relazione. La relazione è scomparsa, i contendenti sono stanchi e hanno cominciato ad accettare le cose per ciò che sono; sono annoiati, non vogliono più lottare. Hanno accettato la situazione e non cercano più di migliorarla.

Un'alternativa, in passato, era cercare di creare con la forza una sorta di armonia. Ecco perché, nei secoli, le donne sono state represse: era un modo di appianare le difficoltà. Se costringi la donna a seguire l'uomo, non ci saranno problemi... ma non ci sarà nemmeno una relazione. Quando la donna non è più una persona indipendente, i problemi scompaiono... ma è scomparsa anche lei. A quel punto lei non è altro che un oggetto da usare; non c'è più gioia e l'uomo comincia a cercare un'altra donna. Se ti imbatti in un matrimonio felice, non fidarti delle apparenze. Va' un po' più in profondità e avrai delle sorprese.

Ho sentito di un matrimonio felice...

Un rozzo contadino decide che è tempo di sposarsi, quindi sella il mulo e parte per la città in cerca di una moglie. Detto fatto, incontra una donna e si sposa. Entrambi salgono sul mulo e partono per tornare alla fattoria. Dopo un po', il mulo recalcitra e rifiuta di proseguire. Il contadino scende, trova un grosso bastone e batte il mulo fino a che l'animale ricomincia a muoversi.

«E uno» dice il contadino.

Dopo qualche chilometro, il mulo recalcitra di nuovo e l'intera scena si ripete. Dopo aver battuto il mulo fino a farlo ripartire, il contadino commenta: «E due».

Dopo qualche chilometro, il mulo recalcitra per la terza volta. Il contadino salta giù, fa scendere la moglie, estrae la sua pistola e spara nell'occhio del mulo, uccidendolo all'istante.

«Che stupidaggine!» sbraita la moglie. «Era un animale prezioso e lo hai ucciso solo perché ti dava un po' di noia! È stato idiota, criminale...», e prosegue nella sua recriminazione per un po'. Quando si ferma per riprendere fiato, il contadino borbotta: «E uno».

E si dice che da allora vissero per sempre felici e contenti!

Questo è un modo di risolvere le cose, un modo che si usava in passato. In futuro si tenterà il contrario: il marito dovrà ubbidire alla moglie. Ma è la stessa cosa.

Una relazione è un *koan*. E a meno che tu non abbia risolto qualcosa di più importante rispetto a te stesso, non puoi trovarne la soluzione.

Il problema dell'amore può essere risolto solo quando è stato risolto il problema della meditazione, non prima. Difatti, il problema viene creato in realtà da due persone non meditative, che sono in confusione e non conoscono se stesse. Naturalmente moltiplicheranno e ingigantiranno l'uno la confusione dell'altra.

A meno che non venga conseguita la meditazione, l'amore resterà una fonte di infelicità. Una volta che avrai imparato a vivere da solo, ad apprezzare la tua esistenza in quanto tale, senza una ragione particolare, si aprirà una possibilità di risolvere il secondo problema, più complicato: quello di due persone che stanno insieme. Solo due meditatori possono vivere in amore... ma a quel punto l'amore non sarà un *koan*. Non sarà nemmeno una relazione nel senso in cui intendi la parola. Sarà semplicemente uno stato d'amore, non uno stato di relazione.

Quindi, capisco le difficoltà di una relazione; ma io incoraggio la gente a entrare in queste difficoltà, perché ti renderanno consapevole del problema fondamentale: il fatto che tu, nelle profondità del tuo essere, sei un enigma. L'altro è semplicemente uno specchio. È difficile conoscere direttamente i tuoi problemi, ma è molto facile farlo attraverso una relazione. Adesso hai davanti a te uno specchio: puoi vedere in esso il tuo volto, e altrettanto può fare l'altra persona. Ed entrambi siete arrabbiati, perché entrambi scorgete facce orribili. Naturalmente ve la prendete l'uno con l'altra, perché la logica più semplice è: «Sei *tu*, è questo specchio che mi fa apparire tanto brutto. Se non ci fosse, sarei una bellissima persona».

Questo è il problema che due innamorati cercano di risolvere senza riuscirci. Ciò che continuano a ripetere è: «Io sono una bellissima persona, ma tu mi fai apparire brutto».

Nessuno ti fa apparire brutto: tu *sei* brutto. Mi dispiace, ma questa è la realtà. Sii grato, riconoscente verso l'altra persona, perché ti aiuta a vedere il tuo volto. Non arrabbiarti, e va' più in profondità dentro di te, dentro la meditazione.

Ma accade questo: ogni volta che una persona si innamora, si dimentica completamente della meditazione. Io mi guardo sempre intorno, e ogni volta che manca qualcuno, so cos'è successo: l'amore. A quel punto le persone che non vengono più da me pensano che non sia più necessario meditare. Torneranno solo quando l'amore avrà creato una valanga di problemi che non riusciranno a risolvere. Allora verranno a chiedere: «Osho, che cosa dobbiamo fare?».

Quando sei innamorato, non ti scordare della meditazione. L'amore non risolverà nulla, ti mostrerà soltanto chi sei e dove ti trovi. Ma è una buona cosa che l'amore ti renda consapevole di tutto il caos e di tutta la confusione che esistono dentro di te. Adesso è il momento di meditare! Se l'amore e la meditazione procedono insieme, avrai entrambe le ali e raggiungerai un equilibrio.

Ma accade anche il contrario. Ogni volta che una persona comincia a scendere profondamente in meditazione, comincia a evitare l'amore, perché pensa che potrebbe disturbare la meditazione. Anche questo è sbagliato: la meditazione trarrà giovamento dall'amore, non ne sarà disturbata.

Perché ne trarrà giovamento? Perché l'amore ti mostrerà ogni volta dove rimangono ancora dei problemi. Senza amore diventerai inconsapevole dei tuoi problemi, ma questo non vuol dire che li hai risolti. Se non c'è uno specchio, non vuol dire che non hai un volto.

L'amore e la meditazione dovrebbero procedere mano nella mano. Questo è uno dei messaggi più importanti che vorrei condividere con te: l'amore e la meditazione dovrebbero procedere mano nella mano. Ama e medita, medita e ama, e a poco a poco vedrai affiorare in te una nuova armonia. Solo quell'armonia sarà in grado di renderti appagato.

Alcune domande chiave

1. Come posso sapere se una donna si è innamorata davvero o sta solo giocando?

È difficile! Nessuno è mai riuscito a saperlo perché, in realtà, l'amore è un gioco. Quella è la sua realtà! Quindi, se aspetti, osservi, pensi e analizzi per stabilire se questa donna sia davvero innamorata o stia solo giocando, non sarai mai in grado di amare nessuna donna. Infatti l'amore è un gioco, il gioco supremo.

È inutile chiedere che sia reale. Partecipa al gioco: quella è la sua realtà. E se cerchi troppo la realtà, l'amore non fa per te. È un sogno, una fantasia, un romanzo, una favola, una poesia... se sei troppo ossessionato dalla realtà, l'amore non fa per te. In quel caso, medita.

Ma io so che chi ha posto la domanda non appartiene a quella tipologia: per lui non è possibile alcuna meditazione, almeno non in questa vita! Egli deve smaltire molti karma con le donne. Per questo pensa sempre alla meditazione, e poi si mette sempre con una donna o con l'altra. Ma anche le sue donne mi vengono a chiedere: «Mi ama davvero? Che cosa devo fare?». Ed ecco che arriva lui con questa domanda!

Prima o poi questo problema si pone a tutti, perché è impossibile trovare una risposta. Noi non siamo altro che estranei, e i nostri incontri sono solo accidentali. Per strada, improvvisamente, ci imbattiamo l'uno nell'altra, senza sapere chi siamo. Due estranei si incontrano per strada, e poiché si sentono soli e si tengono per mano, pensano di essere innamorati. Di certo hanno bisogno l'uno dell'altra, ma come essere sicuri che si tratta di amore?

Stavo leggendo una bellissima barzelletta. Ascolta attentamente.

Nel cuore della notte una donna arriva in una piccola città americana e scopre che non ci sono stanze libere nell'unico hotel. «Mi dispiace» dice il portiere «ma l'ultima stanza che avevamo è stata presa da un italiano.»

«Che numero è?» chiede la donna, disperata. «Forse posso risolvere la cosa con lui.»

Il portiere le dice il numero e la donna va a bussare alla porta. L'italiano la lascia entrare.

«Senta, signore» dice lei «non la conosco e lei non conosce me, ma ho un bisogno disperato di un posto dove dormire. Se mi lascia usare quel piccolo divano, le prometto che non la disturberò.»

L'italiano ci pensa per un attimo e risponde: «Va bene». La donna si raggomitola sul divano e l'italiano torna a letto. Ma il divano è molto scomodo e dopo qualche minuto la donna si avvicina in punta di piedi al letto e scuote il braccio dell'italiano. «Senta, signore» gli dice «non la conosco e lei non conosce me, ma è impossibile dormire su quel divano. Potrei dormire qui, sul bordo del letto?»

«Va bene» risponde l'italiano. «Usi pure il bordo del letto.»

La donna si sdraia sul letto, ma dopo pochi minuti è

scossa da forti brividi di freddo. Di nuovo sveglia l'italiano. «Senta, signore, io non la conosco e lei non conosce me, ma fa molto freddo. Potrei venire sotto le coperte con lei?»

«Va bene» risponde l'italiano. «Venga sotto le coperte.»

La donna si infila sotto le coperte, ma la vicinanza di un corpo maschile la eccita e il desiderio le impedisce di addormentarsi. Di nuovo, sveglia l'italiano.

«Senta, signore» gli dice suadente «non la conosco e lei non conosce me, ma che ne dice di fare una festicciola?»

Esasperato, l'italiano si siede sul letto. «Senta, signora» strilla inviperito «io non la conosco e lei non conosce me; ma nel cuore della notte chi possiamo invitare a una festicciola?»

È così che vanno le cose: «Io non la conosco e lei non conosce me». Si tratta solo di un caso fortuito. Ci sono dei bisogni: la gente si sente sola, ha bisogno di qualcuno che riempia la propria solitudine. Questo è ciò che le persone chiamano «amore». Si mostra amore solo perché questo è l'unico modo per agganciare l'altro. Anche l'altro lo chiama «amore», perché è il solo modo di agganciarti. Ma chissà se si tratta di vero amore oppure no? In realtà, l'amore è solo un gioco.

Certo, l'amore autentico è possibile, ma solo quando non hai bisogno di nessuno: questo è il problema. Funziona come una banca. Se vai in banca e hai bisogno di soldi, non ti daranno niente. Se non hai bisogno di soldi, perché ne hai a sufficienza, la banca sarà sempre pronta a concederteli. Se non hai bisogno di una cosa, sono disposti a dartela; se ne hai bisogno, non sono disposti ad aiutarti.

L'amore è possibile quando non hai bisogno di nessuno, sei autosufficiente e riesci a essere immensamente felice ed estatico da solo. Ma nemmeno in quel caso puoi sapere con certezza se l'amore dell'altra persona sia autentico o no. Puoi essere certo solo su un punto: sull'autenticità del tuo amore. Come puoi avere certezze sull'al tra persona? Ma in quel caso, non ce n'è bisogno.

Questa continua ansia sull'autenticità dell'amore altrui dimostra solo una cosa: il tuo amore non è autentico. Se così non fosse, perché preoccuparsi? A chi interessa? Finché dura, godetevelo; finché potete stare insieme, state insieme! È una finzione, ma tu hai bisogno di finzioni.

Nietzsche diceva spesso che l'uomo è tale da non poter vivere senza bugie. Non può vivere con la verità, è troppo pesante da sopportare. Hai bisogno di bugie; esse, in un modo sottile, lubrificano il tuo sistema. Sono dei lubrificanti. Vedi una donna ed esclami: «Che donna meravigliosa! Non ho mai incontrato una persona così bella». Queste sono bugie che fungono da lubrificante... e lo sai! Hai detto la stessa cosa alla donna precedente, e sai che la ripeterai ad altre donne in futuro. E anche la donna sostiene che sei l'unica persona verso la quale abbia mai provato attrazione. Queste sono bugie; dietro di esse non c'è altro che il bisogno. Desideri la compagnia della donna per colmare il tuo vuoto interiore; vuoi riempirlo con la sua presenza. Lei desidera la stessa cosa: state cercando di usarvi a vicenda.

Ecco perché gli innamorati – i cosiddetti innamorati – litigano sempre: a nessuno piace essere usato; e quando usi una persona, quest'ultima diventa un oggetto, l'hai ridotta a una merce. Tutte le donne, dopo aver fatto l'amore con un uomo, si sentono un po' tristi, usate e ingannate, perché l'uomo si gira dall'altra parte e si addormenta: cosa fatta capo ha!

Molte donne mi hanno detto che piangono e singhiozzano dopo aver fatto l'amore con gli uomini, perché dopo il rapporto sessuale questi ultimi non sono più interessati a loro. Erano interessati esclusivamente a un bisogno particolare; una volta che l'hanno soddisfatto, si girano e si addormentano, senza nemmeno preoccuparsi di ciò che è successo alla donna. Ma anche gli uomini si sentono ingannati. Dopo un po', cominciano a sospettare che le donne li amino per qualche altro motivo: per i soldi, per il potere, per la sicurezza. Forse è un interesse economico, ma non è amore.

Ma è vero, è una possibilità. Anzi, è *l'unica* possibilità! Per il modo in cui sei fatto – per la vita inconscia da sonnambulo che conduci – questa è l'unica possibilità. Ma non ti preoccupare se la donna ti ama davvero o no. Mentre sei addormentato, hai bisogno dell'amore di qualcuno, anche se è falso; è un bisogno primario. Godine! Non creare ansia. E cerca di diventare sempre più consapevole.

Un giorno, quando sarai davvero risvegliato, sarai in grado di amare. Anche allora sarai certo solo del *tuo* amore, ma sarà più che sufficiente! Cosa importa il resto? Ora come ora, vuoi usare gli altri; quando sarai davvero estatico dentro di te, non vorrai usare nessuno, desidererai solo condividere. Possiederai così tanto, ti sentirai così traboccante che cercherai qualcuno con cui condividere. E proverai gratitudine perché qualcuno è stato pronto a ricevere. Tutto qui, questa è la fine della storia!

In questo momento ti preoccupi troppo dell'amore dell'altro perché, in realtà, non sei sicuro del tuo stesso amore. Questo è il primo punto. E non sei nemmeno certo del tuo valore: non riesci a credere che qualcuno ti ami davvero; non scorgi nulla dentro di te. Se non ti ami, come può amarti qualcun altro? Sembra irreale, impossibile.

Ti ami? Non te lo sei nemmeno chiesto. La gente si odia, si condanna; continua a pensare di essere sbagliata. Come può qualcun altro amare te, una persona così sbagliata? No, nessuno ti può amare davvero; l'altro starà scherzando, oppure ti starà ingannando; dev'esserci qualche altra ragione, dev'essere alla ricerca di qualcos'altro.

Ho sentito raccontare...

Un vagabondo sporco, puzzolente e dall'aria cenciosa si siede su una panchina del parco accanto a una bella ragazza. Lei gli dà un'occhiata e poi distoglie lo sguardo, inorridita. Dopo un po' sente un rumore e volta la testa per vedere cosa sta succedendo. Con orrore vede il vagabondo estrarre un sandwich da una borsa marrone e dargli un grande morso. La carne è rancida, la lattuga marrone, il pane vecchio. Sentendo lo sguardo della ragazza su di sé, il vagabondo si volta e dice: «Mi scusi, signorina, vuole assaggiare il mio sandwich? Suppongo che fare l'amore sia fuori discussione».

Questo è ciò che sta accadendo. Ti conosci: l'amore sembra fuori discussione. Sai quanto sei sbagliato e indegno. E quando una donna dice di adorarti, non riesci a fidarti. Quando vai da una donna dicendole di adorarla, ma lei si odia, come potrà crederti? È l'odio di sé che crea l'ansia.

È impossibile essere certi dell'altra persona. Prima sii certo di te stesso. E una persona che è certa di se stessa, è certa del mondo intero. Una certezza raggiunta nel tuo centro più profondo si trasforma in una certezza rispetto a tutto ciò che fai e che ti accade. Stabile, centrato e radicato in te stesso, non ti preoccupi mai di cose del genere. Accetti.

Se qualcuno ti ama, lo accetti, perché ami te stesso. Sei contento di te... adesso qualcun altro è contento: bene! La cosa non ti dà alla testa, non ti rende pazzamente egoista. Godi di te stesso, semplicemente; adesso qualcun altro ti trova piacevole. Bene! Finché dura, vivi questa finzione nel modo più meraviglioso possibile: non durerà in eterno. Anche questo crea un problema. Quando un amore finisce, cominci a pensare che fosse falso: ecco perché è finito. No, non necessariamente. Forse aveva in sé un bagliore di verità, ma eravate entrambi incapaci di trattenere e conservare quella verità. L'avete uccisa. C'era, ma l'avete assassinata. Non siete stati capaci di amare. Avevate bisogno dell'amore, ma non siete stati capaci di gestirlo.

Incontri una donna o un uomo: tutto scorre benissimo, in modo fantastico e meraviglioso... all'inizio. Non appena le cose si stabilizzano, la situazione si deteriora, diventa spiacevole. Più si stabilizza, più sorge il conflitto. E questo uccide l'amore.

Per come la vedo io, ogni storia d'amore all'inizio possiede un raggio di luce, ma gli innamorati lo distruggono. Saltano su quel raggio di luce con tutta la propria oscurità interiore... con un'intera Africa nera dentro di sé. Saltano su quel raggio di luce e lo distruggono. Una volta distrutto, pensano che fosse falso. Lo hanno ucciso! Non era falso il raggio di luce, sono falsi loro. Il raggio era autentico, reale.

Quindi, non ti preoccupare dell'altro; non chiederti se l'amore sia vero o no. Mentre c'è, godine. Anche se è un sogno, è un bel sogno. Ma diventa sempre più attento e consapevole, in modo che il sogno possa scomparire.

Quando sei consapevole, nel tuo cuore sorge un tipo d'amore totalmente diverso, del tutto autentico, che fa parte dell'eternità. Ma esso non è un bisogno, è un lusso.

2. *Se la gelosia, la possessività, l'attaccamento, i bisogni, le aspettative, i desideri e le illusioni cadono, cosa resterà del mio amore? Tutta la mia poesia e la mia passione sono state una menzogna? Le mie pene d'amore hanno più a che vedere con le pene che con l'amore? Imparerò mai ad amare?*

L'amore non si può né imparare né programmare. L'amore frutto di una programmazione non è affatto amore; non è una rosa autentica, ma un fiore di plastica. Quando impari qualcosa, vuol dire che proviene dall'esterno; non si tratta di una crescita interiore. E l'amore, per essere autentico e reale, dev'essere una tua crescita interiore.

L'amore non è un imparare, ma una crescita. Tutto ciò che è necessario, da parte tua, non è imparare le vie dell'amore, bensì disimparare le vie del non-amore. Gli impedimenti vanno rimossi, gli ostacoli distrutti: a quel punto l'amore costituirà il tuo essere naturale e spontaneo. Una volta che gli ostacoli sono stati eliminati e le rocce gettate via, il flusso scorre. Esiste già: è nascosto sotto molte rocce, ma la sorgente è già presente. È il tuo stesso essere.

È un dono, ma non è qualcosa che accadrà nel futuro; è un dono che è già accaduto con la tua nascita. «Essere» vuol dire «essere amore». Poter respirare vuol dire poter amare. L'amore è come il respiro: ciò che il respiro è per il corpo fisico, l'amore lo è per il corpo spirituale. Senza respiro, il corpo muore; senza amore, l'anima muore.

La prima cosa da ricordare è che l'amore non è qualcosa che puoi imparare. E se lo impari, mancherai del tutto il punto; in nome dell'amore, imparerai qualcos'altro; sarà finto, falso. Ma la moneta falsa può assomigliare a quella autentica; se non conosci quest'ultima, la prima può trarti in inganno. Solo se conosci il reale, sarai in grado di vedere la distinzione tra ciò che è falso e ciò che è reale.

E questi sono gli ostacoli: gelosia, possessività, attaccamento, aspettative, desideri... ma la tua paura è giusta: «Se tutte queste cose scompaiono, cosa resterà del mio amore?». Nulla resterà del tuo amore. Resterà *l'amore*... ma esso non ha niente a che vedere con l'«io» o il «tu». In realtà, quando ogni possessività, gelosia e aspettativa scompaiono, non scompare l'amore: scompari *tu*, il tuo ego. Queste cose sono l'ombra dell'ego.

Non è l'amore a essere geloso. Guarda, osserva di nuovo. Quando provi gelosia, non è l'amore a essere geloso; esso non ha mai conosciuto nulla di simile alla gelosia. Come il sole non ha mai conosciuto l'oscurità, l'amore non ha mai conosciuto la gelosia. È l'ego che si sente ferito e competitivo, è l'ego che lotta incessantemente. È l'ego a essere ambizioso, a desiderare di stare al di sopra degli altri e a sentirsi speciale. È l'ego che comincia a provare gelosia e possessività, perché può esistere solo se possiede.

Più possiedi, più l'ego è forte; se non possiedi nulla, l'ego non può esistere. Esso si basa sulla proprietà, dipende da essa. Se hai più soldi, più potere, più prestigio, un uomo, una donna o dei figli meravigliosi, l'ego si sente immensamente arricchito. Quando la proprietà scompare, quando non possiedi nulla, dentro di te non troverai l'ego; non ci sarà nessuno che possa affermare: «Io».

E se pensi che *questo* sia il tuo amore, scomparirà certamente anche quello. In realtà, il tuo amore non è amore: è gelosia, possessività, odio, rabbia, violenza; è mille e una cosa, eccetto che amore. È mascherato da amore perché tutte queste cose sono così brutte da non poter esistere senza una maschera.

Una parabola antica...

Dopo la creazione del mondo, Dio vi inviava ogni giorno cose nuove. Un giorno vi mandò Bellezza e Bruttezza. Dal paradiso alla Terra è un lungo viaggio, e quando esse arrivarono era l'alba: il sole stava per sorgere. Atterrarono vicino a un lago e decisero di fare un bagno, perché il loro corpo e i loro vestiti erano interamente coperti di polvere.

Poiché non conoscevano le vie del mondo – erano appena arrivate – si spogliarono e si gettarono completamente nude nell'acqua fredda del lago. Quando il sole già illuminava l'orizzonte, iniziarono ad arrivare delle persone. A Bruttezza venne in mente un inganno: non appena Bellezza si allontanò a nuoto, Bruttezza tornò sulla spiaggia, si mise gli abiti di Bellezza e fuggì. Quando Bellezza si accorse che la gente stava arrivando e che lei era nuda, si guardò intorno... ma i suoi vestiti erano spariti! Bruttezza se n'era andata e Bellezza era nuda sotto il sole mentre la gente si avvicinava. Non sapendo cosa fare, si mise le vesti di Bruttezza e andò alla ricerca di quest'ultima per scambiarle.

La storia racconta che la sta ancora cercando... ma Bruttezza è astuta e continua a eluderla. È ancora vestita, mascherata da Bellezza, mentre quest'ultima va in giro con i vestiti di Bruttezza.

È una parabola meravigliosa.

Tutte queste cose sono così orribili che se vedessi la loro realtà, anche solo per un istante, non potresti sopportarle. Per questo non ti permettono di vedere la realtà. La gelosia finge di essere amore, la possessività crea una maschera d'amore... e tu ti senti a tuo agio.

Non stai ingannando altri che te stesso. Queste cose non sono l'amore. Per cui, quello che finora hai conosciuto come amore scomparirà. In esso non c'è alcuna poesia.

Certo, c'è passione... ma la passione è uno stato febbrile, inconscio. La passione non è poesia. Solo i Buddha conoscono la poesia... la poesia della vita, dell'esistenza.

L'eccitazione e la febbre della passione non sono l'estasi. Le assomigliano, questo è il problema. Nella vita molte cose si assomigliano, e le differenze sono molto sottili, tenui, lievi. L'eccitazione può sembrare estasi, ma non lo è, perché l'estasi è fondamentalmente fresca. La passione è calda. L'amore è fresco; non gelido, ma fresco. L'odio è gelido. La passione e la lussuria sono calde. L'amore è esattamente nel mezzo: è fresco, né gelido né caldo. È uno stato di grande tranquillità, di calma, di serenità, di silenzio, e da quel silenzio nascono la poesia, il canto, una danza del tuo essere.

Quelle che tu chiami poesia e passione sono semplicemente bugie che si nascondono dietro bellissime maschere. Su cento poeti, novantanove non lo sono davvero: vivono nel tumulto, nelle emozioni, nelle passioni, nell'ardore, nella lussuria, nella sessualità, nella sensualità. Solo un poeta su cento è autentico.

Ma il poeta autentico potrebbe non scrivere mai alcuna poesia, perché tutto il suo essere è poesia. Il modo in cui cammina, si siede, mangia, dorme... ogni cosa è poesia. Egli esiste in quanto poesia. Che scriva o no poesie è irrilevante.

Ciò che tu chiami poesia non è altro che l'espressione della tua agitazione, di un tuo stato accalorato. È uno stato di follia. La passione è folle, cieca, inconscia... e bugiarda. È bugiarda perché ti fa credere di essere amore.

L'amore è possibile solo quando la meditazione è accaduta. Se non sai come centrarti, riposarti e rilassarti nel tuo essere, se non sai come essere profondamente solo ed estatico, non saprai mai che cos'è l'amore.

L'amore si manifesta come relazione, ma comincia nella solitudine profonda; si esprime come rapporto, ma la sua origine non è nel rapporto, bensì nella meditazione. Quando sei assolutamente felice nella tua solitudine, quando non hai affatto bisogno dell'altro, allora sei in grado di amare. Se hai bisogno dell'altro, puoi solo usare, manipolare e dominare; non puoi amare.

Poiché dipendi dall'altro, hai paura e sorge la possessività. «Chi può saperlo? Oggi l'altro sta con me, domani potrebbe non starci più. Chi può predire il prossimo istante?». La tua donna potrebbe averti lasciato, i figli potrebbero essere cresciuti e avere lasciato la tua casa, il marito potrebbe averti abbandonato. Chi conosce il prossimo istante? A causa di questa paura del futuro diventi molto possessivo. Crei una schiavitù intorno alla persona che pensi di amare.

Ma l'amore non può creare una prigione... e se la crea, all'odio non resta nulla da fare. L'amore porta libertà, dona libertà. È assenza di possessività. Ma questo è possibile solo se hai conosciuto una qualità totalmente diversa dell'amore, basato non sul bisogno, ma sulla condivisione.

L'amore è la condivisione di una gioia straripante. Sei troppo pieno di energia; non puoi contenerla, la devi condividere. A quel punto ci sarà poesia, a quel punto ci sarà qualcosa di meraviglioso che non sarà di questo mondo, ma che verrà dall'aldilà. Questo amore non si può imparare, ma è possibile eliminare gli ostacoli.

Molte volte dico: «Impara l'arte dell'amore», ma ciò che intendo davvero è: «Impara l'arte di rimuovere tutto ciò che ostacola l'amore». Si tratta di un processo negativo. Assomiglia allo scavare un pozzo: rimuovi molti strati di terra, di pietre, di rocce, e all'improvviso affiora l'acqua. È sempre stata lì: era una corrente sotterranea.

Adesso che hai rimosso tutte le barriere, l'acqua è disponibile. Altrettanto vale per l'amore: è la corrente sotterranea del tuo essere. Sta già scorrendo, ma ci sono molte rocce, molti strati di terra da rimuovere.

Ecco cosa intendo quando dico: «Impara l'arte dell'amore». In realtà, non si tratta di imparare l'amore, ma di disimparare le vie del non-amore.

3. Qual è la differenza tra provare attrazione e amare? Inoltre, qual è la differenza tra l'amore ordinario e quello spirituale?

Esiste una grande differenza tra provare attrazione e amare. Il primo non richiede coinvolgimento, il secondo è coinvolgimento. Ecco perché la gente non parla molto dell'amore. Di fatto, la gente ha cominciato a parlare dell'amore in contesti nei quali il coinvolgimento non è necessario. Per esempio, qualcuno afferma: «Amo i gelati». Ebbene, come puoi amare i gelati? Puoi avere voglia di mangiarli, possono piacerti, l'amore non c'entra. Altri dicono: «Amo il mio cane, la mia macchina, questa e quell'altra cosa».

In realtà la gente ha un'enorme paura di dire a una persona: «Ti amo».

Ho sentito raccontare...

Un uomo si incontrava con una ragazza da molti mesi. Naturalmente, la ragazza stava aspettando... facevano l'amore, ma l'uomo non le aveva mai detto: «Ti amo».

Nota la differenza: in passato si diceva «cadere nelle braccia dell'amore», adesso si dice «fare l'amore». Vedi la differenza? «Cadere nelle braccia dell'amore» vuol dire essere sopraffatti dall'amore, è qualcosa di passivo. «Fare l'amore» sembra profano, è quasi come distruggerne la bellezza. È qualcosa di attivo, come se stessi *facendo* qualcosa: stai manipolando e controllando. Ora la gente ha modificato il linguaggio: piuttosto che dire «cadere nelle braccia dell'amore» dice «fare l'amore».

Ebbene, quest'uomo faceva l'amore con una donna, ma non una sola volta le aveva detto: «Ti amo». E lei aspettava, aspettava, aspettava. Un giorno lui le telefonò e disse: «Ci ho riflettuto tantissimo prima di dirtelo. Adesso mi sembra che sia arrivato il momento. Te lo devo dire, non posso più trattenermi». La donna stava fremendo ed era tutta orecchi: stava aspettando questo momento. Disse: «Dillo! Dillo!». E lui rispose: «Te lo devo proprio dire, non posso più trattenermi: mi piaci davvero».

Le persone si dicono: «Mi piaci». Perché non si dicono: «Ti amo»? Perché l'amore è impegno, coinvolgimento, rischio, responsabilità. L'attrazione è solo momentanea: oggi puoi piacermi, domani no; non c'è rischio in questo. Quando dici a una persona: «Ti amo», corri un rischio. Stai affermando: «Ti amo: continuerò ad amarti, ti amerò anche domani. Puoi dipendere da me, è una promessa».

L'amore è una promessa, mentre l'attrazione non ha nulla a che vedere con le promesse. Quando dici a un uomo: «Mi piaci», stai affermando qualcosa su te stessa, non sull'uomo. Dici: «Io sono fatta così, mi piaci. Mi piacciono anche i gelati e la mia macchina. Tu mi piaci allo stesso modo». Stai dicendo qualcosa di te stessa.

Quando dici a qualcuno: «Ti amo», stai dicendo qualcosa su quella persona, non su di te. Stai dicendo: «Sei amabile». La freccia è puntata verso l'altra persona. È rischioso: stai facendo una promessa. L'amore ha in sé la qualità

133

della promessa, dell'impegno, del coinvolgimento. E l'amore ha in sé qualcosa dell'eternità. L'attrazione è momentanea, non è né rischiosa né implica responsabilità.

Mi chiedi: *Qual è la differenza tra provare attrazione e amare? Inoltre, qual è la differenza tra l'amore ordinario e quello spirituale?*

Provare attrazione e amare sono cose diverse, ma non c'è differenza tra l'amore ordinario e quello spirituale. L'amore *è* spirituale. Non mi sono mai imbattuto in un amore ordinario; la cosa ordinaria è provare attrazione. L'amore non è mai ordinario; non può esserlo, è intrinsecamente straordinario. Non è di questo mondo.

Quando dici a una donna o a un uomo: «Ti amo» stai semplicemente dicendo: «Non posso farmi ingannare dal tuo corpo, ti ho visto. Il corpo potrebbe diventare vecchio, ma io ti ho visto, ho visto la parte incorporea di te. Ho visto la parte più profonda di te, quella divina». L'attrazione è superficiale. L'amore penetra al centro stesso della persona, tocca la sua anima.

Nessun amore è ordinario. Non può esserlo, altrimenti non sarebbe amore. Definire «ordinario» l'amore vuol dire fraintenderlo completamente. L'amore non è mai ordinario, è sempre straordinario, è sempre spirituale. Questa è la differenza tra l'attrazione e l'amore: l'attrazione è materiale, l'amore spirituale.

4. *Quando hai parlato della differenza tra amore e piacere mi hai veramente confuso. Hai detto che l'amore è un «impegno», e io ho sempre creduto che l'impegno fosse un'altra forma di attaccamento.*

Amo molte persone, ma fondamentalmente non mi sento
«impegnato» con loro. Come posso prevedere se domani le
amerò ancora?

La domanda è significativa. Dovete stare molto, molto
attenti, perché è anche sottile e complessa.

Quando io dico che l'amore è un impegno, cosa intendo dire? Non voglio dire che dovete fare promesse per il
domani, tuttavia la promessa esiste. Voi non dovete fare
promesse, eppure la promessa è presente. Queste sono la
sottigliezza e la complessità della tua domanda.

Tu non dici: «Ti amerò anche domani», ma nel momento d'amore quella promessa c'è, è assolutamente presente:
non ha bisogno di essere espressa.

Quando ami una persona, non puoi pensare diversa-
mente. Non puoi pensare che un giorno non l'amerai più.
È impossibile, non fa parte dell'amore.

Non voglio neanche dire che non potrai più uscire da
questa storia d'amore: può finire, può non finire. Questo
non è importante. Ma quando vivi un momento d'amore,
quando tra due persone scorre energia, si crea un ponte,
un ponte aureo, grazie al quale sono unite.

La tua mente non è in grado di comprendere, né di
concepire, che esisterà mai un tempo in cui non sarai più
con questa persona, e in cui lei non sarà più con te. Semplicemente questo non accade!

Questo è «impegno».

Non lo esprimi, non vai da un giudice di pace per fare
un'affermazione formale: «Starò con te per sempre!». In
realtà, fare una simile dichiarazione dimostra solo che non
esiste alcun amore: hai bisogno di un certificato legale. Se
l'impegno esiste, non è necessario alcun certificato legale.

Il matrimonio è necessario perché manca l'amore. Se

esiste un amore profondo il matrimonio non sarà affatto necessario.

Perché ci si dovrebbe sposare? Sarebbe come innestare delle gambe a un serpente, oppure dipingere di rosso una rosa rossa. È inutile! Perché andare in municipio? Dentro di te deve esistere una paura... l'amore non è totale.

Anche mentre sei profondamente innamorato pensi che un domani potresti abbandonare questa donna. E la donna pensa: «Chi può prevederlo? Domani quest'uomo mi potrebbe lasciare. È meglio andare in municipio: prima trasformiamo la relazione in qualcosa di legale meglio è; così diventerà qualcosa di affidabile!».

Ma questo cosa dimostra? Semplicemente che l'amore non è totale; altrimenti, un amore totale include in sé la qualità dell'impegno. Non dev'essere creata: è una qualità intrinseca.

E quando sei in amore, ti accade naturalmente, non devi programmarlo. Questo sentimento sorge naturalmente. A volte si esprime anche con le parole: «Ti amerò per sempre» che nascono dalla profondità di questo momento.

Ricorda: non si parla affatto del domani. Non si tratta di una promessa. Semplicemente, la profondità e la totalità dell'amore sono tali per cui ti viene spontaneo dire: «Ti amerò per sempre, per l'eternità. Nemmeno la morte riuscirà a separarci». Questo è un sentimento d'amore totale.

E lasciamelo ripetere, questo non vuol dire che domani sarete insieme. Chi può saperlo? Non è affatto importante: il domani si prenderà cura di se stesso. Il domani non entra mai in una mente innamorata. Non si riesce neppure a concepire un domani; il futuro scompare: questo momento diventa eternità. Questo è impegno.

E un domani... è possibile che non sarete più insieme,

ma non sarà un tradimento. Non è un inganno, non è una frode. Vi sentirete tristi, vi dispiacerà, ma dovrete separarvi... e non sto neppure dicendo che debba succedere: può non accadere. Dipende da un'infinità di elementi.

La vita non dipende solo dal vostro amore. Se dovesse dipendere solo dal vostro amore, vivreste per sempre; ma la vita dipende da mille altri fattori. L'amore ci fa sentire che: «Vivremo insieme per sempre», ma l'amore non è la totalità della vita.

Quando l'amore è presente, è così intenso che ci si sente ubriachi. Poi subentrano mille altri fattori, a volte insignificanti... ti innamori di un uomo, e in quel momento sei pronta ad andare all'inferno con lui, e puoi anche dichiararlo, non è un inganno.

Se dici: «Ti seguirò anche all'inferno», sei assolutamente vera e sincera, non è affatto una bugia. Ma un domani, vivendo con quest'uomo, potresti scoprire piccole cose – per esempio, una vasca da bagno sporca – che ti danno fastidio... l'inferno è qualcosa di remoto, non è necessario andare così lontano. È sufficiente una vasca da bagno sporca! Oppure qualche piccola abitudine: di notte, l'uomo russa e ti fa impazzire! Eri pronta ad andare all'inferno... ed era vero!

In quel momento eri autentica, non era una bugia, non avevi intenzioni nascoste... ma quell'uomo russa di notte, oppure il suo sudore ha un odore insopportabile, oppure ha il fiato pesante e quando ti bacia ti sembra una tortura. Piccole cose, cose insignificanti: quando si è innamorati non ci si pensa... chi va a pensare alla vasca da bagno, chi pensa al russare?

Ma quando vivi con una persona, affiorano mille elementi, e qualsiasi inezia può diventare una montagna, e può distruggere il fiore dell'amore.

Quindi, non voglio dire che l'impegno implichi una promessa. Dico semplicemente che il momento d'amore è un momento di impegno: siete totalmente coinvolti, è inevitabile. Naturalmente, da questo momento, nascerà il successivo, quindi è più che probabile che rimaniate insieme. Da oggi verrà il domani: non spunterà dal nulla, si evolve dal momento presente. Se l'oggi è stato incredibilmente ricco d'amore, anche il domani porterà lo stesso amore. Sarà una continuità; quindi, è più che probabile che vi amerete ancora, ma resta sempre e solo una possibilità: e l'amore lo comprende.

E se un giorno lasci la tua donna, oppure la tua donna ti lascia, non ti metterai a urlare: «Cosa vuol dire? Un giorno mi hai promesso che avresti vissuto con me per sempre... E adesso? Perché te ne vai?». Se hai amato, se hai conosciuto l'amore, capirai.

L'amore possiede la qualità dell'impegno.

L'amore è un mistero. Quando è presente, tutto sembra paradisiaco. Quando non c'è più, tutto sembra morto e stantio, nulla sembra avere più alcun senso: senza questa donna ti sembrava di non poter vivere, e ora non puoi più vivere al suo fianco! Ed entrambi questi stati d'animo sono autentici.

Tu dici: *Quando hai parlato della differenza tra amore e piacere mi hai veramente confuso. Hai detto che l'amore è un «impegno», e io ho sempre creduto che l'impegno fosse un'altra forma di attaccamento.*

La mia idea di impegno e la tua sono diverse. La tua è un'idea di tipo «legale», la mia no. Semplicemente è una delle qualità dell'amore: quando ti avvolge, l'impegno accade; ma questo impegno profondo non crea l'amore, è l'amore a crearlo. Prima viene l'amore, l'impegno lo segue. E se un giorno l'amore scomparirà, anche l'impegno svanirà: ne era l'ombra.

Quando l'amore è svanito, non parlare più di impegno, saresti stupido a farlo. Era un'ombra dell'amore, accompagna sempre l'amore. Se l'amore non c'è più, l'impegno se ne va, scompare.

Non insistere: «Che ne è stato dell'impegno?». Se non c'è più amore, non c'è più impegno. L'amore è impegno! Scomparso l'amore, ogni impegno scompare: questo è il mio punto di vista!

Ma riesco a capire il tuo. La tua idea è questa: quando l'amore non c'è più, che ne è dell'impegno? Questa è una tua interpretazione. Tu vuoi che l'impegno continui anche quando l'amore se n'è andato e non c'è più: la tua idea di impegno è giuridica!

Ricorda sempre: ascoltandomi, cerca di seguire la mia visione. È difficile, ma ci devi provare. In quello sforzo intenso, ti libererai delle tue interpretazioni. Lentamente, molto lentamente, si aprirà una finestra, e sarai in grado di comprendere cosa intendo dire. Altrimenti, sarà inevitabile la confusione: io dico una cosa... e tu ne senti un'altra.

Ascolta questo aneddoto:

Su un quotidiano comparve questa offerta: «A.A.A. Cercasi uomo bianco per esperimento scientifico con babbuino – mille dollari».

Qualche settimana dopo, un uomo rispose fissando tre condizioni: innanzitutto, non voleva che ci fossero «preliminari» prima dell'«esperimento» vero e proprio; in secondo luogo, i bambini dovevano essere allevati nella religione cattolica; e come terza cosa, chiedeva tre mesi per mettere insieme i mille dollari da pagare.

Il senso che dai a una cosa dipende da te. Il significato deriva dal tuo passato, sei tu che stabilisci il significato.

Ricorda dunque: ascoltandomi, evita di sovrapporre un significato alle mie parole. Cerca di ascoltare anche il mio punto di vista: non limitarti ad ascoltare le mie parole, cerca di scoprirne il senso. In questo modo non sorgerà alcuna confusione. Altrimenti, le parole saranno mie e il significato sarà tuo... e nella tua mente sorgerà inevitabilmente un'incredibile confusione.

5. *Anche se qualche volta nel mio cuore sorgono sentimenti d'amore, immediatamente, nell'istante successivo, comincio a sentire che non è affatto amore: è solo il mio bisogno nascosto di sesso e di cose simili.*

E allora, cosa c'è di sbagliato? L'amore deve nascere dal desiderio sessuale. Se eviti questa lussuria eviterai la possibilità stessa dell'amore. L'amore non è desiderio sessuale, è vero; ma l'amore non può esistere senza di esso: anche questo è vero. L'amore è più elevato del desiderio sessuale, questo è vero, ma se distruggi completamente quest'ultimo, distruggi la possibilità stessa che il fiore sbocci dal fango. L'amore è il fiore di loto, il desiderio sessuale è il fango dal quale sorge.

Ricordalo, altrimenti non raggiungerai mai l'amore. Al massimo, puoi fingere di aver trasceso il desiderio sessuale. Infatti, senza l'amore, nessuno può trascendere il desiderio sessuale. Lo puoi reprimere, ma allora diventa più velenoso. Si diffonde in tutto il tuo organismo, diventa tossico, ti distrugge. Il desiderio sessuale, trasformato in amore, ti dona radiosità, luminosità. Cominci a sentirti leggero, come se potessi volare; ti spuntano le ali. Se reprimi il desiderio sessuale diventi pesante, come se stessi portando un peso, un grande sasso intorno al collo. Se reprimi il desiderio sessuale perdi ogni opportunità di volare nel cielo. Se il desiderio sessuale si trasforma in amore hai superato il test dell'esistenza.

Ti è stata data una materia grezza con cui lavorare, con cui essere creativo. Il desiderio sessuale è una materia grezza.

Ho sentito raccontare..

Berkowitz e Michaelson non sono solo soci in affari, ma anche amici da una vita, per cui decidono di fare un patto: il primo a morire tornerà per riferire all'altro com'è il paradiso.

Sei mesi dopo, Berkowitz muore. Era una persona estremamente morale, quasi un santo, un puritano che non aveva mai fatto nulla di male e che aveva sempre avuto paura del sesso e del desiderio: il paradiso per lui era qualcosa di scontato, e Michaelson aspetta impaziente e speranzoso che il caro estinto gli dia un segnale.

Poi, a un anno dalla sua morte, ecco che Berkowitz va a trovare Michaelson... È notte fonda, Michaelson è a letto. «Michaelson, Michaelson» echeggia una voce dall'oltretomba.

«Sei tu, Berkowitz?» chiede Michaelson.

«Sì.»

«Com'è il posto dove stai?»

«Facciamo colazione e poi facciamo l'amore, pranziamo e facciamo l'amore, ceniamo e facciamo l'amore.»

«È così il paradiso?» chiede Michaelson.

«Chi ha parlato del paradiso?» dice Berkowitz. «Mi trovo nel Wisconsin e sono un toro.»

Ricorda, questo accade alle persone che reprimono il sesso. Non può succedere altro, perché tutte quelle energie represse si trasformano in un peso e ti trascinano verso il basso. Ti muovi verso stadi inferiori dell'essere.

Se dal desiderio sessuale sorge l'amore cominci a innalzarti verso un essere più elevato. Ricorda dunque: quello che vuoi diventare, un Buddha o un toro, dipende da te. Se vuoi diventare un Buddha, non aver paura del sesso. Entraci, conoscilo a fondo, diventane sempre più consapevole. Sta' attento: è un'energia preziosissima. Fanne una meditazione e trasformala a poco a poco in amore. È un materiale grezzo, simile a un diamante prima di essere lavorato. Devi tagliarlo e pulirlo: allora acquisterà un valore enorme. Se qualcuno ti dà un diamante grezzo, non pulito e non tagliato, potresti addirittura non riconoscere che è un diamante. Persino il Koh-i Noor, allo stato grezzo, non ha alcun valore.

Il desiderio sessuale è un Koh-i Noor: va pulito e compreso.

Chi pone la domanda sembra avere un atteggiamento spaventato e conflittuale: *È solo il mio bisogno nascosto di sesso e di cose simili*. In questo c'è una condanna. Non c'è nulla di sbagliato, l'uomo *è* un animale sessuale. È così che siamo fatti, l'esistenza ci vuole in quel modo. Ci siamo ritrovati così... entra in questa realtà; se non ci entri, non sarai mai in grado di trasformarla. Non sto parlando della semplice indulgenza; sto dicendo di viverla in profondità, con un'energia profonda e meditativa, per capire di cosa si tratta. Dev'essere qualcosa di estremamente prezioso, perché tu provieni da essa, l'intera esistenza è sessuale e gode del sesso.

Il sesso è il modo attraverso cui Dio ha scelto di stare

nel mondo. Ciononostante i cristiani continuano a dire che Gesù è nato da una vergine: stupidaggini. Pretendono che la nascita di Gesù sia avvenuta senza sesso. Hanno così paura del sesso da creare storie stupide come questa, secondo la quale Gesù è nato da una vergine. Maria dev'essere stata molto pura e spiritualmente vergine, questo è vero; ma è impossibile entrare nella vita senza passare dall'energia sessuale: il corpo non conosce altra legge. E la natura è onnicomprensiva: non conosce eccezioni né le permette. Sei nato dal sesso, sei carico di energia sessuale, ma questa non è la fine. Potrebbe essere l'inizio. Il sesso è l'inizio, non la fine.

Esistono tre tipi di persone. Un tipo pensa che il sesso sia anche la fine: sono le persone che conducono una vita licenziosa. Si sbagliano, perché il sesso è l'inizio, non la fine. Poi ci sono le persone che sono contrarie all'essere indulgenti. Esse si trovano all'altro estremo: non vogliono il sesso nemmeno all'inizio, quindi cominciano a eliminarlo dalla loro vita. Eliminandolo, eliminano se stesse; distruggendolo, distruggono se stesse, si inaridiscono. Entrambi sono atteggiamenti stupidi.

C'è poi la terza possibilità, quella del saggio che si attiene alla vita. Egli non ha teorie da imporre su di essa, ma sperimenta per arrivare a capire. Alla fine comprende che il sesso è l'inizio, non la fine. Il sesso non è altro che un'opportunità di andare al di là di esso... ma bisogna passarci attraverso.

6. *In Oriente si insiste sul fatto che bisognerebbe avere una relazione d'amore con una persona sola; in Occidente, oggi, la gente passa da una relazione all'altra. Tu a cosa sei favorevole?*

Sono favorevole all'amore.

Lascia che ti spieghi: sii fedele all'amore e non preoccuparti dei partner. Che si tratti di un solo partner o più di uno, non è questo il punto. Il punto è se sei fedele all'amore. Se vivi con una donna o un uomo senza amarlo, vivi nel peccato. Se sei sposato con una persona e non l'ami, ma continui a vivere con lei, a fare l'amore con lei, stai commettendo un peccato contro l'amore.

Stai andando contro l'amore in ossequio alle formalità, alle comodità e alle convenienze sociali. Ciò è tanto sbagliato quanto violentare una donna che non ami. Se violenti una donna è un crimine, perché non l'ami e lei non ama te. Ma lo stesso accade se vivi con una donna senza amarla. È uno stupro – socialmente accettato, naturalmente, ma pur sempre uno stupro – e stai andando contro il dio dell'amore.

Ebbene, la gente ha deciso, per esempio in Oriente, di vivere per tutta la vita con un solo partner; non c'è nulla di sbagliato. Se resti fedele all'amore, rimanere con una persona è una delle cose più meravigliose che esistano, perché l'intimità diventa sempre più profonda; ma nel novantanove per cento dei casi non c'è amore: vi limitate a vivere insieme. E, vivendo insieme, si crea una relazione di semplice convivenza, non d'amore. Non scambiarla per amore.

Ma se è possibile, se ami qualcuno e vivi per sempre con lui o con lei, si creerà una grande intimità e l'amore ti farà rivelazioni sempre più profonde. Non è possibile se continui a cambiare partner molto spesso. È come se trapiantassi continuamente un albero da un posto a un altro: non mette radici da nessuna parte. Per sviluppare le radici un albero deve restare in un posto, in questo caso scenderà in profondità e diventerà più forte.

L'intimità va bene, essere coinvolti in un'unica storia è bellissimo, ma il requisito fondamentale è l'amore. Se un albero ha radici in un luogo in cui vi sono solo rocce ed esse lo stanno uccidendo, è meglio spostarlo. In quel caso non insistere a tenerlo in quel posto. Resta fedele alla vita: sposta l'albero, perché adesso sta andando contro la vita.

In Occidente, le persone stanno cambiando... troppe relazioni. In entrambi i casi l'amore viene ucciso. In Oriente viene ucciso perché le persone hanno paura di cambiare, in Occidente perché hanno paura di restare con un partner per un periodo più lungo: si trasformerebbe in un coinvolgimento. Prima che diventi un coinvolgimento, cambia, in modo da restare fluido e libero. In questo modo si sta sviluppando una licenziosità eccessiva, e l'amore viene praticamente schiacciato, ucciso per fame in nome della libertà. In entrambi i casi l'amore ha sofferto: in Oriente la gente si aggrappa alla sicurezza, al comfort, alle formalità; in Occidente, alla libertà del proprio ego, alla mancanza di coinvolgimento. Ma l'amore soffre in entrambe le situazioni.

Io sono a favore dell'amore. Non sono né orientale né occidentale, e non m'importa a quale società tu appartenga. Io non appartengo ad alcuna società, sono a favore dell'amore.

Ricorda sempre: se si tratta di una relazione d'amore, bene. Finché l'amore dura, resta in essa, e restaci con il coinvolgimento più profondo possibile, con la massima totalità. Immergiti nella relazione; in quel caso l'amore sarà in grado di trasformarti. Ma se non c'è amore, è meglio cambiare; tuttavia non farne un'abitudine. Non trasformare in abitudine meccanica il cambiare partner dopo due o tre anni, così come si cambia macchina dopo due o tre anni, oppure ogni anno. È uscito un nuovo modello, cosa puoi farci? Devi cambiare la macchina. Improvvisamente ti imbatti in una nuova donna... non è molto diverso.

Una donna è una donna, così come un uomo è un uomo. Le differenze sono solo secondarie, perché è una questione di energia. L'energia femminile è energia femminile. In ogni donna sono rappresentate tutte le donne, e in ogni uomo sono rappresentati tutti gli uomini. Le differenze sono molto superficiali: il naso più o meno lungo, i capelli bruni o biondi... piccole differenze, solo di facciata. In profondità, il nodo è l'energia maschile o quella femminile. Quindi, se c'è l'amore, sii fedele all'amore stesso; dagli una possibilità di crescere. Se non c'è, cambia prima di diventare dipendente da una relazione senza amore.

Una giovane moglie in confessionale chiede al prete un parere sui contraccettivi. «Non li deve usare» dice il prete. «Vanno contro la legge di Dio. Prenda un bicchiere d'acqua.»

«Prima o dopo?» chiede la moglie.

«Piuttosto!» risponde il prete.

Mi chiedi se seguire la via orientale o quella occidentale. Né l'una né l'altra. Segui la via divina. E qual è la via divina? Resta fedele all'amore. Se c'è l'amore, tutto è permesso. Se non c'è, nulla è permesso. Se non ami tua moglie, non toccarla, perché è una violazione; se non ami una donna, non dormire con lei, perché vuol dire andare contro la legge dell'amore, che è la legge suprema. Solo quando ami, tutto è permesso.

Qualcuno chiese ad Agostino di Ippona: «Sono una persona molto ignorante e non so leggere le scritture o i grandi libri di teologia. Dammi solo un piccolo messaggio. Sono molto stupido e, inoltre, la mia memoria non è buona, quindi per favore dimmi solo l'essenziale, in modo che possa ricordarlo e seguirlo».

Agostino era un filosofo insigne e un grande santo, aveva tenuto lunghi sermoni, ma nessuno gli aveva mai chiesto l'essenziale. Si dice che chiuse gli occhi e meditò per ore. L'uomo disse: «Per favore, se hai trovato la risposta, dimmela, in modo che possa andarmene. Sono ore che aspetto». Agostino rispose: «Non riesco a trovare altro che questo: ama, e tutto il resto ti è permesso. Semplicemente, ama».

Gesù afferma: «Dio è amore». Io vorrei dirti: «L'amore è Dio». Scordati di Dio, è sufficiente l'amore. Conserva il coraggio sufficiente per agire in base all'amore; non sono necessarie altre considerazioni. Se consideri l'amore, tutto ti diventerà possibile.

Come prima cosa, non metterti con una donna o un uomo che non ami. Non agire per semplice capriccio o desiderio sessuale. Scopri se in te è sorto il desiderio di impegnarti con una persona. Sei abbastanza maturo da stabilire un contatto profondo? Perché quel contatto cambierà tutta la tua vita.

E quando stabilisci il contatto, fallo con onestà. Non nasconderti davanti alla persona che ami: sii autentico. Abbandona tutte le false maschere che hai imparato a indossare. Sii sincero. Rivela tutto il tuo cuore, sii nudo. Tra due persone che si amano non dovrebbero esserci segreti, altrimenti l'amore non può esistere. Abbandona ogni segretezza. È qualcosa di politico; la segretezza è politica. Nell'amore non dovrebbe esistere, non dovresti nascondere alcunché. Qualsiasi cosa sorga nel tuo cuore dovrebbe restare trasparente all'amata, e qualsiasi cosa sorga nel suo cuore dovrebbe restare trasparente a te. Dovreste divenire due esseri trasparenti l'uno all'altra. A poco a poco vedrai che insieme vi starete evolvendo verso un'unità superiore.

Incontrando la donna esteriore, incontrandola davvero – cioè coinvolgendoti nel suo essere, dissolvendoti e fondendoti in lei – ben presto comincerai a incontrare la tua donna o il tuo uomo interiore. La donna esteriore non è altro che una via verso la donna interiore, e l'uomo esteriore non è altro che una via verso l'uomo interiore.

L'orgasmo autentico accade dentro di te quando si incontrano il tuo uomo e la tua donna interiori. Questo è il significato del simbolo hindu di *Ardhanarishwar*. Avrai visto le statue di Shiva come mezzo uomo e mezza donna. Ciascun uomo è mezzo uomo e mezza donna, ciascuna donna è mezza donna e mezzo uomo. Non può che essere così, perché metà del tuo essere proviene da tuo padre e l'altra metà da tua madre: sei entrambi. Sono necessari un orgasmo, un incontro, un'unione interiori; ma per arrivare a tale unione interiore dovrai trovare fuori di te una donna che corrisponda alla donna interiore, che risuoni con il tuo essere interiore, in tal modo la tua donna interiore, che ora è addormentata, si risveglia. Tramite la donna esteriore devi incontrare quella interiore, e lo stesso vale per l'uomo.

Quindi, se la relazione continua per un lungo periodo sarà meglio, perché la donna interiore ha bisogno di tempo per risvegliarsi. Per come sta andando oggi in Occidente – cioè, con relazioni mordi e fuggi – la donna e l'uomo interiori non hanno tempo per risvegliarsi e divenire coscienti. Al primo contatto la donna è stata già sostituita con un'altra, di vibrazione e lunghezza d'onda diverse. E naturalmente, se continui a cambiare donna o uomo, diventerai nevrotico. Troppe cose, troppi suoni entreranno nel tuo essere, e tra tante vibrazioni di diversa qualità non riuscirai più a scoprire la tua donna interiore. Sarà difficile. Ed è possibile diventare dipendenti dal cambiamento: comincerai a divertirti solo cambiando partner. A quel punto sarai perduto.

La donna esteriore è solo una via verso la donna interiore, e l'uomo esteriore è la via per l'uomo interiore. Lo Yoga più elevato, l'unione mistica assoluta, accade dentro di te. Quando accadrà, ti sarai liberato da tutti gli uomini e da tutte le donne, sarai libero dal binomio «maschilefemminile». Improvvisamente sarai andato al di là e non sarai né l'uno né l'altra. Ecco che cos'è la trascendenza, il *brahmacharya*. Allora avrai raggiunto di nuovo la tua pura verginità, sarai tornato a rivendicare la tua natura originale.

7. *Recentemente ho cominciato a comprendere che persino la persona che amo mi è estranea. Tuttavia c'è un intenso desiderio di superare la distanza tra di noi. La sensazione è che siamo due linee che procedono parallele, ma destinate a non incontrarsi mai. Il mondo della consapevolezza è simile al mondo della geometria, o è possibile che le linee parallele si incontrino?*

È una delle più grandi miserie che ogni innamorato deve affrontare: è impossibile, per due persone che si amano, abbandonare il senso di estraneità, di separazione, di distanza tra di loro. In realtà, l'amore è attivo solo così: gli amanti devono restare polarità opposte. Più sono lontani più si attraggono: la loro separazione è la loro attrazione. Si avvicinano sempre di più, ma non diventano mai una cosa sola. Si avvicinano al punto che sembrerebbe sufficiente un solo passo ancora per diventare un tutt'uno. Ma quel passo non è mai stato fatto, né potrebbe esserlo, a causa di una condizione ineluttabile, di una legge naturale.

Al contrario, quando sono davvero vicini, cominciano immediatamente a separarsi, ad allontanarsi. Infatti, quando sono vicinissimi, l'attrazione va perduta. Cominciano a litigare, a darsi fastidio, a lamentarsi, a punzecchiarsi: questi sono i modi per ripristinare la distanza. E non appena quest'ultima è ricomparsa, immediatamente rispunta l'attrazione. È come un ritmo: si avvicinano e si allontanano, si avvicinano e si allontanano. C'è il desiderio di diventare una cosa sola, ma a livello della biologia, a livello fisico, questo non è possibile. Nemmeno mentre fate l'amore siete un tutt'uno, la separazione a livello fisico è inevitabile.

Tu dici: *Recentemente ho cominciato a comprendere che persino la persona che amo mi è estranea.*

Bene, questo fa parte di una maggiore comprensione. Solo persone infantili pensano di conoscersi. Se non conosci nemmeno te stesso, come puoi credere di conoscere la persona che ami? Né lei né tu conoscete voi stessi. Due esseri sconosciuti, due estranei che non sanno nulla di se stessi stanno cercando di conoscersi l'un l'altra: è un esercizio futile. Il risultato non potrà che essere la frustrazione, il fallimento.

Ecco perché tutti gli innamorati sono arrabbiati l'uno con l'altra. Pensano che forse l'altro non gli permetta di entrare nel suo mondo privato: «Mi sta tenendo a distanza, lontano dal suo mondo». Ma entrambi pensano la stessa cosa. Non è vero, tutte le lamentele sono fuori luogo. Semplicemente, essi non comprendono la legge della natura.

A livello fisico potete avvicinarvi, ma non diventare una cosa sola. Solo al livello del cuore potete diventare una cosa sola... però momentaneamente, non in modo permanente.

E a livello dell'essere *siete* un tutt'uno. Non c'è bisogno di diventarlo, va solo scoperto.

Tu dici: *Tuttavia c'è un intenso desiderio di superare la distanza tra di noi.*

Se continui a provarci a livello fisico, non ci riuscirai mai. Questo desiderio intenso dimostra semplicemente che l'amore ha bisogno di andare oltre il corpo, che vuole qualcosa di più elevato, più grande e più profondo di quest'ultimo. Persino l'incontro cuore a cuore – per quanto dolce e colmo di gioia – è insufficiente, perché è limitato a un istante, dopodiché gli estranei tornano tali. Se non scopri il mondo dell'essere non riuscirai ad appagare la tua aspirazione a diventare una cosa sola con l'amata. E la cosa strana è questa: il giorno in cui diventerai tutt'uno con l'amata diventerai tutt'uno anche con l'intera esistenza.

Tu dici: *La sensazione è che siamo due linee che procedono parallele, ma destinate a non incontrarsi mai.*

Forse non conosci la geometria non euclidea, perché non viene ancora insegnata nelle nostre scuole. Continuiamo a imparare la geometria euclidea, che è vecchia di duemila anni. Nella geometria euclidea le linee parallele non si incontrano mai, ma è stato scoperto che se con-

151

tinui ad andare avanti, esse si incontrano. L'ultima scoperta è che non esistono linee parallele: per questo si incontrano. Non puoi tracciare due linee parallele.

Le nuove scoperte sono molto strane: non puoi nemmeno tracciare una linea diritta, perché la Terra è rotonda. Se tracci una linea diritta e poi la prolunghi da entrambe le estremità, alla fine scoprirai che diventerà un cerchio. E se una linea diritta prolungata sino alla fine diventa un cerchio, non era una linea diritta nemmeno all'inizio. Era solo una parte di un cerchio grandissimo, e una parte di un cerchio grandissimo è un arco, non una linea. Se nella geometria non euclidea sono scomparse le linee, che dire delle linee parallele? Non esistono nemmeno quelle.

Quindi, se fosse una questione di linee parallele, potrebbe accadere che due innamorati si incontrino da qualche parte, magari nella vecchiaia, quando non possono più litigare e non hanno più energie. Oppure ci hanno fatto il callo a tal punto... a che pro continuare? Gli stessi argomenti, gli stessi problemi, le stesse discussioni: si sono venuti reciprocamente a noia.

A lungo andare gli innamorati smettono persino di parlarsi. Perché dovrebbero? Cominciare a parlare vorrebbe dire iniziare a discutere, e la discussione è sempre la stessa, non cambia. È stata intavolata moltissime volte, e la conclusione non è mai cambiata. Ma anche in quel caso, per quanto riguarda le linee parallele, anche gli innamorati... nella geometria potrebbero cominciare a incontrarsi, ma nell'amore non c'è speranza: non possono incontrarsi.

Ed è bene che sia così, perché se gli innamorati potessero soddisfare la propria aspirazione all'unità a livello fisico, non rivolgerebbero mai lo sguardo verso l'alto. Non scoprirebbero mai che nel corpo fisico sono nascoste molte altre cose: la consapevolezza, l'anima, Dio.

È bene che l'amore fallisca, perché il fallimento dell'amore non potrà che farti cominciare un nuovo pellegrinaggio. Questa aspirazione ti perseguiterà fino a quando non ti avrà portato nel tempio dove l'unione accade, ma l'unione accade sempre con il Tutto: ci sarà l'amata, ma ci saranno anche gli alberi, i fiumi, le montagne e le stelle.

In quell'incontro solo due cose saranno assenti: il tuo ego e quello della persona che ami. A parte queste due cose, sarà presente tutta l'esistenza. E in realtà questi due ego erano il problema, erano ciò che trasformava gli innamorati in due linee parallele.

Non è l'amore a creare problemi, ma l'ego. Comunque l'aspirazione non sarà soddisfatta: nascita dopo nascita, vita dopo vita, resterà, a meno che tu non scopra la porta giusta per trascendere il corpo ed entrare nel tempio.

Un'anziana coppia di novantotto e novantacinque anni va dall'avvocato per chiedere il divorzio.

«Un divorzio!» esclama l'avvocato. «Alla vostra età? Ma sicuramente avrete bisogno l'uno dell'altra, adesso più che mai. Inoltre, se siete stati sposati così a lungo, a che pro separarsi adesso?».

«Be'» risponde il marito «sono anni che volevamo divorziare, ma pensavamo di aspettare fino a quando i nostri figli non fossero morti.»

Una lunga attesa! Adesso non ci sono più problemi, possono divorziare. Comunque, non c'è mai stato alcun incontro.

Continua a tenere viva la tua aspirazione, non scoraggiarti. Essa è il seme della tua spiritualità, l'inizio dell'unione suprema con l'esistenza. La persona che ami non è altro che una scusa.

153

Non essere triste, sii felice. Rallegrati del fatto che non è possibile incontrarsi a livello fisico. Altrimenti gli innamorati non avrebbero alcun modo per trasformarsi: si bloccherebbero l'uno nell'altra, distruggendosi a vicenda.

E non c'è nulla di male nell'amare un estraneo; di fatto, è più eccitante. Quando non stavate insieme l'attrazione era maggiore. Più tempo avete trascorso insieme più l'attrazione si è spenta; maggiore la vostra conoscenza a livello superficiale minore l'eccitazione. La vita si trasforma molto presto in un'abitudine.

La gente continua a ripetere in continuazione le stesse cose. Se guardi i volti delle persone nel mondo, ti sorprenderai: perché tutta questa gente sembra così triste? Perché i loro occhi sembrano aver perso ogni speranza? La ragione è semplice, ed è la ripetizione. L'uomo è intelligente, e la ripetizione crea noia. La noia porta con sé tristezza, perché si sa già cosa accadrà domani e dopodomani... fino alla tomba sarà sempre la stessa storia.

Finkelstein e Kowalsky sono seduti al bar e guardano il telegiornale. Alla televisione si vede una donna su un davanzale che minaccia di buttarsi giù. Finkelstein dice a Kowalsky: «Te lo dico io come va a finire. Facciamo una scommessa: se salta mi dai venti dollari, se non salta te li do io. Okay?».

«D'accordo!» dice Kowalsky.

Pochi minuti dopo, la donna salta dal davanzale e si uccide. Kowalsky estrae il portafogli e dà venti dollari a Finkelstein.

Pochi minuti dopo, Finkelstein si rivolge a Kowalsky e gli dice: «Senti, non posso accettare questi venti dollari da te. Devo confessarti una cosa: avevo già visto questa scena oggi pomeriggio. Era una replica».

«No, no» dice Kowalsky «tieniti i soldi, li hai vinti giustamente. Anch'io avevo visto questa scena oggi pomeriggio.»

«Anche tu?» dice Finkelstein. «E allora perché hai scommesso che la donna non sarebbe saltata?»

«Be'» risponde Kowalsky «non pensavo che sarebbe stata tanto stupida da farlo due volte!»

Ma la vita è così...

La tristezza, la noia e l'infelicità di questo mondo possono essere cambiate se le persone si rendono conto che stanno chiedendo l'impossibile.

Non chiedere l'impossibile. Scopri la legge dell'esistenza e seguila.

La vostra aspirazione a essere una cosa sola riflette il vostro desiderio spirituale, la vostra natura religiosa ed essenziale. Vi state semplicemente focalizzando sulla direzione sbagliata.

La persona che ami non è altro che una scusa. Lascia che si trasformi nell'esperienza di un amore più vasto: quello per l'intera esistenza.

Lascia che la tua aspirazione sia una ricerca del tuo essere interiore; in quel punto l'incontro sta già avvenendo, là siamo già una cosa sola.

Là nessuno si è mai separato.

L'aspirazione va benissimo, solo il suo oggetto non è giusto. Esso sta creando l'inferno e il dolore. Muta semplicemente l'oggetto, e la vita diventerà un paradiso.

Parte terza

LIBERTÀ

L'uomo ha ridotto la donna a una schiava, e la donna ha ridotto l'uomo a uno schiavo. Naturalmente entrambi odiano la schiavitù e vi si oppongono. Non fanno che litigare; basta una piccola scusa e il litigio si scatena.

Ma la vera lotta avviene da qualche altra parte, in profondità; la vera lotta riguarda il fatto che entrambi vogliono la libertà. Non possono affermarlo chiaramente, perché lo hanno completamente dimenticato.

È così che le persone hanno vissuto, per migliaia di anni. Hanno visto il padre, la madre e i nonni vivere nello stesso modo; questo è il modo in cui le persone vivono da sempre, e lo hanno accettato. La loro libertà è stata distrutta.

È come se stessimo cercando di volare alti nel cielo con un'ala sola. Alcuni possiedono l'ala dell'amore, altri quella della libertà, ma entrambi sono incapaci di volare. Sono necessarie entrambe le ali.

Tabula rasa

I filosofi hanno sempre creduto che l'essenza preceda l'esistenza, che un uomo sia già determinato all'atto della nascita. Egli contiene l'intero programma di ciò che sarà, come un seme: adesso bisogna solo portarlo alla luce. Non esiste libertà. Questa è stata la posizione di tutti i filosofi del passato: l'uomo ha un fato, un destino. Diventerà un'entità prefissata, perché tutto è già stato scritto. Il fatto che tu non ne sia consapevole è un'altra questione: qualunque cosa tu stia facendo non la stai facendo *tu*; viene fatta *attraverso* di te da forze naturali e inconsce, oppure da Dio.

Questa è la posizione dei deterministi, dei fatalisti. A causa di questa posizione l'intera umanità ha sofferto tantissimo, perché ciò implica l'impossibilità di qualsiasi cambiamento radicale. Rispetto alla trasformazione dell'uomo non si può fare alcunché: tutto accadrà come dovrà accadere. L'Oriente ha sofferto moltissimo a causa di questo atteggiamento. Se non è possibile fare nulla, si comincia ad accettare di tutto: schiavitù, povertà, brutture... *bisogna* accettarle.

Questa non è né comprensione né consapevolezza, non è ciò che il Buddha definisce la realtà, lo stato di fatto delle cose, *tathata*; è semplice disperazione che si nasconde dietro belle parole, ma le conseguenze di tutto ciò sono disastrose. Le puoi vedere nella forma più acuta in India: la povertà, i mendicanti, le malattie, gli storpi, i ciechi... e nessuno se ne accorge, perché la vita è sempre stata, è e sarà sempre così. Un senso di letargia è filtrato fin dentro l'anima.

Questo intero approccio è fondamentalmente sbagliato. È una consolazione, non una scoperta che deriva dall'aver guardato dentro la realtà. Serve a coprire in qualche modo le ferite: è una razionalizzazione. E ogni volta che le razionalizzazioni cominciano a nascondere la tua realtà, sei condannato a scendere in oscurità sempre maggiori.

Io vorrei dirti che l'essenza non precede l'esistenza; al contrario, l'esistenza precede l'essenza. L'uomo è l'unico essere sulla Terra a possedere la libertà. Un cane nasce, vive e muore come un cane: non ha libertà. Una rosa resterà una rosa, non è possibile alcuna trasformazione, non può diventare un fiore di loto. Ogni possibilità di scelta è fuori discussione, non c'è libertà. È qui che l'uomo è completamente diverso; queste sono la sua dignità, la sua specificità e la sua unicità nell'esistenza.

Ecco perché sostengo che Charles Darwin ha torto, perché parte classificando l'uomo insieme agli altri animali, non ha neppure preso in considerazione questa differenza fondamentale. La differenza fondamentale è che tutti gli animali nascono con un programma, a eccezione dell'uomo. L'uomo nasce come una tabula rasa, una lavagna vuota; su di essa non c'è scritto nulla. Tu devi scriverci tutto ciò che desideri: sarà la tua creazione.

L'uomo non è soltanto libero, vorrei affermare che l'uomo *è* libertà. Questo è il suo nucleo fondamentale, la sua stessa anima. Non appena neghi la libertà all'uomo, hai negato il suo tesoro più prezioso, il suo stesso regno. A quel punto egli è un mendicante, ma in una situazione molto peggiore degli altri animali, perché almeno essi possiedono un programma specifico. L'uomo è semplicemente perduto.

Una volta compreso questo – che l'uomo nasce in quanto libertà – tutte le dimensioni sono disponibili, si può crescere in tutte le dimensioni. A quel punto dipende da te cosa diventare e cosa no: sarà la tua creazione. La vita diventa un'avventura; non il venire alla luce di un seme, ma un'avventura, un'esplorazione, una scoperta. La verità non ti è già data: devi crearla. Da un certo punto di vista, in ogni istante ti stai creando.

Anche accettare la teoria del fato è una decisione sulla tua vita. Accettando il fatalismo hai scelto la vita di uno schiavo: è una tua scelta! Hai scelto di entrare in una prigione e di essere incatenato, ma si tratta sempre di una tua scelta. Puoi uscire dalla prigione.

Naturalmente la gente ha paura di essere libera, perché la libertà è rischiosa. Non si sa mai cosa si sta facendo, dove si sta andando e quale sarà il risultato finale. Se non sei un essere prefabbricato, la responsabilità ricade interamente su di te; non puoi scaricarla sulle spalle di qualcun altro. Alla fin fine, sarai di fronte all'esistenza completamente responsabile di te stesso. Qualunque cosa tu sia, chiunque tu sia, non puoi evitarlo, non puoi tirarti indietro: questa è la paura. A causa di questa paura la gente ha assunto ogni sorta di posizione determinista.

Ed è strano: tanto le persone religiose quanto quelle non religiose sono d'accordo su un solo punto, cioè che non esiste libertà. Su qualsiasi altro argomento sono in disaccordo, ma la loro intesa su un punto è sospetta. I comunisti dicono di essere atei e antireligiosi, ma sostengono che l'uomo è determinato dalla situazione sociale, economica e politica. Egli non è libero, la sua consapevolezza è determinata da forze esterne. È la stessa logica! Puoi chiamare quella forza esterna «la struttura economica». Hegel la definisce «Storia» – con la «S» maiuscola, nota bene – mentre le persone di religione la chiamano «Dio», di nuovo una parola con una maiuscola. Dio, la Storia, l'Economia, la Politica, la Società... tutte forze esterne, ma tutti concordano su un punto: non sei libero. Io ti dico: tu sei assolutamente e incondizionatamente libero. Non evitare la responsabilità, non sarebbe d'aiuto. Prima l'accetti e meglio è, perché puoi cominciare a creare immediatamente te stesso. E nell'istante in cui crei te stesso nasce una grande gioia, e quando ti sei completato nel modo in cui *tu* volevi, l'appagamento è immenso. È proprio come quando un pittore dà l'ultimo tocco a un quadro: nel suo cuore sorge una profonda soddisfazione. Un lavoro ben fatto porta una grande pace. Si ha la sensazione di aver partecipato al Tutto.

L'unica preghiera è essere creativi, perché solo tramite la creatività partecipi al Tutto; non esiste altro modo. Non bisogna pensare a Dio, devi partecipare in qualche modo. Non puoi essere un osservatore, ma solo un partecipante; solo allora ne assaporerai il mistero. Creare un quadro, una poesia o una musica non è nulla in confronto alla creazione di te stesso, della tua consapevolezza, del tuo essere.

Ma la gente ha paura, e ci sono dei motivi. Innanzitutto, si tratta di qualcosa di rischioso, perché solo tu sei responsabile. Secondo, è possibile fare cattivo uso della libertà, perché puoi scegliere la cosa sbagliata. «Libertà» vuol dire che puoi scegliere tra ciò che è giusto e ciò che è sbagliato; se sei libero di scegliere solo ciò che è giusto, non è libertà. Sarebbe come quando Ford creò le sue prime macchine: erano tutte nere. E lui portava i clienti nella sala vendite e diceva: «Potete scegliere qualsiasi colore, basta che sia nero!».

Che razza di libertà è questa? «Basta che sia giusto», «Basta che segua i Dieci Comandamenti», «Basta che segua la *Gita*, il Corano, il Buddha, Mahavira, Zarathustra»: non sarebbe affatto libertà! «Libertà» vuol dire intrinsecamente, fondamentalmente, che sei libero di scegliere tra ciò che è giusto e ciò che è sbagliato.

E il pericolo è che la via sbagliata è sempre più facile: da qui la paura. La via sbagliata è una strada in discesa, quella giusta è una strada in salita. Andare in salita è difficile, faticoso, e più arrivi in alto più diventa arduo. Ma andare in discesa è facilissimo. Non devi fare nulla, la gravità provvede a tutto. Puoi semplicemente rotolare come una roccia dalla cima della collina e arrivare fino al fondo: non c'è nulla che tu debba fare. Ma se vuoi innalzare la tua consapevolezza, se vuoi salire al mondo della bellezza, della verità, della beatitudine, stai aspirando alle vette più elevate che esistano, e questo è veramente difficile.

Secondo: più arrivi in alto maggiore è il pericolo di cadere, perché il sentiero si fa stretto e sei circondato da oscure valli. Basta un passo falso e cadrai, svanirai nell'abisso. È più comodo e sicuro camminare in pianura, senza pensare alle vette.

La libertà ti dona l'opportunità di cadere al di sotto degli animali o di innalzarti al di sopra degli angeli. La libertà è una scala: un'estremità raggiunge l'inferno, l'altra tocca il paradiso. È la *stessa* scala; la scelta è tua, la direzione è stata voluta da te.

E per me, se non sei libero, non puoi fare un cattivo uso della tua mancanza di libertà, è impossibile. Il prigioniero non può fare un cattivo uso della propria situazione: è in catene, non è libero di fare alcunché. E questa è la situazione di tutti gli altri animali, a eccezione dell'uomo: non sono liberi. Nascono per essere un certo tipo di animale e realizzeranno quel destino. In realtà è la natura stessa a realizzarlo, essi non devono fare nulla. La loro vita è priva di sfide. Solo l'uomo deve affrontare la sfida, la grande sfida. E pochissime persone hanno scelto di rischiare, di andare verso le vette, di scoprire le proprie cime estreme. Sono ben pochi: il Buddha, Cristo... è possibile contarli sulle dita delle mani.

Perché l'intera umanità non ha scelto di raggiungere lo stesso stato di beatitudine del Buddha, di amore di Cristo, di celebrazione di Krishna? Come mai? Per il semplice motivo che è pericoloso persino aspirare a quelle altezze. È meglio non pensarci, e il modo migliore per farlo è accettare il fatto che la libertà non esiste: sei già predeterminato. Prima della tua nascita ti è stato consegnato un certo copione, ora devi solo recitarlo.

È possibile fare un cattivo uso solo della libertà, non della schiavitù. Ecco perché al giorno d'oggi scorgi tanto caos nel mondo. Prima non era mai successo, per la semplice ragione che l'uomo non era altrettanto libero. Vedi più caos in America per la semplice ragione che là si gode della più grande libertà che sia mai esistita al mondo, in qualsiasi tempo e luogo. Ogni volta che c'è libertà, esplode il caos. Ma quel caos è prezioso, perché solo da esso nascono le stelle.

Io non ti sto dando alcuna disciplina, perché ogni disciplina è una sottile forma di schiavitù. Non ti sto dando alcun comandamento, perché qualsiasi comandamento proveniente da una persona esterna ti imprigionerà e ti renderà schiavo. Ti sto solo insegnando a essere libero e poi ti lascio a te stesso: puoi fare quello che vuoi con la tua libertà. Se vuoi cadere al di sotto degli animali, è una tua scelta e sei perfettamente libero di farlo, perché è la tua vita. Se decidi in tal modo, è una tua prerogativa. Ma se comprendi la libertà e il suo valore, non comincerai a cadere; non scenderai al di sotto degli animali, bensì ti innalzerai al di sopra degli angeli.

L'uomo non è un'entità, ma un ponte tra due eternità: l'animale e il divino, l'inconscio e il conscio. Cresci in consapevolezza e cresci in libertà. Fa' di ogni passo una tua scelta. Crea te stesso e assumitene l'intera responsabilità.

La schiavitù fondamentale

Il sesso è l'istinto più potente nell'uomo. Il politico e il prete hanno capito fin dall'inizio che nell'uomo il sesso è l'energia trainante. Dev'essere limitata, dev'essere tagliata. Se all'uomo è permessa totale libertà nel sesso, non ci sarà alcuna possibilità di dominarlo: sarà impossibile farne uno schiavo.

Non l'hai mai visto? Quando vuoi soggiogare un toro a un carro per buoi, cosa fai? Lo castri, distruggi la sua energia sessuale. E hai visto la differenza fra un toro e un bue? Che differenza! Un bue è un povero schiavo. Un toro è una bellezza; un toro è una gloria, una magnificenza. Guarda un toro camminare: cammina come un imperatore! E guarda un bue tirare un carro...

Lo stesso è stato fatto all'uomo: l'istinto sessuale è stato limitato, tagliato, mutilato. Adesso l'uomo non è più un toro, è un bue. E ogni uomo sta tirando mille carretti. Osserva, e vedrai dietro di te mille carretti, e tu sei soggiogato a tutti.

Come mai non puoi soggiogare un toro? È troppo potente. Se vede passare una mucca, rovescerà sia te che il carro, e la rincorrerà. Non si curerà affatto di chi sei tu, e non ascolterà. Sarebbe impossibile controllarlo.

L'energia sessuale è energia vitale; è incontrollabile. E il politico e il prete non sono interessati a te, sono interessati a incanalare la tua energia in ben altre direzioni. Dunque, occorre capire cosa c'è dietro quel tabù: implica una dinamica ben precisa.

La repressione sessuale, rendere il sesso un tabù, è il fondamento stesso della schiavitù umana. E l'uomo non può essere libero, a meno che il sesso non sia libero. L'uomo non può essere veramente libero a meno che la sua energia sessuale non abbia una crescita naturale.

Questi sono i cinque stratagemmi con i quali l'uomo è stato trasformato in uno schiavo, in un fenomeno mostruoso, in un mutilato.

Il primo: mantieni l'uomo il più debole possibile, se vuoi dominarlo. Se il prete o il politico vuole dominarti, devi essere mantenuto il più debole possibile. E il modo migliore per mantenere debole un uomo è non dare all'amore totale libertà. L'amore è nutrimento. Ora gli psicologi l'hanno scoperto: se a un bambino non si dà amore, si rattrappisce e diventa debole. Puoi dargli latte, puoi dargli medicine, puoi dargli di tutto, ma prova a non dargli amore, a non abbracciarlo, a non baciarlo, a non tenerlo vicino al calore del tuo corpo, e il bambino comincerà a diventare sempre più debole. Avrà più probabilità di morire che di sopravvivere.

Cosa succede? Come mai? Il semplice abbracciarlo, baciarlo, dargli calore, in qualche modo fa sentire il bambino nutrito, accettato, amato, necessario. Il bambino comincia a sentirsi degno, comincia a sentire che la sua vita ha un significato.

Ebbene, fin dall'infanzia noi affamiamo i bambini: non diamo loro tutto l'amore di cui necessitano. Poi forziamo i giovani, sia uomini che donne, a non innamorarsi a meno che non si sposino. All'età di quattordici anni diventano sessualmente maturi; ma la loro istruzione scolastica può richiedere più tempo – dieci anni di più, fino ai ventiquattro, venticinque – solo allora riceveranno le loro lauree, i loro diplomi, e fino ad allora dobbiamo impedire loro di amare.

L'energia sessuale raggiunge il suo culmine intorno ai diciott'anni. Un uomo non sarà mai più così potente, e una donna non sarà mai più in grado di avere un orgasmo più grande di quello che può avere intorno ai diciott'anni. Ma noi li forziamo a non fare l'amore. Ragazze e ragazzi sono tenuti separati, e fra di loro si erge l'intero meccanismo di polizia, magistrati, rettori, presidi, corpo insegnante; stanno tutti lì, proprio in mezzo a loro, impedendo ai ragazzi di avvicinare le ragazze, impedendo alle ragazze di avvicinare i ragazzi. Come mai? Perché ci si preoccupa tanto? Costoro tentano di uccidere il toro e di creare un bue.

Quando arrivi ai diciott'anni sei al picco della tua energia sessuale, della tua energia d'amore. E quando ti sposi, a ventiquattro, ventisei, ventisette... l'età continua a salire. Più colto è il Paese in cui vivi, più aspetti, perché hai molto di più da imparare, devi trovare un lavoro, i motivi sono infiniti. Quando ti sposi il tuo potere è in declino.

A quel punto ami, ma l'amore non diventa mai veramente caldo, non arriva mai al punto in cui le persone evaporano; rimane tiepido. E se non sei riuscito ad amare totalmente, non puoi amare i tuoi figli perché non sai come farlo. Se non sei riuscito a conoscere quelle cime, come puoi insegnarlo ai tuoi figli? Come puoi aiutare i tuoi figli a raggiungerle?

Così, nel corso dei secoli all'uomo è stato negato l'amore perché rimanesse debole.

Secondo: mantieni l'uomo il più possibile nell'ignoranza e nell'illusione, così che possa facilmente essere ingannato. E se è la stupidità quello che vuoi – e questa è la cosa migliore per il prete, il politico e la loro cospirazione – allora la cosa migliore è non permettere all'uomo di muoversi liberamente nell'amore. Senza amore l'intelligenza di un uomo cade in basso. L'hai osservato? Quando ti innamori, all'improvviso tutte le tue capacità sono al massimo, in un crescendo. Solo un istante prima sembravi stupido, poi hai incontrato la tua donna... e d'acchito una gioia immensa è esplosa nel tuo essere: sei infiammato. Quando le persone sono innamorate danno il massimo di sé. Quando l'amore scompare o quando non c'è, danno il minimo.

Le persone più intelligenti sono le più sessuali. Questo dev'essere compreso, perché l'energia dell'amore è fondamentalmente intelligenza. Se non puoi amare sei in qualche modo chiuso, freddo, non puoi fluire. In amore si fluisce. In amore ci si sente così sicuri da poter toccare le stelle. Ecco perché una donna diventa una grande ispirazione, un uomo diventa una grande ispirazione. Quando una donna è amata diventa immediatamente più bella, istantaneamente! Solo un attimo prima era solo una donna qualunque... adesso l'amore è piovuto su di lei: è immersa in un'energia totalmente nuova, una nuova aura nasce intorno a lei. Cammina con più grazia, una danza si è aggiunta al suo passo. Adesso i suoi occhi hanno un'incredibile bellezza, il suo viso risplende: è luminosa. E lo stesso accade all'uomo.

Quando le persone sono innamorate danno il meglio di sé. Non lasciare spazio all'amore ed esse rimarranno al minimo. Quando rimangono al minimo, sono stupide, ignoranti, non si preoccupano di sapere. E quando le persone sono ignoranti, stupide e ottuse, possono essere ingannate con facilità. Quando le persone sono represse sessualmente, represse rispetto all'amore, cominciano a desiderare fortemente l'altra vita. Pensano al cielo, al paradiso, ma non pensano di creare il paradiso «quieora».

Quando sei innamorato, il paradiso è «quieora». In questo caso perché preoccuparsi, perché andare dal prete? Chi si cura dell'esistenza di un paradiso? Ci sei già! Non te ne preoccupi più. Ma quando la tua energia d'amore è repressa, cominci a pensare: «Qui non c'è niente. L'adesso è vuoto. Dunque ci dev'essere da qualche parte uno scopo...», vai dal prete e ti informi sul paradiso, e lui dipinge bellissime scene paradisiache.

Il sesso è stato represso così che tu possa interessarti all'altra vita. E quando le persone sono interessate all'altra vita, naturalmente non sono più interessate a questa.

Questa vita è la sola che esista. L'altra vita è nascosta in questa! Non è contro di essa, non ne è separata: è *in* essa. Entraci. È qui! Entra in questa vita e troverai anche l'altra. Dio è nascosto nel mondo, Dio è nascosto «quieora». Se ami, sarai in grado di sentirlo.

Il terzo segreto: mantieni l'uomo il più spaventato possibile. E la via più sicura è impedirgli di amare, perché l'amore distrugge la paura... l'amore scaccia la paura. Quando sei innamorato, non hai paura, puoi lottare contro il mondo intero. Quando sei innamorato, senti che le tue capacità sono illimitate. Ma quando non sei innamorato, hai paura delle inezie. Quando non sei innamorato, ti interessi di più alla sicurezza. Quando sei innamorato, sei più interessato all'avventura, all'esplorazione.

Non è stato permesso alle persone di amare perché questo è il solo modo per renderle timorose. E quando sono spaventate e tremanti, sono sempre in ginocchio, si piegano di fronte al prete e al politico. È una grande cospirazione contro l'umanità. È una grande cospirazione contro di te! Il tuo politico e il tuo prete sono i tuoi nemici, ma fingono di essere pubblici servitori. Essi dicono: «Noi siamo qui per servirti, per aiutarti a ottenere una vita migliore. Siamo qui per crearti benessere». Ed essi sono i distruttori della vita stessa.

Il quarto segreto: mantieni l'uomo il più infelice possibile, perché un uomo misero è confuso, un uomo infelice non ha alcuna stima di se stesso, un uomo misero si autocondanna, sente che deve aver fatto qualcosa di sbagliato. Un uomo miserabile non ha radici: puoi spingerlo di qua e di là, può essere facilmente trasformato in un tronco alla deriva. Ed è sempre pronto a essere comandato, a subire degli ordini, una disciplina, perché egli sa che: «Da solo sono un miserabile. Forse qualcun altro può disciplinare la mia vita...». Egli è una vittima designata.

E il quinto segreto: mantieni gli uomini lontani gli uni dagli altri il più possibile, in questo modo non possono mettersi insieme per qualsiasi scopo che il prete e il politico potrebbero non approvare.

Tieni le persone separate fra loro. Non permettere loro troppa intimità. Quando le persone sono separate, sole, lontane fra loro, isolate, alienate non possono mettersi insieme. E ci sono mille trucchi per tenerle lontane.

Per esempio: se stai tenendo la mano di un uomo – tu sei un uomo e stai tenendo la mano di un altro uomo, e state camminando per strada cantando – ti sentirai colpevole perché la gente comincerà a guardarti: «Sei forse un omosessuale?». Due uomini non hanno il permesso di essere felici insieme. Non possono tenersi per mano, non possono abbracciarsi. Sono condannati come omosessuali. Nasce la paura. Se un tuo amico viene e prende la tua mano nella sua, ti guardi attorno: «Qualcuno ci sta guardando?». E hai solo fretta di lasciare quella mano.

Tra uomini ci si dà la mano frettolosamente. L'avete osservato? Vi toccate semplicemente la mano e la scuotete, punto e basta. Non vi tenete per mano, non vi abbracciate. Avete paura.

Ricordi se tuo padre ti ha mai abbracciato? Ricordi se tua madre ti ha mai abbracciato dopo che sei diventato sessualmente adulto? Perché no? Si è creata paura. Un giovane e sua madre che si abbracciano? Forse fra loro nascerà del sesso, un'idea, qualche fantasia. Si è generata paura: padre e figlio, padre e figlia, no; fratello e sorella, no; fratello e fratello, no!

Le persone sono tenute divise in scomparti separati da alte pareti. Ognuno è classificato, e ci sono mille barriere.

Certo, un giorno, dopo venticinque anni di tanto addestramento, ti è permesso fare l'amore con tua moglie. Ma ora l'addestramento è andato troppo in profondità, e all'improvviso non sai cosa fare. Come amare? Non ne hai imparato il linguaggio.

È come se una persona fosse stata costretta a non parlare per venticinque anni. Seguimi: per venticinque anni non le è stato permesso pronunciare una sola parola e poi, improvvisamente, la metti su un palco e le dici: «Tienici una bella conferenza». Cosa succederebbe? Crollerebbe d'acchito. Potrebbe svenire, potrebbe morire... venticinque anni di silenzio, e ora all'improvviso ci si aspetta che tenga un gran discorso. Non è possibile.

Questo è ciò che succede: venticinque anni di anti-amore, di paura, e poi improvvisamente ti è permesso legalmente, viene rilasciata una licenza... «Adesso puoi amare questa donna. Questa è tua moglie, tu sei suo marito, e hai il permesso di amare.» Ma dove andranno a finire quei venticinque anni di addestramento sbagliato? Saranno presenti.

Certo, tu «amerai»... farai un tentativo, uno sforzo. Non sarà esplosivo, non sarà orgasmico: sarà qualcosa di molto piccolo. Ecco perché sei frustrato dopo aver fatto l'amore con una donna. Il novantanove per cento delle persone sono frustrate dopo aver fatto l'amore più di quanto lo siano mai state prima. E la loro sensazione è questa: «Che storia è questa? Non c'è niente! Non è possibile!».

Ebbene, come prima cosa il prete e il politico hanno fatto in modo che tu sia incapace di amare, poi vengono a predicare che non c'è niente di rilevante nell'amore. Di certo la loro predica sembra giusta, il loro predicare sembra concordare esattamente con la tua esperienza. Prima essi creano l'esperienza di futilità, di frustrazione, poi... il loro insegnamento. E tutto, nell'insieme, sembra perfettamente logico.

Questo è un grande trucco, il più grande che sia stato mai giocato all'uomo. Queste cinque cose possono essere ottenute semplicemente rendendo l'amore un tabù.

È possibile raggiungere tutti questi obiettivi impedendo in qualche modo alle persone di amarsi. E il tabù è stato gestito in modo estremamente scientifico. Questo tabù è un'opera d'arte: ci sono volute grandi abilità e furbizia. È un vero capolavoro! Questo tabù dev'essere compreso.

Primo: è indiretto, è nascosto. Non è evidente, perché quando un tabù è troppo ovvio, non funziona. Il tabù dev'essere molto nascosto, in questo modo non sai come funziona. Il tabù dev'essere così nascosto che non puoi nemmeno immaginare che possa esistere. Il tabù deve en-

173

trare nel tuo inconscio, non nella mente conscia. Come renderlo così sottile e così indiretto?

Il loro trucco è: innanzitutto occorre insegnare che l'amore è grande, così che la gente non pensi mai che i preti e i politici siano contro l'amore, occorre continuare a insegnare che l'amore è grande, che l'amore è la cosa giusta, e poi non permettere alcuna situazione in cui l'amore possa accadere. Bisogna renderlo impossibile, non dare alcuna opportunità, e intanto continuare a insegnare che il cibo è ottimo, che mangiare è una grande gioia. Devi dire: «Mangia meglio che puoi», ma non dare mai niente da mangiare. Mantieni la gente affamata e continua a parlare dell'amore.

Dunque, tutti i preti continuano a parlare dell'amore. L'amore è lodato più di qualunque cosa – è proprio vicino a Dio – ma viene impedito. Direttamente lo incoraggiano, indirettamente ne tagliano le radici. Questo è il capolavoro.

Nessun prete parla di come abbia causato il danno. È come se tu continuassi a dire a un albero: «Sii verde, fiorisci, vivi gioioso» e continuassi a tagliarne le radici, in modo che non possa essere verde. E quando l'albero non è verde puoi rimproverarlo duramente e dire: «Ascolta! Tu non ascolti. Tu non ci segui. Noi tutti continuiamo a dire: "Sii verde, fiorisci, vivi gioioso, danza"…» e nel frattempo continui a tagliarne le radici.

L'amore è fortemente negato… e l'amore è la cosa più rara al mondo, non dovrebbe essere negato. Se un uomo può amare cinque persone, dovrebbe farlo. Se un uomo può amarne cinquanta, dovrebbe farlo. Se un uomo può amarne cinquecento, dovrebbe farlo. L'amore è così raro che più lo puoi diffondere meglio è. Ma ecco che vengono messi in atto stratagemmi molto sottili, tu sei forzato in un angolo stretto, molto angusto: puoi amare solo tua

174

moglie, puoi amare solo tuo marito, puoi amare solo questo, puoi amare solo quello... ci sono troppe condizioni. È come se ci fosse una legge che ti permette di respirare solo quando sei con tua moglie, o solo quando sei con tuo marito. In questo caso respirare diventerà impossibile. Così morirai, e non potrai più respirare nemmeno quando sei con tua moglie o con tuo marito. Devi respirare ventiquattr'ore al giorno. Più respiri e più sarai in grado di respirare mentre sei con la tua sposa...

Sii amorevole.

Esiste poi un altro trucco: costoro parlano di «amore più elevato» e distruggono quello più basso. E dicono che il più basso dev'essere negato: l'amore fisico è male, l'amore spirituale è bene. Hai mai visto uno spirito senza un corpo? Hai mai visto una casa senza le fondamenta? Il più basso è il fondamento del più alto. Il corpo è la tua dimora, lo spirito vive nel corpo, con il corpo. Tu sei uno spirito incarnato e un corpo con l'anima. Siete insieme. Il più basso e il più alto non sono separati, sono tutt'uno: gradini della stessa scala. Il più basso non dev'essere negato, dev'essere trasformato nel più alto. Il più basso va bene, se ci resti attaccato l'errore è solo tuo. Non c'è niente di sbagliato nel gradino più basso della scala. Se ci resti attaccato dipende da qualcosa dentro di te. Muoviti.

Il sesso non è sbagliato. *Tu* sei sbagliato, se sei fermo lì. Muoviti più in alto. Il superiore non è contro l'inferiore; l'inferiore rende possibile l'esistenza del superiore.

E questi stratagemmi hanno creato molti altri problemi. Ogni volta che sei innamorato in qualche modo ti senti in colpa, in te nasce una colpa. Quando c'è senso di colpa, non puoi muoverti totalmente nell'amore: il senso di colpa te lo impedisce, ti trattiene. Persino facendo l'amore con tua moglie, o con tuo marito, ti senti in colpa: sai che è peccato, sai di fare qualcosa di sbagliato. «I santi non lo fanno.» Tu sei un peccatore. Quindi non puoi agire totalmente neppure quando ti è permesso – superficialmente – di amare tua moglie. Il prete è nascosto dietro di te nel tuo senso di colpa, ti sta manovrando da lì. Quando insorge il senso di colpa, cominci a sentire di avere torto, perdi l'autostima, perdi il rispetto di te stesso.

Allora sorge un altro problema: quando c'è senso di colpa, cominci a fingere. Madri e padri non permettono ai figli di sapere che loro fanno l'amore, fingono. Fingono che l'amore non esista. Prima o poi i figli verranno a conoscenza della finzione e perderanno ogni fiducia, si sentono traditi, si sentono ingannati, e i padri e le madri dicono che i loro figli non li rispettano... voi stessi ne siete la causa, come possono rispettarvi? Voi li avete ingannati in ogni modo, siete stati disonesti, siete stati meschini. Dicevate loro di non innamorarsi – «State attenti» – e voi facevate l'amore sempre e comunque. Verrà un giorno, prima o poi, in cui si renderanno conto che persino il loro padre, persino la loro madre non erano sinceri con loro... come possono rispettarvi?

Prima la colpa crea finzione, poi la finzione crea alienazione tra la gente. Persino il figlio, tuo figlio, non si sentirà in sintonia con te. C'è una barriera: la tua finzione. E quando sai che tutti stanno fingendo... un giorno, verrai a sapere che stai solo fingendo e che gli altri fanno lo stesso. Quando tutti fingono, quando tutti sono falsi, che rapporti puoi avere con gli altri? Come puoi essere in amicizia visto che dappertutto c'è inganno e disonestà? Sei molto, molto ferito dalla realtà, sei molto amareggiato: la vedi solo come un'opera del demonio.

E tutti hanno una falsa apparenza, nessuno è autentico. Tutti portano maschere, nessuno mostra il proprio volto originale. Tu ti senti in colpa, senti che stai fingendo, e sai che tutti fingono, tutti si sentono in colpa, e tutti sono diventati simili a una piaga purulenta. Ebbene, è molto facile fare di queste persone degli schiavi; trasformarle in impiegati, capistazione, insegnanti, esattori delle tasse, ministri, governatori, presidenti. Ora è molto facile distrarle. Le avete distratte dalle loro radici. Il sesso è la radice, da qui deriva il nome *muladhara* nel linguaggio del Tantra e dello Yoga per indicare il centro sessuale: *muladhara* significa l'energia alla radice stessa.

Ho sentito...

Era la sua notte di nozze e l'altezzosa Lady Jane stava compiendo i suoi doveri coniugali per la prima volta.

«Mio signore» chiese al marito «è questo ciò che la gente comune chiama fare l'amore?»

«Sì, lo è, mia signora» rispose Lord Reginald, e proseguì nella sua prestazione.

Dopo un po' Lady Jane esclamò indignata: «È troppo bello per la gente comune!».

Alla gente comune non è stato realmente concesso di fare l'amore: «È troppo bello per loro».

Ma il problema è che quando avveleni l'intero mondo anche tu sei avvelenato. Se avveleni l'aria che respira la gente comune, anche l'aria che respira il re sarà avvelenata; non può essere separata: l'aria è la stessa. Quando il prete avvelena la gente comune, alla fine anche lui resta avvelenato. Quando il politico avvelena l'aria della gente comune, alla fine anche lui la respira: non ne esiste altra.

Quando reprimi qualcosa alla superficie, questa scende dentro di te in profondità, nell'inconscio. Resta lì. Il sesso non è stato distrutto... fortunatamente. Non è stato distrutto, è solo stato avvelenato. *Non può* essere distrutto: è energia vitale. È stato inquinato, e può essere purificato.

I tuoi problemi esistenziali possono sostanzialmente essere ridotti al tuo problema sessuale. Puoi tentare di risolvere tutti i tuoi problemi, ma non sarai mai in grado di farlo perché non sono veri problemi. E se risolvi il tuo problema sessuale, tutti i problemi spariranno perché hai risolto quello fondamentale. Ma tu hai il terrore anche solo di guardarci dentro. Invece è semplice. Se riesci a mettere da parte i tuoi condizionamenti, è molto semplice. È tanto semplice quanto questa storia

Una zitella frustrata tempestava la polizia con continue telefonate. Diceva che c'era un uomo sotto il suo letto. Alla fine fu mandata in un manicomio, ma anche con i medici sosteneva che ci fosse un uomo sotto il suo letto. Le diedero i farmaci più sofisticati, e lei all'improvviso dichiarò di essere guarita.

«Vuole dire, signora Rustifan, che non vede più un uomo sotto il suo letto, ora?».

«No. Ne vedo due.»

Un medico disse all'altro che di fatto esisteva un solo tipo di iniezione in grado di curare quel disturbo, che lui definiva «verginità maligna», e consigliò di metterla in camera con il Possente Dan, il falegname dell'ospedale.

Il Possente Dan fu mandato a chiamare, e gli fu spiegato qual era il disturbo della zitella, poi gli fu detto che lui sarebbe stato rinchiuso con lei per un'ora, nella stessa stanza. Lui replicò serio e compunto che non sarebbe stato necessario tanto tempo... si procedette, e un ansioso gruppetto di medici e infermiere rimase fuori dalla porta... dall'interno vennero queste parole: «No, fermati, Dan. Mamma non me lo perdonerebbe mai!».

«Smetti di urlare, prima o poi lo si deve fare! Doveva essere fatto anni fa!»

«Allora dovrai usare la forza, bruto!»

«È solo ciò che tuo marito avrebbe fatto, se ne avessi avuto uno.»

Seguì un rumore sordo e degli schianti... I medici non riuscirono ad aspettare oltre e irruppero all'interno.

«L'ho guarita» disse il falegname.

«Mi ha guarita!» disse la signora Rustifan.

Ed era proprio così: il Possente Dan aveva segato le gambe del letto.

Talvolta la cura è molto semplice. E tu continui a fare mille cose... e il falegname fece la cosa giusta... tagliò semplicemente le gambe del letto, e tutto era finito. Adesso dove poteva nascondersi quell'uomo?

Il sesso è in pratica la radice di tutti i tuoi problemi. Non può che essere così, dopo migliaia di anni di veleni. Occorre una grande purificazione.

Rivendica la tua libertà. Rivendica la tua libertà di amare. Rivendica la tua libertà di essere e la vita non è più un problema. È un mistero, è un'estasi, una benedizione.

Attento ai papi

Ho sentito che il papa, rivolgendosi ai giovani, in un raduno tenutosi in America Latina, ha detto: «Miei cari, attenti al demonio. Egli vi tenterà con le droghe, con l'alcol e soprattutto con il sesso prematrimoniale».

Ebbene, chi è questo demonio? Io non l'ho mai incontrato, né lui mi ha mai tentato. Non penso che nessuno di voi abbia mai incontrato il demonio, né che lui vi abbia mai tentato.

I desideri hanno origine dalla tua natura, non da qualche demonio tentatore. Ma addossare la responsabilità a qualche figura immaginaria – il demonio – è una strategia delle religioni per non farti sentire condannato. *Vieni* condannato, ma indirettamente, non direttamente. Il papa ti sta dicendo che *tu* sei il demonio... ma, poiché non ha il coraggio di affermarlo chiaramente, dice che il demonio è qualcos'altro, un'entità separata, la cui unica funzione è indurre in tentazione la gente.

È molto strano... sono passati milioni di anni e il demonio non si è stancato, continua a indurre in tentazione. Cosa ci guadagna? In nessun testo sacro ho mai trovato quale sia la sua ricompensa per l'arduo lavoro che sta svolgendo da milioni di anni. Chi lo sta pagando? Chi lo ha assunto? Questa è una cosa...

E la seconda: il tuo Dio non è onnipotente? I tuoi testi sacri sostengono di sì. Se lo è davvero, perché non fa una cosa semplicissima? Impedisca a questo demonio di indurre in tentazione la gente! Anziché andare da ciascuno e dire: «Non farti tentare dal demonio», perché non farla finita con quest'unica persona? Oppure, concedigli ciò che vuole.

Questo è un affare tra Dio e il demonio, dovrebbero risolverlo tra loro. Perché dobbiamo farci calpestare senza motivo da quei due? In milioni di anni Dio non è riuscito a convincere il demonio, a cambiarlo o a farla finita con lui. E se Dio è tanto impotente di fronte al demonio, che dire delle sue povere creature, alle quali i suoi rappresentati continuano a ripetere: «Non fatevi tentare dal demonio»? Se Dio è tanto debole e impotente di fronte al demonio, cosa possono fare dei semplici esseri umani?

Per secoli questa gente ha raccontato queste bugie, e nemmeno una volta ha cercato di assumersi la propria responsabilità. Dire ai giovani: «State attenti, il demonio vi sta tentando» è da irresponsabili. Di fatto, quest'uomo ha già messo la tentazione nella mente di quelle persone. È possibile che quei giovani non stessero pensando affatto alla droga, all'alcol, al sesso prematrimoniale. Erano venuti per ascoltare il papa, per sentire qualche sermone spirituale. Torneranno a casa pensando al sesso prematrimoniale, a come farsi tentare dal demonio, a dove trovare gli spacciatori di droga.

Ma l'alcol non è certo una tentazione del demonio, in quanto Gesù Cristo ne beveva. Non solo: lo dava ai suoi apostoli. L'alcol non è contro il cristianesimo, che infatti lo accetta senza problemi, perché altrimenti metterebbe Gesù nei guai. Gesù non era un membro dell'Anonima Alcolisti. Gli piaceva bere, e non ha mai detto che bere è un peccato. Come avrebbe potuto? Ebbene, il papa polacco sembra molto più religioso di Gesù Cristo.

E posso immaginare senza problemi che se il Figlio Unigenito beve, il Padre e lo Spirito Santo devono essere degli ubriaconi. Queste persone potrebbero essere la causa, altrimenti da chi avrebbe preso Gesù? Di certo, il demonio non poteva tentarlo. Sappiamo che cercava di farlo, ma Gesù rispondeva: «Vade retro, non mi farò tentare da te».

In realtà, queste persone sembrano mentalmente malate. Non ti imbatti mai nel demonio, né ti rivolgi a lui con queste parole: «Vade retro, lasciami andare per la mia strada. Non ostacolarmi, non cercare di indurmi in tentazione». Se dici queste cose e qualcuno ti sente, si recherà al più vicino comando di polizia e dirà: «C'è un uomo che sta parlando al demonio, ma non vediamo demoni da nessuna parte».

Anche Gesù è stato corrotto dai rabbini e dai preti. È la stessa compagnia, solo il marchio e l'etichetta sono diversi. Ma la compagnia, l'attività, gli affari sono gli stessi: corrompere gli esseri umani, distruggere la tua innocenza. Questo papa si preoccupa del sesso prematrimoniale: deve trovarsi dentro la sua mente, altrimenti come potrebbe uscirne questa raccomandazione? E questo è il punto sul quale porta di più l'attenzione!

Ma cosa c'è di sbagliato nel sesso prematrimoniale? In passato era un problema, ma sei entrato nel ventunesimo secolo o no? Era un problema in passato perché poteva portare alla gravidanza, ai figli, e sarebbe sorto il problema di chi li avrebbe allevati. Chi avrebbe sposato una ragazza con un figlio? Ci sarebbero state difficoltà e complicazioni, ma oggi non è necessario: queste preoccupazioni esistono solo nella mente.

In realtà, le maggiori difficoltà all'interno del matrimonio sorgono perché il sesso prematrimoniale viene negato. È come se ti venisse detto che prima dei ventun anni non puoi nuotare; non farti tentare dal demonio: il nuoto in età non adulta è un peccato. Poi un giorno compi ventun anni, ma non sai nuotare. Poiché pensi che adesso ti è permesso nuotare, ti tuffi nel fiume... ti stai tuffando nella tua morte! Non c'è alcuna legge, alcuna condizione implicita al fatto che, al compimento del ventunesimo anno, tu sarai in grado di nuotare. E quando imparerai? Cosa sta dicendo in realtà questa gente? Che prima di entrare in un fiume devi imparare a nuotare, ma che se ci entri, commetti peccato. Ma dove imparerai? Nella tua camera da letto, sul tuo materasso? Per nuotare dovrai andare al fiume.

Esistono tribù aborigene molto più umane e naturali, nelle quali il sesso prematrimoniale è sostenuto e incoraggiato dalla società, perché quello è il momento in cui imparare. Ragazze e ragazzi diventano sessualmente maturi rispettivamente a quattordici e a diciott'anni. Però, man mano che la società diventa più scientifica e tecnologica, il cibo aumenta e la salute migliora, l'età scende. In America le ragazze diventano mature prima che in India. Ma in Etiopia, naturalmente, come puoi diventare sessualmente maturo? Morirai molto prima. In America l'età è passata dai quattordici, ai tredici, ai dodici anni, perché la gente gode di più energia fisica, di un cibo migliore e di una vita più agiata. Le persone sono sessualmente attive prima e più a lungo che nei Paesi poveri. In India la gente non crede ai propri occhi quando legge sui giornali di qualche americano che si sposa a novant'anni. Gli indiani non riescono a crederci: cosa sta succedendo a questi americani? Quando un indiano raggiunge i novant'anni si trova nella tomba già da venti; solo il suo fantasma può sposarsi, non lui. Ma anche se fosse nel corpo, un uomo di novant'anni che sposa una donna di ottantasette... fantastico! Semplicemente incredibile! E poi partono in luna di miele. Sono davvero esperti, lo hanno fatto per tutta la vita, molte volte... sposarsi, andare in luna di miele... e sono stati così fortunati che in una sola vita hanno vissuto almeno cinque, sei, sette esistenze.

Il sesso prematrimoniale è una delle cose più importanti che la società deve includere.

Ragazze e ragazzi non saranno mai più così sessualmente attivi come lo sono rispettivamente a quattordici e a diciott'anni. Quando la loro natura è al culmine, li blocchi. Permetti a un ragazzo di sposarsi dopo aver raggiunto i trent'anni. La sua sessualità è già in declino. Nella sua vita l'energia sta scemando, egli sta perdendo interesse. Biologicamente è già in ritardo di quattordici o sedici anni: ha perso il treno molto tempo fa.

È per questo che sorgono tanti problemi all'interno del matrimonio, che i consulenti coniugali prosperano: entrambi i partner hanno superato il loro momento di massima energia, quello in cui avrebbero potuto conoscere che cos'è l'orgasmo. Ora leggono libri che ne parlano e immaginano, sognano l'orgasmo, ma non accade. È troppo tardi. Tra loro e l'orgasmo ci sono i papi!

Io vorrei dirti: non farti tentare dai papi. Sono loro i veri diavoli. Rovineranno la tua vita, lo hanno già fatto con milioni di persone.

Quando hai trent'anni non puoi avere quella qualità, quell'intensità, quel fuoco che avevi a diciotto. Ma quello era il momento di restare casti, di non farsi tentare dal demonio. Ogni volta che il diavolo ti tenta, cominci a pregare Dio, a recitare un mantra: «*Om mani padme hum*».

Questo è ciò che fanno i tibetani. Ogni volta che vedi un tibetano ripetere velocemente: «*Om mani padme hum*», puoi essere certo che è tentato dal demonio, perché quel mantra viene usato per spaventarlo, e più velocemente lo reciti più rapidamente il demonio si allontanerà.

In India esiste un libretto dal titolo *Hanuman Chalisa*. È una preghiera al dio scimmia Hanuman, considerato casto e protettore di tutti coloro che vogliono restare tali. Per cui tutte le persone che vogliono restare caste adorano Hanuman. Ed è molto facile imparare a memoria questo libretto: la persone continuano a ripetere questa preghiera, in modo che Hanuman protegga la loro castità, tutelandole dal demonio che è sempre nei paraggi e aspetta di catturarle per indurle in tentazione.

Nessuno ti sta tentando. È soltanto la natura, non il demonio; e la natura non è contro di te, è completamente a tuo favore. In una società umana migliore il sesso prematrimoniale sarebbe apprezzato quanto lo è in alcune tribù aborigene. Il ragionamento è molto semplice. Primo: la natura ti ha preparato per qualcosa, non bisognerebbe negare un tuo diritto naturale. Se la società non è pronta per il tuo matrimonio, è un problema della società, non tuo. È la società a dover trovare una soluzione. Gli aborigeni l'hanno trovata. È rarissimo che una ragazza rimanga incinta. Se accade, il ragazzo e la ragazza si sposano: non ci sono sensi di colpa, scandali o condanne. Al contrario, gli anziani benedicono la giovane coppia perché si è dimostrata molto vigorosa. In essi la natura è potente, la loro biologia è più viva che in chiunque altro. Ma accade raramente.

Ciò che accade è che ogni ragazzo e ogni ragazza ricevono una preparazione. Nelle società aborigene che ho visitato è una regola che ragazze e ragazzi – le prime dopo il quattordicesimo anno, i secondi dopo il diciottesimo – non possano più dormire a casa propria. Nel mezzo del villaggio c'è una sala comune in cui tutte le ragazze e i ragazzi vanno a dormire. In quel caso non hanno più bisogno di nascondersi dentro una macchina, dietro il porticato. Questo è orribile; è la società che costringe le persone a essere ladre, imbroglione, bugiarde. E le prime esperienze dell'amore di migliaia di giovani sono avvenute in un simile abnorme contesto: di nascosto, nella paura, con il senso di colpa, sapendo che si tratta di una tentazione del demonio. Quando potrebbero divertirsi di più e avere le esperienze più belle, non possono divertirsi.

Sto dicendo che, se sperimentassero il sesso nel momento di massima energia, il potere che quest'ultimo ha su di loro andrebbe perduto. In questo caso non guarderebbero mai, in tutta la loro vita, giornali come «Playboy»; non ce ne sarebbe bisogno. Non avrebbero mai fantasie o sogni sessuali, non leggerebbero romanzi di basso livello, né guarderebbero i film di Hollywood. Tutto ciò è possibile perché è stato negato un loro diritto naturale.

Nella società aborigena, di notte, i giovani vivono insieme. Solo una regola viene imposta: «Non stare con la stessa ragazza per più di tre giorni: lei non è una tua proprietà, né lo sei tu per lei. Devi familiarizzare con tutte le ragazze, così come ogni ragazza deve familiarizzare con tutti i ragazzi, prima di poter scegliere il partner della vita».

Ebbene, questo sembra assolutamente sano. Prima di scegliere il partner della tua vita, dovrebbe esserti data la possibilità di familiarizzare con tutte le donne e gli uomini possibili. Puoi vedere come in tutto il mondo non abbiano avuto successo né i matrimoni combinati né quelli definiti «d'amore». Entrambi hanno fallito, e la ragione fondamentale è che in entrambi i casi la coppia è priva di esperienza; ai partner non è stata data sufficiente libertà per trovare la persona giusta.

Per trovare la persona giusta non esiste altra via che l'esperienza. Cose molto piccole possono essere un disturbo. L'odore corporeo di qualcuno potrebbe essere sufficiente a mandare all'aria il tuo matrimonio. Non è una gran cosa, ma è sufficiente: tutti i giorni... quanto a lungo riuscirai a tollerarlo? Ma per qualcun altro quell'odore potrebbe andare bene, forse è quello che gli piace.

Lascia che la gente faccia le proprie esperienze... soprattutto oggi che il problema della gravidanza non esiste più. Quegli aborigeni sono stati coraggiosi a farlo per migliaia di anni, e senza molti problemi. Una volta ogni tanto una ragazza rimane incinta e allora i due giovani si sposano, altrimenti non c'è problema.

In quelle tribù non esiste divorzio: infatti, se hai scelto dopo aver visto e conosciuto tutte le donne della tribù, con chi farai il cambio? Hai scelto in base all'esperienza, per cui in quelle società il divorzio è fuori discussione. Il problema non si è mai posto. Non è che il divorzio non sia permesso, è che la questione stessa non è mai sorta. Non ci hanno pensato, non è mai stato un problema. Nessuno ha detto di volersi separare.

Tutte le società civili soffrono di problemi coniugali perché marito e moglie sono praticamente dei nemici. Puoi definirli «nemici intimi», non fa differenza. È meglio che i nemici stiano lontani anziché troppo vicini! Se sono intimi, vuol dire che è una guerra di ventiquattr'ore al giorno, tutti i giorni. E la causa è la stupida idea degli insegnanti religiosi: «Sta' attento al sesso prematrimoniale».

Se vuoi stare attento, sta' attento al sesso matrimoniale, perché là vi sono problemi. Il sesso prematrimoniale

187

non è un problema, soprattutto ora che sono disponibili tutti i tipi possibili di controllo delle nascite.

Tutti gli istituti, le università e le scuole dovrebbero attribuire grande importanza al fatto che ogni bambino, maschio o femmina, attraversi ogni genere di esperienza, conosca qualsiasi tipo di persona, e alla fine faccia la sua scelta. Questa scelta sarà basata e fondata sulla conoscenza, sulla comprensione.

Ma il problema del papa non è il fatto evidente che a causa del matrimonio tutte le coppie – l'umanità intera – stanno soffrendo e che i bambini cominciano a imparare il dolore dalle sofferenze dei genitori. Queste cose non gli interessano. La sua preoccupazione è che non si usino i metodi di controllo delle nascite. In realtà il papa non sta dicendo: «Attenti al demonio», ma: «Attenti al controllo delle nascite». Non affronta i problemi autentici, ma solo quelli inesistenti, finti, irreali. E continua a dare consigli al mondo intero...

C'è vita dopo il sesso?

A una certa età il sesso diventa una cosa importante. Non sei tu a renderlo tale, non è una cosa che puoi fare. Accade. All'età di quattordici anni, più o meno, improvvisamente l'energia viene inondata dal sesso. È come se in te si fosse aperta una diga. Fonti sottili di energia, fino a quel momento rimaste chiuse, si aprono, e tutta la tua energia diventa sessuale, è colorata dal sesso. Il tuo modo di pensare, di cantare, di camminare... ogni cosa diventa sessuale. Tutte le azioni vengono colorate dal sesso. Accade: non hai fatto nulla, ma è naturale.

Anche la trascendenza è naturale. Se la sessualità è stata vissuta con totalità, senza condanne né desideri di liberarsene, all'età di quarantadue anni, più o meno, quella diga si richiude, proprio come all'età di quattordici anni si era aperta rendendo sessuale tutta l'energia. Anche questo è naturale come il risvegliarsi del sesso. Quest'ultimo comincia a scomparire.

Il sesso non viene trasceso grazie a un tuo sforzo. Se fai uno sforzo sarà qualcosa di repressivo, perché non ha nulla a che fare con te. Fa parte del tuo corpo, è un meccanismo implicito alla tua biologia. Sei nato come un essere sessuale, non c'è nulla di sbagliato. Questo è l'unico

189

modo di nascere. Essere umani vuol dire essere sessuali. Quando sei stato concepito, tuo padre e tua madre non stavano pregando, non stavano ascoltando il sermone di un prete. Non erano in chiesa. stavano facendo l'amore! Sembra difficile persino pensare che tuo padre e tua madre facessero l'amore mentre ti concepivano. Eppure stavano facendo l'amore, le loro energie sessuali si stavano incontrando e fondendo l'una nell'altra. È allora che sei stato concepito: durante un intenso rapporto sessuale. La prima cellula è stata una cellula sessuale, e dopo di allora ne sono nate delle altre. Ma fondamentalmente ciascuna cellula è rimasta sessuale. Tutto il tuo corpo è sessuale, composto di cellule sessuali. Ora sono milioni.

Ricordalo: esisti in quanto essere sessuale. Una volta che lo avrai accettato, il conflitto che dura da secoli scomparirà. Quando pensi che il sesso sia una cosa semplicemente naturale, quando lo accetti profondamente, senza pregiudizi, lo vivi. Tu non mi chiedi come trascendere l'atto del mangiare o del respirare, perché nessuna religione ti ha insegnato a trascendere il respiro. Altrimenti chiederesti: «Come trascendere il respiro?». Tu respiri! Sei un animale che respira, e sei anche un animale sessuale. Ma c'è una differenza. I primi quattordici anni della tua vita sono praticamente asessuati, o al massimo, includono giochi rudimentali che in realtà non sono sessuali. Non sono altro che una preparazione, una prova. All'età di quattordici anni, improvvisamente, l'energia è matura.

Osserva: nasce un bambino... immediatamente, dopo tre secondi, deve respirare, altrimenti morirà. Poi il respiro deve restare per tutta la sua vita, in quanto è il primo passo della vita stessa. Non può essere trasceso. Forse si interromperà al momento della morte, appena tre secondi prima, non prima di allora. Ricorda sempre: entrambe le estremità della vita, l'inizio e la fine sono esattamente simili, simmetriche. Quando il bambino nasce comincia a respirare dopo tre secondi. Quando l'uomo è vecchio e moribondo morirà tre secondi dopo aver smesso di respirare.

Il sesso arriva in età molto tarda: per quattordici anni il bambino ha vissuto senza sesso. E se la società non fosse troppo repressa e quindi ossessionata dal sesso, un bambino potrebbe restare completamente inconsapevole del fatto che il sesso – o qualcosa di simile – esiste. Può conservare un'innocenza assoluta. Ma nemmeno quell'innocenza è possibile, perché le persone sono troppo represse. Quando c'è la repressione, a fianco esiste anche l'ossessione.

I preti continuano a reprimere, ma esistono gli antipreti: Hugh Hefners e gli altri, che creano sempre più pornografia. Quindi da un lato ci sono i preti che reprimono, dall'altro gli antipreti che rendono la sessualità sempre più attraente. Procedono insieme, sono due aspetti della stessa medaglia. Solo quando le chiese saranno scomparse spariranno i giornali come «Playboy», non prima. Essi sono soci in affari, sembrano nemici, ma non farti ingannare: l'uno parla male dell'altro, ma è così che funzionano le cose.

Ho sentito di due persone che, poiché erano andate in rovina e si trovavano al verde, decisero di cominciare una nuova, semplicissima, attività.

Si misero a viaggiare, passando da una città all'altra. Prima arrivava uno di loro, di notte, e gettava catrame sulle porte e sulle finestre delle case; dopo due o tre giorni arrivava l'altro a pulire. Faceva sapere che era in grado di eliminare dalle case persino il catrame, e così puliva porte e finestre.

Nel frattempo, l'altro svolgeva la sua parte di lavoro in un'altra città. In questo modo cominciarono a guadagnare soldi a bizzeffe!

Ecco cosa sta succedendo tra la chiesa e le persone come Hugh Hefners, uomini che producono pornografia. Collaborano, sono complici in una cospirazione. Ogni volta che sei troppo represso, cominci a provare un'attrazione perversa. Questa attrazione è il problema, non il sesso.

Dunque, non avere mai idee contrarie al sesso, altrimenti non riuscirai a trascenderlo. Le persone che trascendono il sesso sono quelle che lo accettano in modo molto naturale. È difficile, lo so, perché sei nato in una società nevrotica, rispetto a tutto ciò che riguarda il sesso. In un modo o nell'altro, è sempre e comunque nevrotica. È difficilissimo uscire da questa nevrosi, ma se stai un po' attento puoi farcela. Quindi la vera questione non è trascendere il sesso, ma questa ideologia perversa della società: questa paura, questa repressione, questa ossessione verso il sesso.

Il sesso è meraviglioso. In sé è un fenomeno ritmico e naturale. Accade quando il bambino è pronto per essere concepito, ed è bene che accada, altrimenti la vita non potrebbe esistere. La vita esiste attraverso il sesso, quest'ultimo è il suo medium. Se comprendi la vita, se l'ami, capirai che il sesso è santo, sacro. Lo vivrai e lo apprezzerai; a quel punto, naturalmente come è venuto, così se ne andrà. All'età di quarantadue anni, più o meno, il sesso comincia a scomparire con la stessa naturalezza con cui è apparso. Ma non accade così.

Quando dico: «Quarantadue anni», ti sorprenderai. Conosci persone di settanta, ottant'anni, che non lo hanno trasceso. Conosci molti «vecchi sporcaccioni». Sono le vittime della società. Poiché non hanno potuto essere naturali, hanno questo strascico. Quando avrebbero dovuto godere ed essere felici, si sono repressi; in quei momenti di piacere non sono stati totali. Non sono stati orgasmici, perché hanno esitato.

Ogni volta che fai qualcosa esitando, durerà più a lungo. Se stai seduto a tavola e mangi con esitazione, resterai affamato e continuerai a pensare al cibo per tutto il giorno. Cerca di digiunare e te ne accorgerai: non farai altro che pensare al cibo. Ma se hai mangiato bene... e con questo non intendo dire che hai semplicemente riempito lo stomaco. In quel caso, non è detto che tu abbia mangiato bene: potresti esserti rimpinzato. Mangiare bene è un'arte, non è rimpinzarsi. Assaporare il cibo, annusarlo, toccarlo, masticarlo e digerirlo come se fosse una cosa divina: queste sono grandi arti. È davvero qualcosa di divino: è un dono di Dio.

Gli hindu dicono: «*Anam Brahma*», il cibo è divino. Per questo mangiano con profondo rispetto. Inoltre, mentre mangiano, si dimenticano di ogni altra cosa, perché mangiare è una preghiera esistenziale. Stanno mangiando Dio, e Dio sta dando loro nutrimento. È un dono da accettare con gratitudine e amore profondi. Non stai rimpinzando il corpo, perché vorrebbe dire andare contro il corpo. È l'altro estremo: esistono persone ossessionate dal digiuno e altre che non riescono a fare a meno di rimpinzarsi. Entrambe sbagliano, perché in tutti e due i casi il corpo perde equilibrio.

Una persona che ama davvero il corpo mangerà fino a quando quest'ultimo si sentirà calmo, tranquillo e in equilibrio, non squilibrato verso destra o verso sinistra, ma esattamente nel mezzo. Comprendere il linguaggio del corpo e dello stomaco, comprendere cos'è necessario, permettere solo questo e farlo in modo artistico, estetico: queste sono grandi arti.

Gli animali mangiano, così come fa l'uomo. Qual è la differenza? L'uomo rende l'atto del mangiare una grande esperienza estetica. A che pro avere una bellissima tavola da pranzo? Perché accendere candele e incensi? Come mai invitare amici? Per trasformare il mangiare in un'arte, e non in un semplice rimpinzarsi. Ma questi sono i segni esteriori dell'arte; quelli interiori sono: comprendere il linguaggio del corpo, ascoltarlo ed essere sensibile ai suoi bisogni. A quel punto, dopo aver mangiato, per il resto della giornata il cibo non ti verrà più in mente. Solo quando il corpo sarà di nuovo affamato tornerà il ricordo. Ma è naturale.

Con il sesso accade la stessa cosa. Se non hai un atteggiamento ostile nei suoi confronti, lo consideri come un dono naturale, divino, e lo tratti con profondo rispetto. Lo apprezzi con un atteggiamento di preghiera. Secondo il Tantra, prima di fare l'amore con un uomo o una donna devi pregare: così si avrà un incontro di energie divine. Dio vi circonderà: ogni volta che ci sono due persone che si amano Dio è presente. Ogni volta che due energie si incontrano e si fondono la vita è al suo culmine; Dio vi circonda. Le chiese sono vuote, ma le stanze dell'amore sono colme di Dio. Se hai assaporato l'amore nel modo in cui il Tantra e il Tao consigliano di farlo, all'età di quarantadue anni il sesso comincerà a scomparire da solo. E gli dirai addio con profonda gratitudine, perché ti sentirai appagato. È stato incantevole, estatico: adesso gli dici addio.

E quarantadue anni sono l'età giusta per la meditazione. Il sesso scompare, quell'energia straripante non esiste più, si diventa più tranquilli. La passione se n'è andata per lasciare il posto alla compassione. Adesso non esiste più eccitazione, alcun interesse verso l'altro. Una volta scomparso il sesso, l'altro non è più il centro dell'attenzione. Si comincia a fare ritorno alla propria sorgente: è cominciato il viaggio di rientro.

Il sesso non viene trasceso grazie ai tuoi sforzi. Accade se lo hai vissuto totalmente. Per cui il mio consiglio è: abbandona tutti gli atteggiamenti ostili, contrari alla vita, e accetta la realtà, lo stato di fatto delle cose. Il sesso c'è, chi sei tu per abbandonarlo? E chi sta cercando di abbandonarlo? Solo l'ego. Ricorda, il sesso crea il problema più grande per l'ego.

Esistono due tipi di persone: le persone molto egocentriche sono sempre contrarie al sesso, quelle umili mai. Ma chi ascolta le persone umili? In realtà, le persone umili non fanno prediche; queste sono un'esclusiva degli egocentrici.

Come mai c'è conflitto tra il sesso e l'ego? Perché nella tua vita il sesso è qualcosa in cui non puoi essere egocentrico: l'altro diventa più importante di te. La tua donna – o il tuo uomo – diviene più rilevante di te. In tutti gli altri casi, tu resti l'elemento più rilevante. In una relazione d'amore l'altro diventa molto, molto importante. Tu sei un satellite e l'altro si trasforma nel centro, ma lo stesso accade all'altra persona: tu diventi il centro e lei si trasforma in un satellite. È una resa reciproca. Entrambi vi state arrendendo al dio dell'amore, ed entrambi diventate umili.

Il sesso è l'unica energia che può farti intuire l'esistenza di qualcosa che non puoi controllare. Puoi mantenere il controllo sui soldi, sulla politica, sul mercato, sul sapere, sulla scienza, sulla morale. A un certo punto, il sesso introduce un mondo completamente nuovo, che non puoi controllare. E l'ego è il più grande controllore che ci sia.

Se può controllare è felice, se non può farlo è infelice, per questo tra l'ego e il sesso insorge un conflitto. Ricorda: è una battaglia persa in partenza; l'ego non può vincere, perché è superficiale. Il sesso ha radici molto profonde: è la tua vita. L'ego è solo la tua mente, la tua testa. Il sesso ha radici in tutto il tuo essere, l'ego è radicato solo nelle tue idee; è molto superficiale, esiste solo nella testa.

Perché cercare di trascendere il sesso? La testa cercherà di trascendere il sesso. Se stai troppo nella testa, vuoi trascendere il sesso, perché quest'ultimo ti riporta all'istinto, non ti permette di restare sospeso nella testa. Da lì puoi riuscire a fare qualsiasi altra cosa, ma non il sesso. Non potete fare l'amore con la vostra testa, dovrete scendere in basso, calarvi dalle vostre altezze e avvicinarvi alla terra.

Il sesso è un'umiliazione per l'ego: ecco perché gli egocentrici sono sempre contrari al sesso. Trovano sempre nuovi modi e stratagemmi per trascenderlo... ma non ci riescono mai. Al massimo, possono trasformarsi in pervertiti. Tutto il loro sforzo è condannato al fallimento, fin dall'inizio. Puoi fingere di aver sconfitto il sesso, ma sotto sotto... puoi razionalizzare e trovare ragioni, puoi fingere e creare una corazza resistentissima intorno a te stesso; ma in profondità la vera ragione, la realtà, non sarà scalfita. E la causa autentica esploderà: non puoi nasconderla, è impossibile.

Puoi cercare di controllare il sesso, ma una corrente sotterranea di sessualità sopravvivrà e si manifesterà in molti modi. Nonostante tutte le tue razionalizzazioni, continuerà ad alzare la testa.

Io non ti suggerirò di fare alcuno sforzo per trascendere il sesso. Il mio consiglio è esattamente l'opposto: scordati la trascendenza. Entra nel sesso più profondamente che puoi. Quando l'energia è presente, muoviti, ama nel modo più profondo possibile, e fanne un'arte. Non è qualcosa che va semplicemente «fatto»: ecco il significato della trasformazione del sesso in un'arte. Esistono sfumature sottili delle quali potranno accorgersi solo persone che vivono il sesso con un grande senso estetico. Altrimenti, puoi fare l'amore tutta la vita e restare insoddisfatto, perché non sai che la soddisfazione è qualcosa che ha molto a che fare con l'estetica. È simile a una musica sottile che nasce nella tua anima.

Se attraverso il sesso sperimenti l'armonia, se tramite l'amore cade ogni tensione e ti rilassi – se l'amore non è solo un'espulsione di energia perché non sai cos'altro farci, se non è un sollievo bensì un rilassamento, se ti rilassi nella tua donna e lei si rilassa in te – se per alcuni secondi, alcuni istanti o alcune ore ti dimentichi chi sei e ti perdi totalmente, allora dopo l'atto sessuale sarai più puro, innocente e vergine. E il tuo essere sarà diverso: a suo agio, centrato e radicato.

Se questo accade, un giorno improvvisamente ti accorgerai che quella corrente se n'è andata, e che ti avrà arricchito moltissimo. Non sarai triste per la sua scomparsa; proverai gratitudine, perché adesso si apriranno mondi più ricchi. Quando il sesso ti abbandona, si aprono le porte della meditazione. Quando il sesso ti abbandona, non cerchi di perderti nell'altro; acquisti la capacità di perderti in te stesso. Ora nasce un altro tipo di orgasmo, quello interiore, in cui si è con se stessi. Ma questo è possibile solo vivendo con l'altro.

Attraverso l'altro si cresce e si matura; quindi, arriva un momento in cui sei in grado di essere solo e immensamente felice. Il bisogno di un'altra persona è scomparso, ma attraverso di lei hai imparato tantissime cose su di te.

L'altro era diventato lo specchio, ma non hai rotto lo specchio: hai imparato così tanto su di te che adesso non c'è più bisogno di guardare nello specchio. Sei in grado di chiudere gli occhi e vedere il tuo volto, ma se all'inizio non ci fosse stato uno specchio, non avresti potuto farlo.

Lascia che la tua donna, o il tuo uomo, sia il tuo specchio. Guarda nei suoi occhi e vedi il tuo volto, entra nell'altro e conosci te stesso. Allora, un giorno, lo specchio non sarà più necessario. Ma non sarai ostile verso lo specchio; proverai così tanta gratitudine nei suoi confronti che ti sarà impossibile essere contro di esso. A quel punto accade la trascendenza.

La trascendenza non è repressione, ma una crescita naturale. Va' al di sopra, al di là, proprio come un seme si rompe e il germoglio comincia a spuntare dalla terra. Quando il sesso scompare, il seme scompare. Grazie al sesso, sei riuscito a fare nascere qualcun altro, un bambino. Quando il sesso scompare, tutta l'energia si impegna a dare una nascita a te stesso. Questo è ciò che gli hindu hanno definito *dwija*, il «nato-due-volte». Una nascita ti è stata data dai genitori, l'altra è in attesa: tu la devi dare a te stesso, devi essere padre e madre di te stesso.

In quel caso tutta la tua energia si volge verso l'interno, trasformandosi in un circolo interiore. Ora come ora ti sarà difficile creare un circolo interiore. Ti sarà più facile collegarti a un altro polo – un uomo o una donna – solo così il circolo diventerà completo e tu potrai apprezzarne l'estasi. Poi, piano piano, riuscirai a creare quel circolo da solo, perché anche dentro di te sei uomo e donna, donna e uomo.

Nessuno è solo un uomo e nessuno è solo una donna: infatti, tu sei frutto dell'incontro tra un uomo e una donna. Entrambi hanno partecipato: sia tua madre sia tuo padre ti hanno dato qualcosa, hanno contribuito al cinquanta per cento. Sono entrambi presenti. Esiste una possibilità che tutti e due possano unirsi dentro di te; tuo padre e tua madre possono amarsi ancora dentro di te, allora nascerà la tua realtà. Si sono già uniti una volta, quando è nato il tuo corpo; adesso, se riescono a unirsi dentro di te, nascerà la tua anima. Ecco che cos'è la trascendenza del sesso: una sessualità più elevata.

Lasciami concludere così: quando trascendi il sesso raggiungi una sessualità più elevata. Il sesso comune è grossolano, quello più elevato non lo è affatto. Il primo è estroverso, il secondo introverso. Nel primo si incontrano due corpi e l'unione avviene all'esterno, nel secondo si incontrano le vostre energie interiori. Non è qualcosa di fisico, ma di spirituale: è trascendenza.

Ci vuole un villaggio...

L'uomo ha superato la famiglia. L'utilità di quest'ultima è finita, è durata troppo a lungo. Poiché è una delle istituzioni più antiche, solo persone molto sensibili possono accorgersi che è già morta. Per le altre ci vorrà tempo prima che possano riconoscerlo.

La famiglia ha svolto il suo compito, non ha più importanza nel nuovo contesto, per la nuova umanità che sta nascendo.

La famiglia è stata buona e cattiva. È stata un aiuto – l'uomo è sopravvissuto grazie a essa – ma è anche stata molto dannosa, perché ha corrotto la mente umana. D'altra parte in passato non c'era alternativa, era impossibile scegliere qualcos'altro. Si trattava di un male necessario. In futuro non sarà necessariamente così, possono esistere stili di vita alternativi.

La mia idea è che in futuro non esisterà un modello fisso; ci saranno molti, molti stili alternativi. Se alcune persone scelgono ancora di avere una famiglia, dovrebbero avere la libertà di poterlo fare. Si tratterà di una percentuale molto piccola. Sulla Terra esistono alcune famiglie – pochissime, non più dell'uno per cento – che sono davvero bellissime e benefiche, all'interno delle quali l'uomo può crescere. In esse non esistono autorità, giochi di potere o possessività; i bambini non vengono distrutti, la moglie non cerca di annientare il marito né il marito cerca di annientare la moglie, le persone si sono unite per gioia e non per altri motivi; la politica non esiste, anzi ci sono amore e libertà. Certo, questo tipo di famiglia è esistita ed esiste tuttora. Per persone simili non c'è bisogno di cambiamenti, in futuro potranno continuare a vivere in una famiglia.

Ma per la grande maggioranza la famiglia è una cosa orribile. Se chiedi agli psicoanalisti, ti diranno che ogni sorta di malattia mentale si sviluppa a causa della famiglia. Ogni tipo di psicosi, di nevrosi, nasce a causa della famiglia. Essa crea un essere umano molto, molto patologico.

Tutto questo non è necessario, dovrebbero essere possibili stili alternativi. Per me, uno stile alternativo è la comune: l'alternativa migliore.

Una comune vuol dire che la gente vive in una famiglia fluida. I bambini appartengono alla comune, cioè a tutti. Non esiste proprietà privata né ego privato. Un uomo vive con una donna perché entrambi sentono di farlo, sono contenti e si divertono. Quando sentono che l'amore non accade più, non continuano ad aggrapparsi l'uno all'altra. Si dicono addio con il massimo della gratitudine e dell'amicizia, e passano a un'altra persona.

In passato l'unico problema erano i bambini. I bambini che vivono in una comune possono appartenerle, e questo sarà molto meglio: conosceranno un'ampia varietà di persone e avranno più opportunità di crescere. Altrimenti un bambino cresce con la madre... per anni, il padre e la madre sono per lui le uniche immagini di esseri umani. Naturalmente, comincerà a imitarli. I bambini diventano imitazioni dei padri, perpetuando nel mondo lo stesso tipo di malattia di questi ultimi. Si trasformano in fotocopie: è qualcosa di estremamente distruttivo. Ma per i bambini è impossibile fare qualcos'altro: non conoscono modelli diversi.

Se in una comune vivono cento persone, ci saranno molti uomini e molte donne: il bambino non si fisserà, non si ossessionerà con un solo modello di vita. Può imparare dal padre, dagli zii, da tutti gli uomini della comunità. Avrà un'anima più grande.

Le famiglie schiacciano le persone, ne rimpiccioliscono lo spirito. In una comune il bambino avrà un'anima più grande, conoscerà più possibilità e il suo essere ne sarà notevolmente arricchito. Vedrà molte donne, non avrà un solo ideale. Avere un unico ideale femminile è estremamente distruttivo, in quanto per tutta la vita non farai che cercare tua madre. Ogni volta che ti innamori, osserva: con tutta probabilità hai trovato una donna che assomiglia a tua madre. Ma questa potrebbe essere proprio la persona che avresti dovuto evitare.

Tutti i bambini sono arrabbiati con la madre. Deve proibire molte cose, deve dire: «No!»; è inevitabile. Anche una buona madre qualche volta deve dire: «No», porre limiti, rifiutare. Il bambino prova rabbia, rancore. Odia la madre, ma al tempo stesso l'ama, perché lei è la sua sopravvivenza, la fonte di vita e di energia. Quindi, odia e ama la madre allo stesso tempo: questo diventa il modello. Amerai e odierai la stessa donna: non hai altra scelta. Continuerai a cercare, inconsciamente, tua madre. Ma questo accade anche alle donne: sono sempre alla ricerca del padre. Tutta la loro vita è una ricerca del papà come marito. Ebbene, tuo padre non è l'unica persona al mondo; il mondo è molto più ricco. E, in realtà, se riesci a trovare il papà, non sarai felice; puoi esserlo con una persona che ami, con il fidanzato, non con tuo padre. Se riesci a trovare tua madre, non sarai felice con lei. Già la conosci, non c'è altro da esplorare. È familiare, e ciò che è familiare suscita disprezzo. Dovresti metterti alla ricerca di qualcosa di nuovo, ma non possiedi alcuna immagine.

In una comune un bambino avrà un'anima più ricca. Conoscerà molte donne e molti uomini, non sarà dipendente da una o due persone.

La famiglia crea in te un'ossessione, e l'ossessione è contro l'umanità. Se tuo padre sta lottando contro qualcuno e vedi che ha torto, non importa: devi essere con lui, dalla sua parte. Allo stesso modo in cui si dice: «Nel torto o nella ragione, la Patria è la Patria» così si dice: «Nel torto o nella ragione, mio padre è mio padre. Mia madre è mia madre, devo stare con lei». Il contrario sarebbe un tradimento. Ciò ti insegna a essere ingiusto. Tua madre sta litigando con un vicino e puoi vedere che ha torto: tuttavia, devi stare dalla sua parte. Così si insegna una vita iniqua.

In una comune non sarai troppo attaccato a una famiglia, anzi, non ci sarà famiglia cui attaccarsi. Sarai più libero e meno ossessionato. Sarai più equo. E riceverai amore da molte fonti, avrai la sensazione che la vita sia colma d'amore.

La famiglia ti insegna il conflitto con la società, con le altre famiglie. La famiglia esige il monopolio: ti chiede di essere dalla sua parte, contro tutti gli altri. Devi essere al servizio della famiglia, devi continuare a combattere nel suo nome e per la sua gloria. La famiglia ti insegna l'ambizione, il conflitto, l'aggressività. In una comune sarai meno aggressivo e più rilassato nei confronti del mondo, perché avrai conosciuto moltissime persone.

Quindi, invece della famiglia, vorrei vedere una comune dove tutti sono amici. Persino i mariti e le mogli non dovrebbero essere nulla di più che amici. Il loro matrimonio dovrebbe essere semplicemente un accordo: hanno deciso di stare insieme perché così sono felici. Nell'istante in cui anche uno solo di loro decide che sta prendendo piede l'infelicità, si separano. Non c'è bisogno di alcun divorzio; poiché non c'è matrimonio, non c'è divorzio. Si vive spontaneamente.

Quando vivi nell'infelicità, a poco a poco ti ci abitui. Mai, nemmeno per un solo istante, si dovrebbe tollerare l'infelicità. Forse in passato vivere con un uomo è stato bello e piacevole, ma se non c'è più gioia, devi uscirne. Non occorre essere arrabbiati, distruttivi, o serbare rancore, perché nei riguardi dell'amore non è possibile fare alcunché. L'amore è come un vento leggero. Lo vedi... arriva. Se c'è, c'è. Poi se n'è andato; e quando se n'è andato, se n'è andato. L'amore è un mistero che non puoi manipolare: non dovrebbe essere manipolato, legalizzato o forzato, per alcun motivo.

In una comune la gente convivrà per la pura gioia di stare insieme, non per altri motivi. E quando la gioia è scomparsa, ci si separa. Può essere triste, nella mente può rimanere la nostalgia del passato, ma ci si deve lasciare. I partner si devono impegnare l'uno con l'altra a non vivere nell'infelicità, altrimenti quest'ultima diventerà un'abitudine. Si lasceranno con il cuore pesante, ma senza risentimenti. Si metteranno alla ricerca di altri partner.

In futuro non ci saranno né matrimoni né divorzi, al contrario che nel passato. La vita sarà più fluida, più basata sulla fiducia. Si avrà più fiducia nei misteri della vita che nella chiarezza delle leggi; si avrà più fiducia nella vita in sé che in qualsiasi altra cosa: il tribunale, la polizia, il prete, la chiesa. E i bambini dovrebbero appartenere a tutti, non dovrebbero indossare stemmi di famiglia. Apparterranno alla comune; essa si prenderà cura di loro.

Questo sarà il passo più rivoluzionario nella storia dell'uomo: nelle comuni le persone cominciano a vivere in un clima di onestà, fiducia, sincerità, abbandonando a poco a poco la legge.

In una famiglia prima o poi l'amore scompare. In primo luogo, potrebbe non essere mai esistito, nemmeno all'inizio. Il matrimonio potrebbe essere stato combinato per altri motivi: per soldi, per potere, per prestigio. Forse, fin dall'inizio non c'è stato amore, e i bambini che nascono in un clima privo di affetto diventano immediatamente aridi. La mancanza di amore in casa li rende duri, a loro volta privi di sentimento. Imparano la prima lezione della vita dai genitori, ma questi ultimi sono senza amore e sempre pieni di gelosia, rabbia e aggressività. E i bambini vedono solo le brutte facce dei genitori.

La loro speranza viene distrutta. Se l'amore non è accaduto nella vita dei genitori, non possono credere che accadrà nella loro. E vedono anche gli altri parenti, le altre famiglie. I bambini sono molto sensibili, si guardano intorno e osservano. Quando vedono che l'amore è impossibile, cominciano a pensare che esiste solo per i poeti e i visionari, non ha alcun riscontro nella vita. E una volta che ti sei convinto che l'amore è solo poesia, non accadrà mai, perché ti sei chiuso a quella dimensione.

Vederlo accadere è l'unico modo per lasciarlo accadere più tardi, nella tua vita. Se vedi che tuo padre e tua madre si amano profondamente e intensamente, che si prendono cura l'uno dell'altra, provano compassione e si rispettano reciprocamente, hai visto l'amore accadere. Allora sorge la speranza. Nel tuo cuore cade un seme e comincia a crescere. Sai che accadrà anche a te.

Se non l'hai visto, come puoi pensare che accadrà anche a te? Se non è successo ai tuoi genitori, come può succedere a te? In realtà, farai di tutto per impedire che ti accada, altrimenti sembrerà un tradimento nei loro confronti.

La mia osservazione delle persone è che, in modo profondamente inconscio, le donne ripetono: «Guarda mamma, sto soffrendo come te». E i ragazzi dicono a se stessi, più tardi: «Papà, non ti preoccupare, la mia vita è infelice come la tua. Non ti ho superato, non ti ho tradito. Resto la stessa persona infelice che sei stato tu. Porto la catena, perpetuo la tradizione. Sono il tuo rappresentante, papà, non ti ho tradito. Guarda, sto facendo la stessa cosa che facevi a mia madre, la sto facendo alla madre dei miei figli. E quello che facevi a me lo sto facendo a loro. Li sto tirando su nello stesso modo in cui tu hai tirato su me».

Ebbene, l'idea stessa di «tirare su» i bambini è una sciocchezza. Al massimo puoi dare un aiuto, non puoi «tirarli su». L'idea stessa di «formarli» è non solo stupida, ma estremamente dannosa. Non puoi «tirare su» degli esseri umani: un bambino non è una cosa, non è un edificio. È come un albero; certo, puoi dare un aiuto. Puoi preparare il terreno, mettere dei fertilizzanti, annaffiare, controllare se il sole raggiunge la pianta: tutto qui. Ma non stai «formando» la pianta, essa viene su da sola. Puoi aiutare, ma non puoi né formarla né tirarla su.

I bambini sono misteri sconfinati. Quando cominci a «formarli», a creare modelli e personalità in loro, li stai imprigionando. Non potranno mai perdonarti. Ma questo è l'unico modo in cui impareranno, e faranno la stessa cosa ai propri figli, e ciò si ripeterà all'infinito. Ogni generazione passa le proprie nevrosi agli ultimi arrivati sulla Terra. E la società persiste con tutta la sua follia, nella sua infelicità.

No, adesso è necessario qualcosa di diverso. L'uomo è

cresciuto e la famiglia appartiene al passato; in realtà, non ha futuro. La comune sarà ciò che può sostituire la famiglia, e sarà molto più benefica.

Ma in una comune possono stare insieme solo persone meditative. Solo quando sapete celebrare la vita, potete stare insieme; solo quando conoscete quello spazio che io chiamo meditazione, potete convivere ed essere amorevoli. L'antica stupidaggine di un amore esclusivo va abbandonata: solo allora puoi vivere in una comune. Se continui a credere nella vecchia idea di un amore esclusivo – cioè, che la tua donna non deve tenere la mano di un altro e tuo marito non deve ridere con nessun'altra – non puoi diventare parte di una comune.

Se tuo marito ride con qualcun'altra, va bene. La risata va sempre bene. Non importa in compagnia di chi accada, essa è un valore. Se la tua donna tiene la mano di qualcun altro, ottimo! Sta fluendo calore e questo va bene, è un valore. È indifferente con chi accade.

E se per la tua donna accade con molte altre persone, continuerà ad accadere anche con te. Se non accade con nessuno, non accadrà nemmeno con te. Il vecchio modo di pensare è decisamente stupido... è come se dicessi a tuo marito quando esce di casa: «Fuori di qui, non respirare. Quando torni a casa puoi respirare quanto vuoi, ma solo quando sei con me. Fuori di casa trattieni il respiro, diventa uno yogin. Non voglio che respiri quando non sei con me». Sembra sciocco... ma perché l'amore dovrebbe essere qualcosa di diverso dal respiro?

L'amore è respiro. Il respiro è la vita del corpo, l'amore è la vita dell'anima. È molto più importante che respirare. Quando tuo marito esce, gli imponi di non ridere con nessun altro, almeno non con un'altra donna. Non dovrebbe provare affetto per nessuno. Quindi per ventitré ore lui è arido, privo di qualsiasi moto d'amore, poi in quell'ora che passa a letto con te finge di provare amore... hai ucciso il suo amore, non fluisce più. Se deve restare uno yogin per ventitré ore, trattenendo spaventato il proprio amore, pensi che improvvisamente possa rilassarsi per un'ora? È impossibile. Prima distruggi l'uomo (o la donna), poi ti stanchi, ti annoi. Cominci a pensare: «Non mi ama!», ma sei tu la responsabile di tutto. A quel punto lui comincia a sentire di non essere amato, e non siete più felici come prima.

Quando la gente si incontra su una spiaggia, in un giardino, a un appuntamento, non c'è nulla di prestabilito e tutto è fluido; è felicissima. Perché? Perché è libera. L'uccello sul ramo è una cosa, e lo stesso uccello in gabbia un'altra. Le persone sono felici perché sono libere.

L'uomo non può essere felice senza libertà, ma la vostra vecchia struttura familiare ha distrutto la libertà. E poiché ha distrutto la libertà, ha distrutto la felicità e l'amore.

È stata come una misura di sicurezza. Certo, in qualche modo ha protetto il corpo, ma ha distrutto l'anima. Adesso non c'è più bisogno della famiglia, e dobbiamo proteggere anche l'anima. Questo è molto più importante, è fondamentale.

Non c'è futuro per la famiglia, non nel senso in cui è stata intesa finora. C'è un futuro per l'amore e le relazioni d'amore. «Marito» e «moglie» diventeranno parole brutte e oscene.

Inoltre, ogni volta che monopolizzi la donna o l'uomo naturalmente monopolizzi anche i bambini. Sono completamente d'accordo con il dottor Thomas Gordon che sostiene: «Penso che tutti i genitori siano in potenza dei violentatori di bambini, perché l'educazione dei figli avviene fondamentalmente attraverso il potere e l'autorità.

Penso che l'idea: "È il mio bambino, posso farci quello che voglio" sia violenta e distruttiva». Un bambino non è una cosa, non è una sedia o una macchina. Non puoi farci quello che vuoi: arriva attraverso di te, ma non ti appartiene; appartiene all'esistenza. Al massimo puoi prenderti cura di lui, non diventare possessivo.

Ma l'intera idea di famiglia si basa sul possesso: il possesso della proprietà, della donna, dell'uomo, dei bambini. E la possessività è veleno, per questo io sono contro la famiglia. Ma non sto dicendo che coloro che sono davvero felici nella propria famiglia – fluidi, vivi, pieni d'amore – debbano distruggerla. No, non occorre. La loro famiglia è già una comune, una piccola comune.

Naturalmente una comune più grande sarà molto meglio, avrà più possibilità e più persone. Persone diverse portano canzoni, stili, brezze, raggi di luce diversi. E i bambini dovrebbero essere inondati di stili di vita i più diversi possibile, in modo che possano avere libertà di scelta.

Dovrebbero essere arricchiti dalla conoscenza di molte donne, in modo da non fissarsi sul volto e sullo stile della madre. Così saranno capaci di amare molte più donne e più uomini. La vita sarà più simile a un'avventura.

Ho sentito raccontare...

Una madre porta il figlio al reparto giocattoli di un grande magazzino. Vedendo un enorme cavallo a dondolo, il bambino ci sale e si dondola per almeno un'ora.

«Scendi» lo implora la madre. «Devo andare a casa a preparare la cena a tuo padre.» Il piccolino rifiuta di muoversi, frustrando tutti gli sforzi della madre. Interpellato, neppure il direttore del grande magazzino riesce a persuadere il bambino. Alla fine, disperati, chiamano lo psichiatra del centro commerciale. Questi si fa avanti adagio e sussurra alcune parole nell'orecchio del bambino; immediatamente il piccolo salta giù e corre a fianco della madre.

«Come ha fatto» chiede la madre, incredula. «Cosa gli ha detto?»

Lo psichiatra esita un istante, poi dice: «Tutto ciò che gli ho detto è: "Se non scendi subito da quel cavallo a dondolo, ti sbatto giù io!"».

La gente impara, prima o poi, che la paura, l'autorità, il potere, funzionano. E poiché i bambini sono estremamente inermi e dipendenti dai genitori, puoi fare loro paura. Sfruttarli e opprimerli diventa la tua tecnica, e loro non hanno alcun posto dove andare.

In una comune avrebbero molti posti. Ci sarebbero parecchi zii, zie e altre persone: non sarebbero così impotenti, non sarebbero in mano tua come adesso, sarebbero più indipendenti e meno inermi. Non riusciresti a importi così facilmente. E tutto ciò che vedono in casa è infelicità Qualche volta – è vero, lo so – marito e moglie si amano, ma questo accade sempre in privato. I bambini non lo sanno, conoscono solo le facce torve, il lato sgradevole. Quando il padre e la madre si amano, lo fanno dietro porte chiuse e in silenzio, in modo che i bambini non vedano che cos'è l'amore. Loro vedono solo i litigi, i rimproveri, le discussioni, gli insulti le umiliazioni, le percosse, sia fisiche sia psicologiche. Uno spettacolo che li impressiona...

Un uomo è seduto in salotto a leggere il giornale, quando la moglie arriva e gli dà uno schiaffo.

«Perché mi hai dato uno schiaffo?» chiede il marito, in dignato.

«Perché a letto non vali niente.»

Dopo un po', mentre la moglie sta guardando la televisione, il marito si avvicina e le dà un sonoro ceffone.

«Perché mi hai dato un ceffone?» urla.

«Perché conosci la differenza...» risponde lui

Questo si ripete in continuazione, e i bambini vedono tutto. È vita questa? È ciò che una vita dovrebbe essere? È il massimo che si può ottenere? I bambini cominciano a perdere la speranza. Prima di entrare nella vita sono già dei falliti, hanno accettato il fallimento. Se i loro genitori, così saggi e potenti, non hanno successo, che speranze hanno loro? Nessuna.

E i bambini hanno imparato i trucchi... l'infelicità, l'aggressività. Non vedono mai accadere l'amore. In una comune ci sarebbero più possibilità. L'amore dovrebbe uscire un po' di più allo scoperto. La gente dovrebbe sapere che l'amore accade; i bambini piccoli dovrebbero conoscere che cos'è l'amore, dovrebbero vedere le persone che si prendono cura l'una dell'altra.

Ma è un'idea antichissima, vecchissima: in pubblico puoi fare a pugni, ma non puoi essere affettuoso. Battersi va bene. Puoi compiere un assassinio, è consentito. Di fatto, quando due persone si picchiano, si raduna una folla e tutti si divertono. Ecco perché la gente continua a leggere libri gialli, con trame sempre più ricche di suspense e omicidi.

L'omicidio è permesso, l'amore no. Fare l'amore in pubblico viene considerato osceno. Ebbene, questo è assurdo: l'amore è osceno e l'omicidio no? Gli innamorati non possono amarsi in pubblico, mentre i generali possono andare in giro esibendo tutte le loro medaglie? Costoro sono assassini, e queste medaglie premiano degli omicidi! Mostrano quante persone sono state uccise: non è osceno?

Questa dovrebbe essere l'oscenità. A nessuno dovrebbe

essere consentito picchiarsi in pubblico: è osceno, la violenza è oscena. Come può essere osceno l'amore? Eppure viene considerato tale. Devi nasconderlo al buio, devi farlo in modo che nessuno se ne accorga, in silenzio e furtivamente... naturalmente, non potrai divertirti molto. E la gente non impara che cos'è l'amore. I bambini, in particolare, non hanno modo di saperlo.

In un mondo migliore, con una maggiore comprensione, l'amore sarebbe ovunque. I bambini vedrebbero cosa vuol dire «voler bene», si accorgerebbero quanta gioia dà prendersi cura di qualcuno. Bisognerebbe accettare di più l'amore e rifiutare maggiormente la violenza. L'amore dovrebbe essere più accessibile. Due persone che fanno l'amore non dovrebbero preoccuparsi del fatto che nessuno lo sappia. Dovrebbero ridere, cantare, urlare di gioia, in modo che tutto il vicinato sappia che qualcuno sta amando qualcun altro... cioè, sta facendo l'amore.

L'amore dovrebbe essere un dono, qualcosa di divino. È sacro.

Puoi pubblicare un libro su un omicidio, è accettato: non viene considerato pornografia. Ma per me quella è pornografia. Non puoi pubblicare un libro in cui un uomo nudo dia un abbraccio profondo e pieno d'amore a una donna: è pornografia. Questo mondo, finora, è esistito contro l'amore. La tua famiglia, la tua società, il tuo Stato sono contro l'amore. È un miracolo che sia rimasto un po' d'amore, che sia sopravvissuto. Oggi l'amore non è come dovrebbe essere, è solo una piccola goccia, non un oceano. Ma il fatto che sia scampato a tanti nemici è un miracolo. Non è stato completamente distrutto... è un miracolo.

La mia visione di una comune è questa: persone piene d'amore che vivono insieme senza antagonismo né competizione, in cui l'amore sia fluido e più libero, senza gelosia né possessività. E i bambini apparterranno a tutti, perché appartengono all'esistenza: ognuno si prenderà cura di loro. Sono così belli i bambini: chi non si prenderebbe cura di loro? Inoltre, avrebbero la possibilità di vedere moltissime persone piene d'amore, ognuna delle quali vivrebbe a modo suo. Si arricchirebbero di più. E io ti dico che se al mondo esistessero bambini simili, nessuno di loro leggerebbe «Playboy», non ce ne sarebbe bisogno. Né leggerebbero il *Kamasutra* di Vatsyana, perché sarebbe inutile. Il nudo, le fotografie pornografiche sparirebbero: dimostrano solo l'esistenza di una sessualità, di un amore ridotti alla fame. Il mondo sarebbe così colmo d'amore da diventare quasi asessuato.

I tuoi preti e i tuoi poliziotti hanno creato ogni tipo di oscenità al mondo. Sono la sorgente di tutto ciò che è abnorme e disgustoso. E la tua famiglia ha svolto un ruolo chiave in tutto ciò. La famiglia deve scomparire, deve dissolversi nella visione di una comune più grande, di una vita più fluida, non basata su piccole identità.

In una comune ci sarebbero buddhisti, hindu, giainisti, cristiani, ebrei. Se scompare la famiglia, scompariranno automaticamente anche le chiese, perché le famiglie appartengono alle chiese. In una comune ci sarebbe in circolazione ogni tipo di gente, di religione, di filosofia, e il bambino avrebbe l'opportunità di imparare. Un giorno andrebbe in chiesa con uno zio, un altro al tempio con un altro zio, in modo da imparare tutto il possibile e avere la possibilità di scegliere. In questo modo può decidere a quale religione appartenere. Non ci sarebbe nulla di imposto.

La vita può trasformarsi in un paradiso «quieora». Le barriere vanno eliminate, e la famiglia è una delle barriere più grandi.

Domande e risposte

1. *Tu hai detto che l'amore rende liberi. Ma, in genere, nella nostra esperienza comune, noi vediamo che l'amore diventa attaccamento e, anziché liberarci, ci schiavizza ancora di più. Quindi, puoi dirci qualcosa di più sull'attaccamento e sulla libertà?*

L'amore diventa attaccamento perché non c'è amore. Stavi solo recitando e ingannando te stesso. La realtà è l'attaccamento, l'amore era solo un preliminare. Pertanto, ogni volta che ti innamori, prima o poi scopri di essere diventato uno strumento: a quel punto prende piede l'infelicità. Qual è il meccanismo? Perché accade?

Proprio pochi giorni fa è venuto da me un uomo che si sentiva molto in colpa. Ha detto: «Amavo una donna. L'amavo tantissimo. Il giorno in cui è morta piangevo e singhiozzavo, ma improvvisamente mi sono accorto che dentro di me provavo un senso di libertà, come se un peso mi avesse abbandonato. Sentivo un profondo sollievo, come se fossi diventato libero».

In quell'istante era divenuto consapevole di un secondo livello dei propri sentimenti. All'esterno piangeva, singhiozzava e diceva: «Non posso vivere senza di lei. Adesso

214

sarà impossibile, la vita sarà come una morte». Ma in profondità sentiva: «Mi sono accorto che mi sento molto bene, adesso sono libero».

A un terzo livello cominciò a sentirsi in colpa. Da lì sorse la domanda: «Cosa stai facendo?». Quell'uomo mi disse che, davanti al cadavere, cominciò a provare un grande senso di colpa. Mi chiese: «Aiutami. Cos'è successo alla mia mente? Ho tradito la mia amata prima del tempo, troppo presto?».

Non è successo nulla, nessuno ha tradito nessuno. Quando l'amore diventa attaccamento, si trasforma in un peso, in una schiavitù. Ma come mai l'amore si trasforma in un attaccamento? La prima cosa da capire è che, se l'amore si trasforma in attaccamento, era solo un'illusione: stavi ingannando te stesso e pensavi fosse amore. In realtà, avevi bisogno dell'attaccamento e, se vai ancora più in profondità, scoprirai che avevi anche bisogno di diventare uno schiavo.

La libertà provoca una paura sottile: tutti vorrebbero essere degli schiavi. Tutti, naturalmente, parlano di libertà, ma nessuno ha il coraggio di essere davvero libero; infatti, quando sei davvero libero sei solo. Puoi essere libero unicamente se hai il coraggio di essere solo.

Ma nessuno ha il coraggio sufficiente per essere solo. Hai bisogno di qualcuno. Perché? Tu hai paura della tua solitudine, ti annoi di te stesso. In realtà, quando sei solo, nulla sembra avere un significato. Se c'è qualcun altro, hai qualcosa da fare e crei significati artificiali intorno a te.

Poiché non sei in grado di vivere per te stesso, cominci a vivere per qualcun altro. Ma anche a lui accade la stessa cosa: poiché non sa vivere da solo, cerca qualcuno. Due persone, spaventate dalla propria solitudine, si mettono insieme e cominciano una recita: la recita dell'amore. Ma

215

in profondità stanno cercando l'attaccamento, il vincolo, la schiavitù.

Qualunque cosa desideri prima o poi accade. Questa è una delle più grandi disgrazie del mondo: tutto ciò che desideri accade. Prima o poi l'otterrai, e i preliminari scompariranno; quando avranno esaurito la loro funzione, non ci saranno più. Una volta diventati marito e moglie, schiavi l'uno dell'altra, una volta celebrato il matrimonio, l'amore scomparirà, perché era solo un'illusione grazie alla quale due persone hanno potuto schiavizzarsi reciprocamente.

Non puoi chiedere in modo diretto di diventare uno schiavo: è troppo umiliante. Né puoi dire direttamente a qualcuno: «Diventa mio schiavo». Si ribellerebbe! Per questo affermi: «Non posso vivere senza di te», ma il significato resta lo stesso. E quando il desiderio autentico è appagato, l'amore scompare. A quel punto ti senti prigioniero, schiavo, e cominci a lottare per la libertà.

Ricorda: questo è uno dei paradossi della mente. Qualunque cosa fai, te ne annoierai; qualunque cosa non fai, la desidererai. Quando sei solo, cerchi una schiavitù, una dipendenza. Quando sei schiavo, cominci a cercare la libertà. In realtà, solo gli schiavi cercano la libertà; le persone libere cercano di ritornare schiave. La mente si muove come un pendolo, passando da un estremo all'altro.

L'amore non si trasforma in attaccamento. Il bisogno era l'attaccamento, l'amore non era altro che l'esca. Eri alla ricerca di un pesce chiamato «attaccamento», l'amore era solo l'esca per quel pesce. Una volta preso il pesce, l'esca viene gettata via. Ricordalo! E ogni volta che stai facendo qualcosa, va' in profondità dentro di te per trovare la causa fondamentale.

Se l'amore fosse autentico, non si trasformerebbe mai

in attaccamento. Qual è il meccanismo per cui l'amore diventa attaccamento? Nel momento in cui dici alla persona che ami: «Ama solo me», hai cominciato a possedere. E quando possiedi qualcuno, lo hai insultato profondamente, perché lo hai trasformato in un oggetto.

Se ti possiedo, non sei più una persona, ma solo un altro pezzo del mio mobilio... una cosa. Ti userei, trasformandoti in un mio oggetto, in una mia proprietà: non ti lascerei usare da nessun altro; dunque, è una transazione nella quale io ti possiedo e faccio di te un oggetto. È l'accordo secondo il quale adesso nessun altro potrà utilizzarti. Entrambi i partner si sentono schiavi e prigionieri. Io ti rendo schiavo, e in compenso tu rendi schiavo me.

A quel punto comincia lo scontro. Io voglio essere una persona libera, ma desidero anche possederti; tu vuoi conservare la tua libertà, ma anche possedermi: ecco lo scontro. Se ti possiedo, sarò posseduto da te; se non voglio essere posseduto da te, non dovrei possederti. La possessività non dovrebbe intromettersi. Dobbiamo restare individui e comportarci in quanto consapevolezze libere e indipendenti. Possiamo metterci insieme, fonderci l'uno nell'altra, ma nessuno possiede alcunché. A quel punto non ci sono né schiavitù né attaccamento.

L'attaccamento è una delle cose più brutte. E dicendo «brutte» non intendo solo dal punto di vista religioso, ma anche estetico. Quando ti attacchi a qualcuno, hai perso la tua solitudine, hai perso tutto. Per il semplice piacere di sentirti necessario e vicino a qualcuno, hai perso ogni cosa. Hai perso te stesso.

Il trucco è che cerchi di essere indipendente e fai dell'altro una tua proprietà... ma quest'ultimo sta facendo la stessa cosa.

Per cui, se non vuoi essere posseduto, non possedere. Da

217

qualche parte Gesù ha affermato: «Non giudicate, affinché non siate giudicati». È la stessa cosa: «Non possedete, affinché non siate posseduti». Non tramutare qualcuno in uno schiavo, altrimenti diventerai uno schiavo tu stesso.

I cosiddetti padroni sono sempre schiavi dei propri schiavi. Non puoi diventare padrone di qualcuno senza trasformarti in uno schiavo: è impossibile. Puoi essere un padrone solo quando nessuno è tuo schiavo. Sembra paradossale, perché ti verrebbe da chiedere: «Allora cosa vuol dire essere un padrone? In che modo lo sono, se nessuno è mio schiavo?». Ma io sostengo che solo in quel caso sei un padrone, e allora nessuno è tuo schiavo e nessuno sta cercando di trasformarti in uno schiavo.

Amare la libertà, cercare di essere libero, significa fondamentalmente che sei giunto a una profonda comprensione di te stesso. Adesso sai che basti a te stesso. Puoi condividere con qualcuno, ma non sei dipendente. Io posso condividere me stesso – il mio amore, la mia felicità, la mia estasi, il mio silenzio – con qualcuno, ma si tratta di una condivisione, non di una dipendenza. Se non c'è nessuno, sarò altrettanto felice ed estatico; se c'è qualcuno, va bene lo stesso, posso condividere.

Solo quando avrai realizzato la tua consapevolezza, il tuo centro, solo allora l'amore non diventerà attaccamento. Se non conosci il tuo centro interiore, l'amore si trasformerà in attaccamento; se lo conosci, l'amore diventerà devozione. Ma per amare devi prima essere presente, e non lo sei.

Ora come ora non ci sei. Quando affermi: «Quando amo qualcuno, l'amore si trasforma in attaccamento» stai dicendo di non essere presente. Quindi tutto ciò che fai è sbagliato, perché colui che agisce è assente; manca il punto fermo interiore della consapevolezza, di conseguenza ogni tuo agire diventa un errore. Prima sii, dopo puoi condividere il tuo essere, e quella condivisione sarà amore. Prima di allora tutto ciò che farai si trasformerà in un attaccamento.

E per finire: se stai lottando contro l'attaccamento, hai preso la strada sbagliata. È possibile lottare: lo stanno facendo tantissimi monaci, eremiti, *sannyasin*. Pensano di essere attaccati alla casa, a ciò che possiedono, alla moglie, ai figli, e si sentono in gabbia, prigionieri; per cui fuggono, abbandonando la casa, la moglie, i figli, tutto ciò che possiedono; diventano mendicanti e fuggono nella foresta, in solitudine. Ma va' a guardarli: si saranno attaccati al nuovo ambiente.

Una volta andai a trovare un amico che faceva l'eremita sotto un albero della foresta, dove c'erano anche altri asceti. Un giorno, mentre il mio amico era assente (era al fiume a fare il bagno), arrivò un nuovo ricercatore che si mise a meditare sotto l'albero del mio amico. Quando questi ritornò, scacciò il nuovo venuto lontano dall'albero, dicendo: «Questo è il *mio* albero. Va' a cercartene un altro da un'altra parte. Nessuno può sedersi sotto il *mio* albero». Quest'uomo aveva abbandonato la casa, la moglie, i figli... adesso l'albero era diventato la sua proprietà: «Non puoi meditare sotto il *mio* albero!».

Non puoi scappare tanto facilmente dall'attaccamento. Assumerà un'altra forma, un nuovo aspetto; ti ingannerai, ma sarà presente. Quindi, non lottare contro l'attaccamento, ma prova semplicemente a capire perché esiste. E sappi che il motivo profondo è questo: l'attaccamento è presente perché tu non ci sei.

Il tuo sé interiore è assente al punto che cerchi di aggrapparti a qualunque cosa per sentirti al sicuro. Poiché sei sradicato, cerchi di trasformare qualsiasi cosa nella tua radice. Quando sei radicato nel tuo sé, sai chi sei, sai che cosa sono questo essere e questa consapevolezza dentro di te, allora non ti aggrapperai a nessuno.

2. *Il mio ragazzo ha sempre meno voglia di fare l'amore, e questo mi fa sentire agitata e frustrata al punto da diventare aggressiva nei suoi confronti. Cosa posso fare?*

Innanzitutto: nella vita arriva sempre un momento in cui uno dei due partner non ha voglia di fare l'amore. In misura maggiore o minore accade in tutte le coppie. Quando una persona non desidera avere rapporti sessuali, l'altro le si aggrappa più che mai: comincia a pensare che, se non c'è sesso, la relazione finirà.

Più chiedi sesso più l'altra persona si spaventerà. La relazione non finirà perché è scomparso il sesso, ma perché lo chiedi in continuazione e l'altro si sente tormentato. E se non desidera fare l'amore, può costringersi controvoglia – ma in questo caso si sentirebbe a disagio – oppure può andare avanti per la sua strada, sentendosi in colpa perché ti rende infelice.

Bisogna comprendere una cosa: il sesso non ha nulla a che vedere con l'amore. Al massimo, è un inizio. L'amore è più grande e più elevato del sesso. Può sbocciare senza quest'ultimo.

L'interlocutrice interrompe: *Ma lui non dirà mai di amarmi.*

No, lo stai spaventando, perché se dice di amarti, sei pronta a chiedere sesso. Nella tua mente «amore» è praticamente sinonimo di «sesso», lo posso vedere. Ecco perché ha paura persino di toccarti e abbracciarti. Se ti abbraccia, se ti tocca, sei pronta a chiedere.

Lo stai spaventando, e non vedi il punto. Lo stai allontanando inconsapevolmente. Avrà paura persino di parlarti, perché potrebbe tornare a galla la stessa situazione, la stessa discussione, e questo e quell'altro.

In amore non puoi discutere, non puoi convincere nessuno. Se l'altro non ne ha voglia, non ne ha voglia. Ti ama, altrimenti ti lascerebbe; anche tu lo ami, ma hai una comprensione sbagliata del sesso.

La mia comprensione è questa: l'amore comincia a svilupparsi per la prima volta quando il sesso febbrile, frenetico, si calma a poco a poco. A quel punto l'amore diventa più tranquillo, sottile, superiore. Comincia ad accadere qualcosa di delicato. Ma tu non lo stai permettendo. Lui è disponibile ad amarti, ma tu ti stai aggrappando al sesso, continui a tirarlo verso il basso. Questo potrebbe distruggere l'intera relazione.

Posso capirlo, perché la mentalità femminile si aggrappa sempre al sesso solo quando l'uomo non è interessato. Se l'uomo prova interesse, la donna è completamente indifferente. Lo vedo accadere tutti i giorni. Se l'uomo ti insegue, reciti la parte della disinteressata. Se l'uomo non è interessato, hai paura e i ruoli si invertono: allora reciti la parte della bisognosa, di colei che senza il sesso impazzirebbe, che non può farne a meno. Sono tutte stupidaggini! Nessuno è mai impazzito senza il sesso.

Se ami una persona, la tua energia si trasformerà. Se non l'ami, lasciala. Se l'ami, l'energia ha l'opportunità di trasformarsi in una realtà più elevata. Usa quell'opportunità, ma lamentarsi non sarà d'aiuto. Renderà tutto più brutto e otterrai l'opposto di ciò che desideri.

3. *Ultimamente la mia vita sessuale è diventata molto tranquilla. Non è che non desideri avere rapporti sessuali o non abbia il coraggio di avvicinare le donne: è che il sesso, semplicemente, non accade. In compagnia delle donne mi diverto, ma quando si arriva al sesso, l'energia cambia, sembra quasi che si addormenti. Cosa sto facendo di sbagliato?*

Quello che ti sta succedendo non è una disgrazia, bensì un dono del cielo, ma la tua vecchia mente lo sta interpretando come se fosse qualcosa di sbagliato. Sta andando tutto bene, e nel modo in cui dovrebbe andare. Il sesso deve dissolversi in una gioia tranquilla e allegra, nell'armonia di due esseri silenziosi che non si incontrano con il corpo, ma con la loro stessa anima. Accadrà a tutti i meditatori. Non costringerti a fare alcunché contro ciò che sta avvenendo spontaneamente, qualsiasi forzatura da parte tua sarà un ostacolo per la crescita spirituale.

Questo è molto importante da ricordare, e ti farà capire perché tutte le religioni sono state contrarie al sesso. Si è trattato di un fraintendimento, ma di un fraintendimento molto naturale. Chiunque sia entrato in meditazione sperimenta la trasformazione delle energie: le energie dirette verso il basso cominciano a muoversi verso l'alto, schiudendo i tuoi centri superiori di consapevolezza e portando nuovi cieli al tuo essere. Ma poiché non sei abituato, poiché questi cieli ti sono sconosciuti, potresti spaventarti. E se sta accadendo a un solo partner, potrebbero nascere dei problemi. In meditazione, entrambi i partner devono trasformarsi simultaneamente: solo in quel caso possono restare in armonia l'uno con l'altra. Altrimenti si separeranno.

Ciò ha prodotto l'idea del celibato. Infatti, si scoprì che se un partner si interessava alla meditazione, il matrimonio entrava sempre in pericolo. Era meglio non coinvolgersi, non urtare i sentimenti di nessuno e restare soli. Ma questa è stata una decisione sbagliata.

La decisione giusta sarebbe dovuta essere: se in un matrimonio o in un'amicizia un partner si sta evolvendo, dovrebbe aiutare l'altro a entrare nei nuovi spazi, non dovrebbe lasciarlo indietro. Ciò avrebbe rappresentato un'enorme rivoluzione nella consapevolezza umana; ma poiché le religioni hanno scelto il celibato, l'intero mondo è rimasto senza meditazione.

E coloro che hanno scelto il celibato – è stata una scelta, non qualcosa che è successo – sono diventati dei pervertiti sessuali. Dal momento che non avevano trasceso il sesso hanno scelto il celibato. Hanno tentato l'altra via: prima il celibato, pensando che poi sarebbe venuta la trasformazione. Non funziona così. La trasformazione deve venire per prima; dopo, senza alcuna inibizione, lotta o condanna nei confronti del sesso, accade spontaneamente una trasformazione. Ma non arriva grazie al celibato, bensì grazie alla meditazione. Né arriva con la repressione, ma in un'atmosfera piena d'amore. Una persona che ha fatto voto di castità vive in un'atmosfera di repressione, inibizione, perversione; tutta la sua atmosfera è psicologicamente malata. Questo è stato un punto fondamentale sul quale tutte le religioni si sono sbagliate.

Secondo, ogni meditatore deve scoprire che il sesso comincia a dissolversi in qualcosa di totalmente diverso: si evolve dalla biologia a qualcosa di spirituale. Anziché creare schiavitù e sentimenti di possessività, apre nuove porte di libertà. Tutte le relazioni si dissolvono e nella propria solitudine si prova un appagamento assoluto, una soddisfazione che non potevi nemmeno sognare.

Ma poiché i meditatori hanno scoperto che questo avviene senza eccezioni, le persone che volevano meditare ne hanno dedotto erroneamente che forse la repressione sessuale le avrebbe aiutate a trasformare la propria energia. Ecco perché tutte le religioni hanno cominciato a insegnare una vita di condanne e di rinunce; una vita fondamentalmente negativa. Questo è stato un equivoco.

Tramite la repressione del sesso puoi pervertire l'energia, non trasformarla. La trasformazione accade quando diventi più silenzioso, il cuore è più in pace e la mente sempre più serena; man mano che ti avvicini al tuo essere, al tuo stesso centro, si verifica spontaneamente un cambiamento che non dipende dalle tue azioni. L'energia che conoscevi come sessuale diventa la tua spiritualità. È la stessa energia, solo che è cambiata la direzione; non è diretta verso il basso, ma verso l'alto.

Quello che ti sta succedendo accadrà a ogni ricercatore, senza eccezioni. Per questo la tua domanda diventerà la domanda di ognuno, prima o poi. E ogni volta che accade, il partner che è rimasto indietro non dovrebbe sentirsi offeso; al contrario, dovrebbe essere felice e raggiante perché un'esperienza meravigliosa sta succedendo alla persona amata, ma allo stesso tempo dovrebbe sperare di unirsi a lei il prima possibile.

Dunque, il tuo sforzo dovrebbe essere quello di scendere più in profondità nella meditazione, in modo da poter tenere compagnia al tuo partner e continuare a danzare insieme verso la meta finale della vita. Ma ricorda: quanto più la tua spiritualità si evolverà tanto più la tua sessualità scomparirà. Nascerà un nuovo tipo di amore: puro, profondamente innocente, senza possessività né gelosia, ma dotato di tutta la compassione del mondo, grazie al quale potrete aiutarvi a vicenda nella crescita interiore.

Quindi non dovresti pensare che c'è qualcosa di sba-

gliato in te; ti è successo all'improvviso qualcosa di giusto. Non eri consapevole e ti ha colto alla sprovvista.

Pierino sta passeggiando con la piccola Luisa, di quattro anni. Mentre stanno attraversando la strada, Pierino
si ricorda l'insegnamento della madre.
«Dammi la mano» dice con galanteria.
«Okay» risponde Luisa «ma sappi che stai giocando
con il fuoco.»

Qualsiasi relazione tra uomo e donna è un giocare con
il fuoco... soprattutto se cominci a essere anche un meditatore. In quel caso, sarai circondato da un incendio indo-
mabile, perché ti accadranno molti mutamenti per i quali
non sei e non puoi essere preparato. A ogni istante, ogni
giorno, ti troverai a viaggiare in un territorio sconosciuto;
ci saranno istanti in cui tu o il tuo partner resterete indietro... e ciò sarà motivo di profonda angoscia per entrambi.
All'inizio, ai primi segnali, il pensiero naturale sarà che
la relazione è finita, che non vi amate più. Di certo non vi
amate più come prima, perché il vecchio amore non è più
possibile: era un amore animale, ed è bene che sia finito.
Adesso accadrà qualcosa di più divino, di qualità più elevata, ma dovete aiutarvi l'un l'altra.
Questi sono i veri momenti difficili, in cui scoprite se vi
amate davvero, allorché tra di voi si crea una grande distanza e sentite di essere lontanissimi l'uno dall'altra.
Questi sono i momenti cruciali, la prova del fuoco, nei
quali dovresti cercare di portare più vicino a te chi è rimasto indietro, aiutandolo a essere meditativo.
Il primo pensiero sarà di scendere al livello dell'altro,
in modo da non offenderlo. È un atteggiamento assolutamente sbagliato. Non stai aiutando l'altro, ma facendo del

male a te stesso; una buona opportunità è stata sprecata. Avresti potuto innalzare l'altro, invece ti sei abbassato.

Non ti preoccupare se l'altro si offende. Fa' ogni sforzo per portarlo nello stesso spazio, nella stessa mente meditativa, e si sentirà grato, non offeso. Ma questi non sono i momenti in cui dovete allontanarvi, sono i momenti in cui dovreste fare ogni sforzo per mantenere i contatti con la massima compassione possibile. Infatti, se l'amore non è in grado di aiutare l'altra persona a trasformare le energie animali in energie spirituali più elevate, non è degno di chiamarsi amore.

Tutti si troveranno di fronte gli stessi problemi... dunque, quando sorge un problema, non pensarci mai due volte. Poni la tua domanda senza paura, per quanto tu possa sembrare stupido nel farla. Essa, infatti, non aiuterà soltanto te, ma anche molte altre persone che si trovano nello stesso stato, che lottano, ma che non hanno avuto il coraggio di uscire allo scoperto. Stanno provando da sole, in qualche modo, a sistemare la situazione.

Non si tratta di «sistemare» alcunché; il fatto che l'antica, inveterata situazione non esista più è una buona cosa. Va benissimo che sia stata scompigliata, che siano sorti dei problemi. Adesso il modo in cui usi questa opportunità – se a favore o contro la tua crescita – dipende da te, dalla tua intelligenza. Porre la domanda potrebbe aiutarti.

Quindi, due cose... la prima: ricorda che sei fortunato se il sesso sembra allontanarsi dalla tua vita. Secondo: non pensare che l'altra persona si offenda. Metti a nudo il tuo cuore davanti a lei; non cercare di rimanere al suo livello, ma tenta in ogni modo di prenderla per mano e portarla nello stadio più elevato in cui ti sei all'improvviso ritrovato.

Sarà difficile solo all'inizio, presto diventerà facilissimo. Quando due persone crescono insieme, molte volte accadrà che si ritroveranno distanti, perché non possono tenere la stessa andatura; ognuno ha la sua velocità, il suo ritmo di crescita. Ma se ami, puoi aspettare un po' fino a quando l'altro arriva, per poi proseguire mano nella mano.

Voglio che la mia gente, in particolare, non pensi mai, nemmeno un istante, al celibato. Se accade spontaneamente è un'altra storia, tu non ne sei responsabile. Ma in quel caso non porterebbe alcuna perversione, ma solo una grande trasformazione delle energie.

4. *Come posso sapere se dentro di me si sta creando distacco o indifferenza?*

Non è difficile. Come fai a sapere quando hai o non hai un mal di testa? È semplicemente evidente. Quando ti stai evolvendo nel distacco, diventerai più sano e più felice. La tua vita si trasformerà in una vita di gioia. Questo è il criterio di tutto ciò che è buono.

La gioia è il criterio. Se ti stai evolvendo nella gioia, stai crescendo e sei sulla strada verso casa. Con l'indifferenza è impossibile che nasca la gioia. In realtà, se sei gioioso, con l'indifferenza la gioia scomparirà.

La felicità è salute e, per me, la religiosità è fondamentalmente edonistica. L'edonismo è l'essenza stessa della religione. Essere felici è tutto. Per cui ricorda, se le cose vanno bene e ti stai muovendo nella giusta direzione, ciascun momento porterà una gioia maggiore. È come se ti stessi dirigendo verso un giardino meraviglioso: più ti avvicinerai più l'aria sarà fresca, pulita e profumata. Questa è l'indicazione che ti stai muovendo nella giusta direzione. Se l'aria diventa meno pura, meno fresca e perde profumo, stai andando nella direzione opposta.

L'esistenza è fatta di gioia, questa è la sua sostanza. La gioia è la componente stessa dell'esistenza. Quindi, ogni volta che ti stai avvicinando all'esistenza, diventerai sempre più colmo di gioia e piacere, senza motivo. Se ti stai dirigendo verso il distacco, l'amore e la gioia aumenteranno; solo gli attaccamenti spariranno, perché portano infelicità e schiavitù, distruggendo la tua libertà.

Viceversa, se stai diventando indifferente... l'indifferenza è una moneta falsa, ha solo l'apparenza del distacco. In essa non si svilupperà nulla, non farai altro che rattrappirti e morire. Vai a vedere: nel mondo esistono moltissimi monaci – cattolici, hindu, giainisti, buddhisti – osservali. Non sono radiosi, non hanno l'aura della fragranza, non sembrano più vivi di te; di fatto sembrano meno vivi, come se fossero storpi, paralitici. Certo, sembrano controllati, ma non come frutto di una profonda disciplina interiore. Controllati, ma non consapevoli. Seguono una specifica coscienza che la società ha dato loro, ma non sono ancora individui liberi e con gli occhi aperti. Vivono come se fossero già nella tomba e non aspettassero altro che la morte. La loro vita diventa cupa, monotona, triste; è una sorta di disperazione.

Sta' attento. Ogni volta che qualcosa non va bene nel tuo essere ci sono dei segnali. La tristezza e la depressione sono degli indizi. Anche la gioia e la celebrazione sono indizi. Se ti stai dirigendo verso il distacco, in te nasceranno più canzoni, danzerai di più e diventerai più colmo d'amore.

Ricorda, l'amore non è attaccamento. L'amore non conosce attaccamento, e ciò che conosce attaccamento non è amore. È possessività, dominio, dipendenza, paura, avidità; può essere mille e una cosa, ma non amore. In nome dell'amore altre cose stanno sfilando in parata, altre cose si nascondono dietro quel nome, eppure sul contenitore è appiccicata l'etichetta «Amore». Dentro di te proverai molte cose, ma assolutamente non l'amore.

Osserva. Se sei attaccato a una persona, sei innamorato? Oppure hai paura della solitudine e quindi ti aggrappi? Poiché non sai essere solo, usi questa persona per evitare la solitudine. In quel caso hai paura: se lei se ne va o si innamora di qualcun altro, la uccideresti dicendo: «Le ero molto legato». Oppure ti suicideresti con le parole: «Ero così legato a lei da non poter vivere senza».

Questa è pura stupidità. Non è amore, ma qualcos'altro. Hai paura della solitudine, non sei capace di stare con te stesso, quindi hai bisogno di qualcuno con cui distrarti. E vuoi possedere l'altra persona, usarla come un mezzo per i tuoi fini. Usare l'altra persona come un mezzo è violenza.

Immanuel Kant ne ha fatto uno dei suoi fondamenti della vita morale, e lo è. Diceva che trattare una persona come un mezzo è una delle azioni più immorali che esistano. È così, perché quando tratti l'altra persona come un mezzo – per la tua gratificazione, per il tuo desiderio sessuale, per la tua paura o per qualcos'altro – la stai riducendo a un oggetto. Stai distruggendo la sua libertà e uccidendo la sua anima.

L'anima può svilupparsi solo nella libertà, e l'amore dona libertà. Quando dai libertà, sei libero: ecco che cos'è il distacco. Se schiavizzi l'altro, allo stesso tempo stai imprigionando te stesso. Se vincoli, limiti o cerchi di possedere l'altro, egli ti vincolerà, ti limiterà, ti possiederà.

Ecco perché nelle coppie i partner lottano sempre per controllarsi reciprocamente, per tutta la vita. L'uomo a modo suo e la donna a suo modo litigano continuamente;

è un punzecchiarsi, un importunarsi continuo. L'uomo pensa, in qualche modo, di controllare la donna, e la donna pensa lo stesso dell'uomo. Il controllo non è amore.

Non trattare mai una persona come un mezzo. Tratta chiunque come fosse fine a se stesso: così non ti aggrappi, non ti attacchi. Ami, ma il tuo amore dona libertà, e quando dai libertà all'altro sei libero. Solo nella libertà la tua anima cresce, e ti sentirai estremamente felice.

Il mondo è diventato un luogo infelice, non perché lo sia in sé, ma perché gli abbiamo fatto qualcosa di sbagliato. Lo stesso mondo può diventare una festa.

Tu chiedi: *Come posso sapere se dentro di me si sta creando distacco o indifferenza?*

Se ciò che si sta sviluppando dentro di te ti rende più felice, centrato, radicato e vivo di prima, prosegui su questa strada; in questo caso non c'è da avere paura. Lascia che la felicità sia la pietra di paragone, il criterio... null'altro può esserlo.

Tutto ciò che le sacre scritture dicono, tutto ciò che io sto dicendo non è un criterio, a meno che il tuo cuore non frema di gioia, non palpiti di felicità. Quando sei nato, dentro di te è stato posto un sottile indicatore. Fa parte della vita il fatto che puoi sempre sapere cosa sta succedendo, puoi sempre sentire se sei felice o infelice. Nessuno chiede come capire se si è felici o infelici; questa domanda non è mai stata posta. Quando sei felice o infelice, lo sai. È un valore intrinseco. Lo sapevi già dalla nascita, usa dunque questo criterio interiore, ed esso non falserà mai la tua vita.

5. *Nella tua visione di una società modello esiste una sola grande comune, o più di una? Se ce n'è più di una, quali sarebbero le relazioni reciproche? Immagini le persone delle diverse comuni come interdipendenti, capaci di condividere idee e tecnologie?*

La domanda tocca un punto molto importante, il concetto dell'interdipendenza. L'uomo ha vissuto nella dipendenza, desiderando e lottando per l'indipendenza, ma nessuno vede la realtà: il fatto che dipendenza e indipendenza sono entrambi degli estremi.

La realtà è esattamente nel mezzo, è l'interdipendenza. Ogni cosa è interdipendente: lo stelo di erba più piccolo e la stella più grande sono interdipendenti. Qui sta tutto il fondamento dell'ecologia. Poiché l'uomo ha agito senza comprendere la realtà dell'interdipendenza, ha distrutto gran parte dell'unità organica della vita. Senza saperlo, si è tagliato le mani e le gambe.

Le foreste sono scomparse, milioni di alberi vengono tagliati ogni giorno. Gli scienziati avvertono – senza che nessuno li ascolti – che se gli alberi scompaiono dalla faccia della Terra, l'uomo non può vivere. Viviamo in una profonda mutualità, un interscambio continuo. L'uomo inspira ossigeno ed espelle anidride carbonica, gli alberi inspirano anidride carbonica ed espellono ossigeno. Non puoi esistere senza gli alberi, così come gli alberi non possono esistere senza di te.

Questo è un semplice esempio, dal momento che la vita è intrecciata in mille e un modo. Poiché sono scomparsi molti alberi, nell'atmosfera si è ammassata così tanta anidride carbonica che la temperatura della Terra è salita di quattro gradi. Per te quattro gradi potrebbero sembrare una sciocchezza, ma non è così. Presto questa temperatura sarà sufficiente a fondere tanto ghiaccio ai poli da innalzare il livello di tutti gli oceani. Le città sulle rive degli oceani – e tutte le grandi città vi si trovano – saranno sommerse dall'acqua.

Se la temperatura continua a salire – cosa che sta succedendo – perché nessuno sta ascoltando... gli alberi vengono tagliati senza alcuna intelligenza per cose futili, come giornali privi di qualsiasi contenuto... Per queste cose state distruggendo la vita. È possibile che le nevi eterne dell'Himalaya comincino a fondersi, cosa mai successa in passato; se accadesse, il livello degli oceani si innalzerebbe di sei metri, sommergendo in pratica tutto il mondo. Tutte le vostre città saranno distrutte: Bombay, Calcutta, New York, Londra, San Francisco. Forse potrebbero sopravvivere alcune popolazioni primitive che vivono sulle cime delle montagne.

L'interdipendenza è assoluta: quando gli astronauti raggiunsero per la prima volta la Luna, scoprirono per la prima volta che la Terra è circondata da uno spesso strato di ozono, un tipo di ossigeno che la circonda tutta come una coperta. È grazie a questa coperta di ozono che la vita su questo pianeta è stata possibile: infatti respinge i raggi mortali che arrivano dal Sole, lasciando entrare solo quelli benefici.

Ma, a causa del nostro stupido desiderio di raggiungere la Luna, abbiamo creato dei buchi in quello strato, e gli sforzi in quel senso continuano. Adesso stiamo cercando di raggiungere Marte! Ogni volta che un razzo attraversa l'atmosfera terrestre, crea dei grandi buchi. Attraverso tali buchi i raggi nocivi hanno cominciato a penetrare. Ora gli scienziati sostengono che questi raggi aumenteranno i casi di cancro di quasi il trenta per cento; e non si contano le altre malattie, quelle minori.

Gli stupidi politici non ascoltano, e non si decidono a

prendere provvedimenti. Eppure, se dici che sono stupidi, vieni punito e messo in prigione; si creano false accuse ai tuoi danni. Ma non vedo in quale altro modo definirli: «Stupidi» sembra la parola più gentile ed educata nei loro confronti. Non se la meritano; meritano qualcosa di peggio.

La vita è una profonda interdipendenza.

La mia visione di una comune si basa sulla scomparsa delle nazioni e delle grandi città, perché non lasciano spazio sufficiente a tutti gli esseri umani; e ogni essere umano ha il bisogno psicologico di un territorio, come gli animali. Nelle grandi città l'uomo si muove sempre all'interno di una folla. Ciò crea ansia, tensione, angoscia; l'uomo non ha tempo né spazio per rilassarsi ed essere se stesso. Non può stare da solo con gli alberi o l'oceano, che sono fonti di vita.

La mia visione di un mondo nuovo, il mondo delle comuni, implica l'assenza di nazioni, delle grandi città, delle famiglie, e la presenza di milioni di piccole comuni sparse su tutta la Terra, all'interno di fitte foreste lussureggianti, sulle montagne o sulle isole. La comune più piccola, da noi già sperimentata, può essere di cinquemila persone, mentre la più grande di cinquantamila. Da cinquemila a cinquantamila: più grande è inimmaginabile. Tornerebbero i problemi dell'ordine pubblico: la legge, la polizia, i tribunali e tutti i vecchi delinquenti.

Piccole comuni... cinquemila persone sembra il numero perfetto, perché lo abbiamo sperimentato. Tutti si conoscono e sono amici. Non esistendo il matrimonio i figli appartengono alla comune. Quest'ultima ha ospedali, scuole, college. La comune si prende cura dei bambini, e i genitori possono venire a trovarli. Il fatto che i genitori vivano insieme o siano separati non ha alcuna importanza. Per il bambino sono entrambi disponibili; lui può andarli a trovare, loro possono venire a trovarlo.

Tutte le comuni dovrebbero essere interdipendenti, ma senza scambio di denaro. Il denaro dovrebbe scomparire, ha fatto danni enormi all'umanità. Ora è tempo di dirgli addio! Queste comuni dovrebbero scambiarsi beni. Se hai una quantità sovrabbondante di latticini, puoi darli a un'altra comune in cambio di vestiti, perché hai bisogno di questi ultimi. Un semplice sistema di baratto, in modo che nessuna comune diventi ricca.

Il denaro è una cosa molto strana. Lo puoi accumulare: questo è il suo segreto più bizzarro. Non puoi accumulare latticini o verdure; se hai troppe verdure, le devi condividere con qualche comune che non ne ha abbastanza. Ma i soldi possono essere accumulati. E se una comune diventa più ricca di un'altra, dalla porta di servizio rientrano la povertà, la ricchezza, tutti gli incubi del capitalismo, le classi di ricchi e poveri, il desiderio di dominare. Poiché sei ricco, puoi ridurre in schiavitù le altre comuni. Il denaro è uno dei nemici dell'uomo.

Le comuni praticherebbero il baratto. Trasmetterebbero via radio di avere a disposizione un certo prodotto; chiunque abbia altri prodotti di cui loro necessitano può contattarle, e i beni possono essere scambiati in modo amichevole. Non ci sarebbe né mercanteggiare né sfruttamento. Ma la comune non dovrebbe diventare troppo grande, perché anche la grandezza è pericolosa. Il criterio di grandezza di una comune dovrebbe essere il fatto che tutti si conoscano tra di loro, questo dovrebbe essere il limite. Una volta superato quel limite, la comune dovrebbe dividersi in due. Come due fratelli che si separano, quando una comune diventa troppo grande si divide in due, due comuni sorelle.

E ci sarebbe una profonda interdipendenza, uno scambio di idee e tecnologie, senza nessuno degli atteggiamenti che nascono dalla possessività, come il nazionalismo e il fanatismo. Non ci sarebbe nulla di cui essere fanatici. Non esisterebbero motivi per fondare una nazione.

Un piccolo gruppo di persone può godere della vita con più facilità, perché avere molti amici e conoscenze è un piacere in sé. Oggi, nelle grandi città, si vive nella stessa casa senza conoscere il proprio vicino. Una casa può avere mille abitanti che restano dei perfetti sconosciuti. Si vive in una folla, ma si è soli.

La mia comune ideale è fatta di piccoli gruppi, in modo da avere abbastanza spazio, ma anche relazioni strette e affettuose. La comune si prende cura dei tuoi bambini, dei tuoi bisogni, della tua assistenza medica. La comune diventa un'autentica famiglia, ma senza le patologie che la famiglia ha creato in passato. È una famiglia aperta e in costante movimento.

Il matrimonio e il divorzio sono fuori questione. Se due persone vogliono stare insieme possono farlo, ma se un giorno vogliono lasciarsi va benissimo. Stare insieme è stata una loro decisione, adesso possono scegliere altri amici. E perché in una vita non si potrebbe vivere più di una esistenza? Perché non renderla più ricca? Perché un uomo dovrebbe restare attaccato a una donna, e viceversa, a meno che non stiano così bene da restare insieme per sempre?

Guardando il mondo, la situazione è ovvia: la gente vorrebbe essere indipendente dalla famiglia, i figli vogliono essere indipendenti dalla famiglia. Proprio l'altro giorno, un ragazzino californiano ha fatto qualcosa di unico e speciale. Voleva uscire a giocare; in questo non c'è nulla di strano, a tutti i bambini dovrebbe essere permesso di farlo. Ma la madre e il padre insistevano: «No, non uscire. Gioca dentro casa». E il ragazzo ha sparato ai genitori. Ha giocato dentro casa! A tutto c'è un limite. Sentirsi dire sempre: «No, no, no»...

In America la durata media di un matrimonio è tre anni. È lo stesso ritmo con cui la gente cambia lavoro e città. Sembra esserci qualcosa di speciale nei tre anni! Sembra il massimo limite tollerabile. Al di là di quello, la cosa diventa insopportabile. Per questo la gente cambia moglie, marito, città, lavoro.

Ma in una comune non c'è bisogno di fare tanto chiasso. In qualsiasi momento potete dirvi addio e restare amici, perché chi lo sa? Forse dopo due anni potresti innamorarti un'altra volta dello stesso uomo, o della stessa donna. Forse dopo due anni hai dimenticato tutti i problemi e vuoi riprovare; oppure sei caduto nelle mani di una persona peggiore, ti sei pentito e vuoi tornare indietro! In ogni caso, sarà una vita più ricca; avrai conosciuto molti uomini e molte donne. Tutti gli uomini e le donne hanno la loro unicità.

Le comuni possono anche scambiarsi le persone, se qualcuno vuole passare a un'altra comune e quest'ultima accetta. L'altra comune potrebbe dire: «Se c'è qualcun altro che vuole venire nella tua comune, lo scambio è possibile, perché non vogliamo aumentare la nostra popolazione». Le persone possono decidere. Puoi andare a farti pubblicità: potresti piacere a qualche donna, qualcuno potrebbe diventarti amico. Forse in quella comune c'è qualcuno che si annoia e vorrebbe cambiare posto...

Il mondo dovrebbe essere un'umanità sola, semplicemente diviso in piccole comuni su basi pratiche: niente fanatismo, nessun razzismo o nazionalismo. Allora, per la prima volta, potremo fare a meno delle guerre. Possiamo creare delle vite oneste, degne di essere vissute e celebrate; delle vite giocose, meditative e creative, dando a ogni uomo e a ogni donna opportunità uguali per crescere e portare a fioritura il proprio potenziale.

Parte quarta

SOLITUDINE

Tutti gli sforzi fatti dagli esseri umani per evitare l'isolamento sono falliti e falliranno, perché vanno contro le leggi fondamentali della vita.

Ciò che occorre non è qualcosa grazie al quale puoi dimenticare il tuo isolamento.

È fondamentale diventare consapevoli della propria solitudine, che è una realtà.

E sentire questa solitudine, farne l'esperienza, è meraviglioso, perché è la tua libertà dalla folla, dall'altro.

È la tua libertà dalla paura di essere solo.

La solitudine è la tua natura

La prima cosa da comprendere, che tu lo voglia o no, è che sei solo. La solitudine è la tua natura intrinseca. Puoi cercare di dimenticarla, puoi sforzarti di non essere solo stringendo amicizie, trovando amanti, mischiandoti nella folla... ma qualunque cosa tu faccia resta alla superficie. In profondità la tua solitudine è irraggiungibile, fuori dalla tua portata.

A ogni essere umano capita uno strano incidente: la sua stessa nascita ha origine in una famiglia. Non è possibile altrimenti, il cucciolo dell'uomo è il più debole in assoluto, gli altri animali nascono completi. Un cane resterà un cane per tutta la vita, non crescerà né si evolverà. Certo, invecchierà, ma non diventerà più intelligente e consapevole, non si illuminerà. In questo senso, tutti gli animali restano esattamente nella condizione in cui sono nati; in essi non cambia nulla di essenziale. La loro nascita e la loro morte sono orizzontali: avvengono lungo una linea.

Solo l'uomo ha la possibilità di muoversi in verticale, verso l'alto, e non esclusivamente in orizzontale. La maggior parte dell'umanità si comporta come gli altri animali: la vita è solo un processo di invecchiamento, non di crescita. Crescere e invecchiare sono esperienze del tutto diverse.

L'uomo è nato in una famiglia, in mezzo ad altri esseri umani. Fin dal primo momento non è solo; per questo si struttura una particolare psicologia che lo spinge sempre a cercare la compagnia degli altri. Se è solo, comincia ad avere paura... una paura ignota. Non è esattamente consapevole di cosa ha paura, ma non appena esce dalla folla, qualcosa dentro di lui comincia a fargli provare disagio. In compagnia degli altri si sente al sicuro, tranquillo, protetto.

Ecco perché non scopre mai la bellezza della solitudine: la paura glielo impedisce. Poiché è nato in un gruppo, continua a fare parte di un gruppo; quando cresce comincia a formare nuovi gruppi, nuove associazioni, nuovi amici. Le collettività già esistenti – la nazione, la religione, il partito politico – non lo soddisfano, per cui comincia a crearne di nuove: il Rotary Club, il Lions Club. Ma tutte queste strategie servono solo a una cosa: a non essere mai solo.

L'esperienza di tutta una vita avviene in compagnia degli altri. La solitudine sembra quasi una morte. Da un certo punto di vista è così: è la morte della personalità che hai creato nella folla, un dono che gli altri ti hanno fatto; quando esci dalla folla, esci anche dalla tua personalità.

Nella folla sai esattamente chi sei: conosci il tuo nome, il tuo titolo di studio, la tua professione; conosci tutto ciò che occorre per il tuo passaporto e la tua carta d'identità. Ma quando esci dalla folla, qual è la tua identità? Chi sei? Improvvisamente ti accorgi di non essere il tuo nome: ti è stato dato. Non sei la tua razza: che rapporto ha con la tua consapevolezza? Il tuo cuore non è né hindu né musulmano, il tuo essere non è limitato ai confini politici di una nazione, la tua consapevolezza non fa parte di un'organizzazione o di una Chiesa. Chi sei?

D'acchito la tua personalità comincia a disperdersi. Questo è ciò che fa paura: la morte della personalità. Adesso dovrai interrogarti per la prima volta, dovrai scoprire di nuovo chi sei. Dovrai cominciare a meditare sulla domanda: «Chi sono io?». E c'è il timore che potresti non essere affatto! Forse eri semplicemente una combinazione di tutte le opinioni della folla, secondo le quali non eri altro che la tua personalità.

Nessuno vuole essere un nulla, un nessuno, ma di fatto tutti *sono* un nessuno.

Esiste una bellissima storia...

Alice ha raggiunto il Paese delle Meraviglie. Incontra il re che gli chiede: «Alice, hai incontrato un messaggero che veniva verso di me?».

Lei risponde: «Nessuno».

Il re dice: «Se hai incontrato Nessuno, perché non è ancora arrivato?».

Alice è molto confusa: «Sire, mi ha frainteso. Nessuno è nessuno».

Il re risponde: «È ovvio che Nessuno è Nessuno, ma dov'è? A quest'ora dovrebbe essere arrivato. Questo vuol dire semplicemente che Nessuno cammina più lentamente di te».

Naturalmente Alice rimase molto contrariata da quel commento, e si scordò di trovarsi davanti al re. Esclamò: «Nessuno cammina più velocemente di me!».

L'intera conversazione ruota intorno a questo «nessuno». Alice capisce che il re sta dicendo: «Nessuno cammina più lentamente di te». E pensa: «... io sono velocissima. Sono arrivata dall'altro mondo nel Paese delle Meraviglie, un piccolo regno, e lui mi sta insultando». Naturalmente ribatte: «Nessuno cammina più velocemente di me!».

Il re replica: «Se è vero, perché non è arrivato?».

E la discussione prosegue su questo tono.

Tutti sono un nessuno.

Quindi, il primo problema per un ricercatore è comprendere esattamente la natura della solitudine. Essa vuol dire «nessun-ità»: abbandonare la tua personalità, che ti viene dalla folla, è un suo dono. Man mano che ti allontani dalla folla, non puoi portare questa personalità nella tua solitudine. In quest'ultima dovrai scoprire qualcosa di nuovo, di genuino, ma nessuno può garantire che dentro di te troverai qualcuno.

Coloro che hanno raggiunto la solitudine hanno scoperto che non c'è nessuno. Voglio *davvero* dire nessuno: nessun nome, nessuna forma, ma una semplice presenza, una pura vita senza nome e senza forma. Questa è la resurrezione autentica e certamente richiede coraggio; solo persone molto coraggiose possono accettare con gioia la propria solitudine, il proprio essere un nulla. Il loro nulla è il loro essere allo stato puro, è allo stesso tempo una morte e una resurrezione.

Proprio oggi la mia segretaria mi stava mostrando una piccola, bellissima vignetta: Gesù è appeso alla croce, guarda verso il cielo e dice: «Sarebbe stato meglio se insieme a Dio Padre avessi avuto Allah Zio. Così, se Dio non ascolta, Allah potrebbe aiutarmi».

Per tutta la vita Gesù era stato felice di proclamare: «Sono l'Unigenito Figlio di Dio». Ma non ha mai detto nulla sulla famiglia di Dio, il fratello, la moglie, gli altri figli e le figlie. Cosa ha fatto Dio per tutta l'eternità? Non ha una televisione con cui sprecare tempo, non ha la possibilità di avere un cinema. Cosa continua a fare questo poveretto?

È un fatto risaputo che nei Paesi poveri la popolazione continua a crescere per la semplice ragione che i poveri non hanno altro svago gratuito. L'unico divertimento gratis è fare figli. Sebbene a lungo andare sia molto costoso, nell'immediato non ci sono biglietti, problemi, lunghe file...

Cosa ha fatto Dio per tutta l'eternità? Ha creato un solo figlio. Adesso, sulla croce, Gesù comprende che sarebbe stato meglio se Dio avesse avuto fratelli, sorelle, zii. «Se lui non mi ascolta, avrei potuto chiedere aiuto a qualcun altro.» Sta pregando ed è in collera. Esclama: «Perché mi hai abbandonato? Mi hai dimenticato?», ma non c'è risposta. Sta aspettando il miracolo. Tutta la folla riunitasi per osservare il miracolo comincia a disperdersi. Fa troppo caldo e la loro attesa è inutile. Non accadrà nulla; se qualcosa doveva succedere sarebbe già successo.

Dopo sei ore restavano solo tre donne che ancora credevano a un miracolo. Una era la madre di Gesù; è naturale, le madri credono sempre che i loro figli siano dei geni. Ogni madre, senza eccezione, pensa di aver partorito un bambino straordinario. Un'altra donna che amava Gesù era una prostituta, Maria Maddalena: quella donna, pur essendo una prostituta, deve aver amato Gesù. Persino i discepoli, i cosiddetti apostoli, che nella storia del cristianesimo divennero secondi solo a Gesù in importanza, scapparono tutti e dodici per paura di essere catturati o di venire riconosciuti, visto che erano sempre stati intorno a Gesù. Non puoi mai fidarti della folla: se fossero stati catturati, potevano essere crocefissi o picchiati, lapidati. Rimasero solo tre donne. Anche la terza era una donna che amava Gesù. Negli ultimi momenti restò solo l'amore, sotto forma di queste tre donne.

Tutti quei discepoli devono essere stati con Gesù perché volevano andare in paradiso. È sempre un bene avere buoni contatti, e non puoi trovare un contatto migliore dell'Unigenito Figlio di Dio. Sarebbe bastato seguirlo per varcare le porte del paradiso. Il loro discepolato era una sorta di sfruttamento di Gesù, per questo non ebbero coraggio: erano furbi e astuti, ma non coraggiosi.

Solo l'amore può essere coraggioso. Ami te stesso? Ami questa esistenza? Ami il dono di questa vita meravigliosa? Ti è stata data senza che tu fossi nemmeno pronto, degno, meritevole. Se ami questa esistenza che ti ha dato la vita, che a ogni istante continua a darti vita e nutrimento, troverai il coraggio. E questo coraggio ti aiuterà a essere come un cedro del Libano: alto fino alle stelle, ma solo.

Nella solitudine scomparirai in quanto ego, personalità, e scoprirai di essere la vita stessa, eterna e immortale. Se non sei capace di essere solo, la tua ricerca della verità resterà un fallimento. La tua solitudine è la tua verità, la tua divinità.

La funzione di un Maestro è aiutarti a ergerti nella tua solitudine. La meditazione è solamente una strategia per portarti via la personalità, i pensieri, la mente, l'identificazione con il corpo, lasciandoti assolutamente solo al tuo interno, nient'altro che un fuoco vivo. E una volta che avrai scoperto il tuo fuoco vivo, conoscerai tutte le gioie e le estasi di cui è capace la consapevolezza umana.

La nonna osserva il nipote mangiare la minestra con il cucchiaio sbagliato, impugnare il coltello dall'estremità sbagliata, mangiare la carne con le mani, versare il tè sul piattino e soffiarci sopra.

«Non hai imparato nulla osservando tua madre e tuo padre mentre mangiano?» chiede la nonna.

«Certo» risponde il ragazzo, masticando a bocca aperta «ho imparato a non sposarmi mai.»

Ha imparato una grande lezione! Restare solo.

È davvero difficile essere con gli altri, ma fin dalla nascita siamo abituati così. Per quanta infelicità, sofferenza e tortura ciò comporti, ci siamo abituati; almeno è qualcosa che conosciamo bene. Camminare nell'oscurità, oltre il territorio conosciuto, fa paura, ma se non superi il territorio della maschera collettiva, non puoi scoprire te stesso.

Groucho Marx ha fatto una bellissima affermazione, che dovresti ricordare: «Penso che la televisione sia molto istruttiva. Ogni volta che qualcuno l'accende, vado nell'altra stanza a leggere un libro».

Poiché l'insegnante di scuola elementare è troppo timida per tenere la lezione di educazione sessuale, la trasforma in un compito a casa per gli alunni.

Pierino interroga il padre, che borbotta qualcosa a proposito di una cicogna. La nonna gli dice che lui proviene da un campo di cavoli, mentre la bisnonna arrossisce e risponde che i bambini vengono dal grande oceano dell'esistenza.

Il giorno seguente la maestra chiede a Pierino di illustrare i risultati del suo compito a casa. Pierino risponde: «Ho paura che ci sia qualcosa che non va nella mia famiglia. Apparentemente, sembra che nessuno abbia fatto l'amore... da tre generazioni!».

In realtà, pochissime persone hanno davvero amato Hanno fatto finta, ingannando non solo gli altri, ma anche se stesse. Puoi amare davvero solo quando tu *sei*. Ora come ora sei solo parte di una folla, una rotella dell'ingranaggio. Se non «sei», come puoi amare? Prima sii; innanzitutto, conosci te stesso.

Nella tua solitudine scoprirai cosa vuol dire «essere». Dalla consapevolezza del tuo essere fluisce l'amore, e molte altre cose. La solitudine dovrebbe essere la tua unica ricerca.

Ma questo non vuol dire che devi andare sulle montagne. Puoi essere da solo in mezzo al mercato. Il punto è semplicemente essere consapevoli, all'erta, osservare ricordando che sei soltanto il processo della tua osservazione. Allora, ovunque tu sia, sei solo. Puoi essere in mezzo alla folla o sulle montagne; non fa differenza, sei sempre lo stesso processo di osservazione. Nella folla, osservi la folla; sulle montagne, osservi le montagne. A occhi aperti osservi l'esistenza, a occhi chiusi osservi te stesso. Sei solo una cosa: l'osservatore.

E questo osservatore è la scoperta più grande. È la tua natura del Buddha, la tua illuminazione, il tuo risveglio. Questa dovrebbe essere la tua unica disciplina. Solo questo fa di te un discepolo: la disciplina di conoscere la tua solitudine. Altrimenti, cosa farebbe di te un discepolo? In vita sei stato ingannato su ogni punto. Ti è stato detto che credere in un Maestro fa di te un discepolo: è assolutamente sbagliato; se così fosse, tutti sarebbero discepoli. Alcuni credono in Gesù, altri nel Buddha, in Krishna o in Mahavira; tutti credono in qualcuno, ma nessuno è un discepolo, perché essere un discepolo non vuol dire credere in un Maestro. Essere un discepolo vuol dire imparare la disciplina dell'essere se stessi, il proprio sé autentico.

In quell'esperienza si cela il tesoro stesso della vita. In quell'esperienza diventi per la prima volta un imperatore, altrimenti resterai un mendicante nella folla. Esistono due tipi di mendicanti: i mendicanti poveri e quelli ricchi, ma sono tutti mendicanti. Persino i vostri re e le vostre regine lo sono.

Solo quei pochissimi che sono rimasti soli con il proprio essere, la propria chiarezza, la propria luce, coloro che hanno scoperto la propria radiosità, la propria fioritura, quello spazio che possono chiamare la loro casa eterna: soltanto costoro sono gli imperatori. Questo universo intero è il loro impero. Non hanno bisogno di soggiogarlo, perché è già conquistato.

Conoscendo te stesso l'hai conquistato.

Stranieri a noi stessi

Nasciamo, viviamo e moriamo da soli. La solitudine è la nostra stessa natura, ma non ne siamo consapevoli. A causa di questa ignoranza restiamo stranieri a noi stessi e, invece di vedere la nostra solitudine come bellezza, estasi, pace e silenzio straordinari – come rilassamento con l'esistenza – la fraintendiamo scambiandola per isolamento.

L'isolamento è una solitudine fraintesa. Allorché hai scambiato la solitudine per isolamento, l'intero contesto muta. La solitudine ha una sua bellezza, grandiosità, positività; l'isolamento è brutto, oscuro, negativo, lugubre.

L'isolamento è un vuoto. Manca qualcosa, occorre un riempitivo, ma nulla può colmare l'isolamento perché, in primo luogo, si tratta di un fraintendimento. Man mano che invecchi, cresce anche quel vuoto. La gente ha così paura di stare con se stessa che fa ogni sorta di stupidaggine. Ho visto persone giocare a carte da sole, senza avversario. Hanno inventato giochi nei quali la stessa persona gioca per due.

Coloro che hanno conosciuto la solitudine sostengono qualcosa di totalmente diverso. Dicono che non c'è nulla di più bello, rilassante e gioioso dell'essere soli.

L'uomo comune cerca sempre di dimenticare il suo isolamento, mentre il meditatore comincia a familiarizzare sempre di più con la sua solitudine. Ha lasciato il mondo ed è andato nelle caverne, sulle montagne, nella foresta, soltanto per il piacere di essere solo. Vuole sapere chi è. In mezzo alla folla è difficile: ci sono troppi disturbi. Ma coloro che hanno conosciuto la propria solitudine hanno conosciuto la più grande estasi possibile per gli esseri umani. Infatti, il tuo stesso essere è colmo di beatitudine.

Soltanto dopo essere entrato in sintonia con te stesso, puoi metterti in relazione: allora relazionarsi porterà molta gioia a entrambi, perché non nasce dalla paura. Una volta trovata la tua solitudine, puoi creare, coinvolgerti in tutto ciò che desideri, perché tale coinvolgimento non sarà più una fuga da te stesso. Adesso sarà una tua espressione, la manifestazione del tuo potenziale.

Ma la prima cosa fondamentale è conoscere fino in fondo la tua solitudine. Per cui ti ricordo: non scambiare la tua solitudine per isolamento. Quest'ultimo è, senza dubbio, patologico, la solitudine è la salute perfetta. Il primo e più importante passo verso la scoperta del significato e del senso della vita è entrare nella tua solitudine. È il tuo tempio; lì risiede Dio, e non puoi trovare questo tempio in nessun altro luogo.

Solitario ed eletto

Gesù ha detto: «*Beato il solitario e l'eletto, perché egli troverà il Regno. E poiché viene da esso, vi farà ritorno*».

Vangelo di San Tommaso

Il bisogno più profondo nell'uomo è essere totalmente libero. Libertà, *moksha*, è l'obiettivo. Gesù lo definisce «il Regno di Dio»: essere simili a re, in senso simbolico, affinché nella tua esistenza non ci siano catene, limiti, schiavitù; esisti in quanto infinito, senza scontrarti mai con nessuno... come se fossi solo.

Libertà e solitudine sono due aspetti della stessa cosa. Ecco perché il mistico giainista Mahavira ha definito il suo concetto di libertà *kaivalya*. *Kaivalya* vuol dire essere totalmente soli, come se non esistesse nessun altro. Quando sei completamente solo, chi ti limiterà? Se non esiste nulla, chi sarà l'altro?

Per questo coloro che sono alla ricerca della libertà dovranno scoprire la propria solitudine, dovranno trovare vie, modi e tecniche per raggiungerla.

L'uomo nasce come parte del mondo, come membro di una società, di una famiglia, come parte degli altri. Non viene educato come un essere solitario, ma come un essere sociale. L'istruzione, l'educazione, la cultura cercano sempre di inserire un bambino nella società, di adattarlo agli altri. Questo è ciò che gli psicologi chiamano «adattamento». E ogni volta che qualcuno è un solitario, sembra un disadattato.

La società esiste come una rete, un insieme di molte persone, una folla. Al suo interno puoi godere di un po' di libertà, ma a caro prezzo. Se segui la società, se diventi un ubbidiente duplicato degli altri, ti concederanno un piccolo mondo di libertà. Se diventi uno schiavo, ti viene data la libertà. Ma si tratta di una libertà concessa, che può essere revocata in qualsiasi momento. E ha un prezzo elevatissimo: è un adattamento agli altri, per cui ci saranno inevitabilmente dei limiti.

Nella società, in un'esistenza sociale, nessuno può essere totalmente libero. La stessa esistenza dell'altro rappresenta un problema. Sartre afferma: «L'altro è l'inferno», e ha ragione da vendere, perché l'altro crea tensione in te. Sei in ansia a causa sua. Poiché entrambi siete alla ricerca della libertà assoluta – tutti ne hanno bisogno – siete destinati a scontrarvi, in quanto la libertà assoluta può esistere per una sola persona.

Nemmeno i vostri cosiddetti re sono totalmente liberi, non possono esserlo. Possono sembrarlo, ma non lo sono: hanno bisogno di protezione, dipendono dagli altri. La loro libertà è solo apparente. Tuttavia, a causa di questo bisogno di essere totalmente liberi, si vuole diventare un re, un imperatore. Un imperatore dà la falsa sensazione di essere libero.

Si vuole diventare ricchissimi, perché anche la ricchezza dà una falsa sensazione di libertà. Come può un povero essere libero? I suoi bisogni saranno la sua schiavitù, ed egli non è in grado di soddisfare questi bisogni. Ovunque vada si imbatte in un muro che non riesce a superare. Per questo desidera la ricchezza. In profondità c'è il desiderio di essere totalmente libero, e ciò crea tutti gli altri desideri. Ma se ti dirigi nella direzione sbagliata, puoi andare avanti a lungo senza raggiungere mai l'obiettivo, perché fin dall'inizio la direzione non era giusta: hai sbagliato il primo passo.

Nell'ebraico antico la parola «peccato» è molto bella: vuol dire «colui che ha perso le tracce». In questo non c'è alcun senso di colpa: «peccato» indica qualcuno che ha perso le tracce, che è andato fuori strada. E religione vuol dire tornare sulla giusta via, in modo da non mancare l'obiettivo.

L'obiettivo è la libertà assoluta, la religione è solo un mezzo. Ecco perché devi capire che la religione reale esiste in quanto forza antisociale. La sua stessa natura è antisociale, perché nella società non è possibile la libertà assoluta.

La psicologia, d'altra parte, è al servizio della società. Lo psichiatra cerca in ogni modo di riadattarti alla società, è al servizio di quest'ultima. La politica, naturalmente, è al servizio della società. Ti concede un po' di libertà affinché tu possa essere trasformato in uno schiavo. Quella libertà è solo un'esca: può essere sottratta in qualsiasi momento. Se pensi di essere davvero libero, ben presto puoi essere gettato in prigione.

Politica, psicologia, cultura, educazione, sono tutte al servizio della società. Solo la religione è fondamentalmente ribelle. Ma la società si è presa gioco di te, ha creato le sue religioni: cristianesimo, induismo, buddhismo, islamismo... questi sono trucchi sociali. Gesù è antisociale. Guardalo: non era una persona molto rispettabile, non poteva esserlo. Frequentava elementi sbagliati, antisociali. Era un vagabondo, un freak... doveva esserlo, perché non dava ascolto alla società, non vi si adattava. Creò una società alternativa, un piccolo gruppo di seguaci.

Gli ashram, i luoghi di ritiro spirituale, sono esistiti come forze antisociali... ma non tutti, perché la società cerca sempre di darti una moneta falsa. Su cento ashram ce n'è forse uno solo – e anche questo, «forse» – che sia autentico, perché rappresenterà una società alternativa, opposta a questa società, a questa folla senza nome. Sono esistite delle scuole – per esempio i monasteri del Buddha nel Bihar – che hanno cercato di creare una società che non fosse affatto tale. Hanno sviluppato modi e mezzi per renderti veramente e totalmente libero, senza schiavitù, limiti o discipline di sorta. Ti è permesso essere infinito, essere il Tutto.

Gesù e il Buddha sono antisociali, ma il cristianesimo e il buddhismo no. La società è molto astuta: assorbe immediatamente nel sociale qualsiasi fenomeno antisociale. Crea un'apparenza, ti dà una moneta falsa rendendoti felice come quei bambini cui è stato dato un seno falso, di plastica, un succhiotto. Se lo succhiano, hanno la sensazione di essere stati nutriti: li calmerà e, naturalmente, si addormenteranno. Ogni volta che un bambino si agita, bisogna dargli un seno falso: lui lo succhia, pensando di venire nutrito. A un certo punto il succhiare diventa monotono: non accade nulla e questo succhiare si trasforma in un mantra! Allora, stanco e assonnato, il bambino si addormenta.

Il buddhismo, il cristianesimo, l'induismo e tutti gli altri «ismi» che sono diventati religioni istituzionali, non sono altro che dei succhiotti. Ti consolano, ti danno un buon sonno, ti calmano in mezzo alla tortura di questa schiavitù circostante. Ti danno la sensazione che vada tutto bene e non ci sia nulla di sbagliato. Sono come dei calmanti. Sono delle droghe.

L'LSD non è l'unica droga, anche il cristianesimo lo è; e ti istupidisce in un modo molto più complesso e sottile, ti rende simile a un cieco. Non riesci a vedere cosa sta succedendo. Non puoi capire che stai sprecando la vita, non puoi vedere il malessere che hai accumulato attraverso molte esistenze. Stai seduto su un vulcano e le istituzioni continuano a ripetere che tutto va bene: «Dio in cielo e il governo sulla Terra: tutto va bene». I preti ti ripetono in continuazione: «Non agitarti, ci siamo qui noi. Lascia ogni cosa nelle nostre mani e ci prenderemo cura di te in questo mondo e nell'altro». E tu hai lasciato tutto nelle loro mani, ecco perché sei infelice.

La società non può darti la libertà. È impossibile, perché non può permettersi la libertà assoluta di tutti. Cosa fare, allora? Come andare al di là della società? Questa è la domanda di una persona religiosa. Ma sembra impossibile: ovunque tu vada, c'è la società. Puoi passare da una società all'altra, ma la società sarà sempre presente. Anche se vai sull'Himalaya, creerai una società lassù. Comincerai a parlare agli alberi, perché è molto difficile essere soli; comincerai a fare amicizia con gli uccelli e gli animali, e prima o poi si formerà una famiglia. Tutti i giorni aspetterai l'uccello che viene a cantare al mattino.

Ebbene, non capisci di essere diventato dipendente… è tornato «l'altro». Se l'uccello non arriva, proverai una certa ansia. Cosa gli è successo? Perché non è arrivato? Comincerai a sentirti teso, e non ci sarà nulla di diverso rispetto a quando lo eri per tua moglie o i tuoi figli. Lo stesso modello si ripropone: «l'altro». Anche se vai sull'Himalaya, crei la società.

Bisogna capire una cosa: la società non è al di fuori di

te, è qualcosa al tuo interno. E se non elimini le cause alla radice, dentro di te, la società rinascerà ovunque tu vada, sempre e comunque. Persino se vai in una comunità hippy, la società si ricreerà, diventerà una forza sociale. Se vai in un ashram, la società si riformerà; non è la società che ti segue, sei tu che lo fai. Crei sempre la tua società intorno a te... sei un creatore. In te c'è qualcosa di simile a un seme che crea la società. Ciò dimostra, in realtà, che se non sei completamente trasformato non puoi mai andare al di là della società: continuerai a ricrearla. E tutte le società sono uguali: le forme cambiano, ma il modello fondamentale è lo stesso.

Perché non riesci a vivere senza la società? Qui sta il guaio! Persino sull'Himalaya ti metteresti ad aspettare qualcuno. Potresti sederti sotto un albero e aspettare che passi qualcuno sulla strada: un viaggiatore, un cacciatore. E se arriva qualcuno, sentirai sorgere in te un po' di felicità. Se sei solo, ti rattristi, ma se arriva un cacciatore cominci a chiacchierare. Chiederai: «Che succede nel mondo? Hai un giornale con le ultime notizie?». Oppure: «Dimmi le novità! Sono ansioso di conoscerle». Perché accade? Le radici vanno portate alla luce, in modo che tu possa capire.

Innanzitutto: hai bisogno di sentirti necessario, hai una profonda necessità di sentirti necessario. Se nessuno ha bisogno di te, ti senti inutile, senza senso. Se qualcuno ha bisogno di te, ciò ti dà significato; ti senti importante. Non fai che ripetere: «Devo badare alla moglie e ai figli», come se fossero un peso. Sbagli. Parli come se fosse una grande responsabilità, come se stessi compiendo un dovere. Hai torto! Prova a pensarci: se non ci fosse la moglie e se i bambini scomparissero, cosa faresti? Improvvisamente avresti la sensazione che la tua vita è diventata priva di senso, perché loro avevano bisogno di te. I bambini ti aspettavano, ti davano un significato: eri importante. Adesso che nessuno ha bisogno di te, ti chiuderai in te stesso. Infatti, quando nessuno ha bisogno di te, nessuno ti presta attenzione: che tu ci sia o no non fa differenza.

Tutta la psicoanalisi – e il suo business – si basano sull'ascolto. In realtà nella psicoanalisi non c'è granché, e tutto ciò che le sta intorno sono quasi esclusivamente raggiri. Ma perché ha successo? Un uomo ti concede molta attenzione... e non un uomo comune, ma uno psichiatra famoso, rinomato, autore di molti libri. Poiché ha curato molte persone celebri, ti senti bene. Nessun altro ti ascolta, nemmeno tua moglie. Nessuno ti dà retta, nessuno ti presta attenzione, ti muovi nel mondo come un nessuno, un niente... e uno psichiatra lo paghi moltissimo. È un lusso, solo persone molto facoltose possono permetterselo.

Ma perché fanno ciò che fanno? Le persone si sdraiano sul lettino, parlano e lo psicoanalista ascolta, presta attenzione. Naturalmente devi pagare per questo, ma ti senti bene. Per il semplice fatto che l'altro ti sta prestando attenzione, ti senti bene. Quando esci dal suo studio cammini in modo diverso, la tua qualità è cambiata. I tuoi piedi danzano, puoi canticchiare, cantare. Forse non sarà così per sempre – la settimana prossima dovrai andare di nuovo nel suo studio – ma quando qualcuno ti ascolta, ti presta attenzione, è come se stesse dicendo: «Sei qualcuno, sei degno di ricevere attenzione». Non sembra annoiarsi. Anche se non dice niente, va benissimo.

Hai un profondo bisogno di essere necessario. Qualcuno deve avere bisogno di te, altrimenti ti manca il terreno sotto i piedi. La società è il tuo bisogno. Persino se qualcuno lotta contro di te è un bene, è meglio che essere soli, perché almeno ti presta attenzione: è il nemico, puoi pensare a lui.

Ogni volta che sei innamorato, osserva questo fenomeno. Guarda gli innamorati, osservali, perché per te sarà difficile osservare se tu stesso sei innamorato. In quel caso l'osservazione è difficile, perché sei come folle, fuori di te. Ma osserva gli amanti. Si dicono a vicenda: «Ti amo», ma in profondità, nei loro cuori, vogliono essere amati. Il punto non è amare, bensì essere amati. Amano solo per essere amati. La cosa fondamentale non è amare, ma essere amati.

Ecco perché gli innamorati si lamentano sempre l'uno dell'altra: «Non mi ami abbastanza». Nulla è abbastanza, nulla può mai esserlo, perché il bisogno è infinito. Dunque, la schiavitù è infinita. Per quanto faccia la persona che ami, avrai sempre la sensazione che sia possibile qualcosa di più; puoi ancora sperare, immaginare di più. E poiché questo non accade, ti senti frustrato. Tutti gli innamorati pensano: «Io amo, ma l'altro non mi corrisponde», e quest'ultimo pensa la stessa cosa. Cosa succede?

Nessuno ama. E a meno di diventare un Gesù o un Buddha, non puoi amare, perché solo coloro il cui bisogno di essere necessari è sparito, possono amare.

Kahlil Gibran, nel suo bellissimo libro *Gesù figlio dell'Uomo* ha inventato una storia stupenda, sebbene mai avvenuta; ma qualche volta le storie inventate sono più reali della realtà.

Maria Maddalena guardò fuori dalla finestra e vide Gesù seduto sotto un albero nel suo giardino. Era un uomo meraviglioso. Lei aveva conosciuto molti uomini, era una prostituta famosa, persino i re bussavano alla sua porta, era uno dei fiori più desiderabili dell'epoca. Ma non aveva mai visto un uomo simile, perché una persona come Gesù porta intorno a sé un'aura invisibile che gli conferisce una bellezza trascendente; egli non apparteneva a questo mondo. Intorno a lui c'era una luce, una grazia... il modo in cui camminava, si sedeva... sembrava un imperatore vestito da mendicante. A tal punto sembrava appartenere a un altro mondo che Maddalena chiese alla servitù di uscire per invitarlo in casa, ma lui rifiutò. Disse: «Sto bene qui. L'albero è meraviglioso e dà una grande ombra».

Maddalena dovette uscire di persona per invitare Gesù, non riusciva a credere che qualcuno rifiutasse il suo invito. Disse: «Entra a casa mia e sii mio ospite».

Gesù rispose: «Sono già venuto a casa tua, sono già diventato un ospite. Adesso non ho bisogno di altro».

Lei non riusciva a capire. Disse: «No, entra e non dirmi di no. Nessuno me l'ha mai detto. Non puoi fare una cosa tanto piccola come diventare mio ospite, mangiare con me e restare in mia compagnia questa notte?».

Gesù disse: «Ho accettato. Ma ricorda: coloro che sostengono di accettarti non ti hanno mai accettato, e nessuno di coloro che affermano di amarti ti ha mai amato. Ma io ti dico: ti amo, e solo io posso amarti». Tuttavia non entrò in casa; dopo essersi riposato, se ne andò.

Che cosa aveva detto? «Solo io posso amarti. Coloro che continuano a ripeterti di amarti non possono farlo, perché l'amore non è qualcosa che puoi fare: è una qualità dell'essere.»

L'amore accade quando hai raggiunto un'anima cristallizzata, un sé. In presenza dell'ego non accade mai; l'ego vuole essere amato, perché è un cibo di cui ha bisogno. Ami per diventare una persona necessaria. Generi dei bambini non perché li ami, ma per diventare necessario e andare in giro a dire: «Guardate quante responsabilità ho, quanti obblighi sto adempiendo! Sono un padre, una madre...». Questo serve solo a glorificare il tuo ego.

A meno che questo bisogno di sentirti necessario non sparisca, non puoi essere un solitario. Va' sull'Himalaya: creerai una società lassù. Ma se questo bisogno di essere necessario scompare, ovunque tu sia – sulla piazza del mercato, nel centro stesso della città – sarai solo.

Adesso cerca di comprendere le parole di Gesù.

Gesù ha detto: «*Beato il solitario e l'eletto, perché egli troverà il Regno. E poiché viene da esso, vi farà ritorno*».

Penetra in ogni singola parola. *Beato il solitario...* chi è «il solitario»? Una persona il cui bisogno di essere necessario è caduto, che è totalmente soddisfatta di se stessa per ciò che è. Una persona che non ha bisogno di sentirsi dire: «Sei importante». La sua importanza risiede dentro di lei, non viene dagli altri. Non la mendica, non la chiede; il suo significato nasce dal suo essere. Non è un mendicante e sa vivere con se stessa.

Tu non sai vivere con te stesso. Ogni volta che sei solo, ti senti a disagio; immediatamente cominci a provare un senso di fastidio, di imbarazzo, di profonda inquietudine. Cosa fare? Dove andare? Vai al club, in chiesa, a teatro... in qualunque posto, basta che incontri gli altri. Oppure vai semplicemente a fare shopping. Per i ricchi, lo shopping è il solo gioco, l'unico sport. Vanno a fare shopping. Se sei povero, non occorre che entri nei negozi: puoi limitarti a passeggiare guardando le vetrine. L'importante è andare da qualche parte!

Essere soli è molto difficile, insolito, fuori dall'ordinario. Perché questo bisogno? Perché ogni volta che sei solo perdi completamente di significato. Va' a comprare qualcosa in un negozio, almeno il negoziante ti darà un significato... non si tratta dell'oggetto, perché compri sempre cose inutili. Acquisti per il piacere di acquistare. Ma il commesso o il padrone del negozio ti guardano come se fossi un re. Si comportano come se dipendessero da te... ma sai bene che è solo una maschera. Questo è il modo di fare dei negozianti. Il commesso non è affatto interessato a te, il suo sorriso è finto. Ti sorride, ti saluta, ti accoglie come un ospite benvenuto. Ti senti a tuo agio, hai la sensazione di essere qualcuno perché ci sono delle persone che dipendono da te. Questo negoziante ti stava aspettando.

Sei alla ricerca ovunque di occhi che possano darti un significato. Ogni volta che una donna ti guarda, ti dà un significato. Adesso gli psicologi hanno scoperto che quando entri in una stanza – in una sala d'attesa all'aeroporto, in una stazione o in un hotel – se una donna ti guarda due volte, è disposta a farsi sedurre. Ma se ti guarda una sola volta, non badarci: dimenticala. Sono state fatte delle riprese, è stato osservato questo fenomeno, e ormai è assodato: una donna guarda due volte solo se vuole essere apprezzata o guardata.

Quando un uomo entra al ristorante, la donna può gettare un'occhiata, ma se non le interessa, non lo guarderà una seconda volta. E i cacciatori di donne lo sanno bene, lo sanno da secoli! Gli psicologi sono arrivati a scoprirlo soltanto adesso. Osservano gli occhi: se la donna guarda un'altra volta, è interessata. A quel punto sono possibili molte cose, lei ha dato il segnale: è pronta ad andare con te o a fare il gioco dell'amore. Ma se non ti guarda un'altra volta, la porta è chiusa, è meglio bussare da un'altra parte, per te quella soglia è sbarrata.

Ogni volta che una donna ti guarda, diventi importante, ricco di significato; in quel momento sei unico. Ecco perché l'amore dona tanta radiosità e vitalità.

Ma ciò è un problema, perché la stessa donna che ti guarda ogni giorno non sarà di grande aiuto. Per questo mogli e mariti si stancano gli uni delle altre. Infatti, come puoi suscitare sempre lo stesso interesse in una persona che ti vede tutti i giorni? Ti ci abitui: è tua moglie, non c'è nulla da conquistare. Da qui nasce il bisogno di diventare un Byron, un Don Giovanni e passare da una donna all'altra.

Questo non è un bisogno sessuale, ricorda, non ha nulla a che vedere con il sesso, perché il sesso diventa più profondo con una sola donna, in una grande intimità. Non è sesso. Non è amore, assolutamente no, perché l'amore vuole stare sempre di più con una sola persona, in modo sempre più profondo. L'amore si muove in profondità. Questo non è né amore né sesso, ma qualcos'altro: un bisogno dell'ego. Se ogni giorno riesci a conquistare una nuova donna, ti senti molto, molto importante: ti senti un conquistatore.

Ma se ti sei fermato a una sola donna, sei bloccato e nessuno ti guarda, nessun'altra donna o uomo ti dà importanza, hai la sensazione di essere finito. Ecco perché mogli e mariti sembrano così spenti, senza passione. È sufficiente un'occhiata da lontano per dire se una coppia sia sposata o no. Se non lo è, avvertirai una differenza, i due saranno felici, rideranno, parleranno, scherzeranno tra di loro. Se sono moglie e marito, si tollereranno a malapena.

Mulla Nasruddin, nel giorno del venticinquesimo anniversario di matrimonio, si accinge a uscire di casa. La moglie si sente un po' irritata, perché si aspettava che avrebbe fatto qualcosa e invece lui si sta comportando nel modo consueto. Allora gli chiede: «Nasruddin, ti sei scordato che giorno è oggi?».

Nasruddin risponde: «Lo so».

«Allora fa' qualcosa di diverso!»

Nasruddin ci pensa e dice: «Che ne dici di due minuti di silenzio?».

Ogni volta che hai la sensazione che la tua vita sia bloccata vuol dire che hai scambiato per amore un bisogno dell'ego: il bisogno di conquistare, di essere necessario ogni giorno a un uomo nuovo, a una donna nuova, a nuove persone. Se ci riesci, ti senti felice per un po', perché non ti senti una persona comune. Questa è la brama dell'uomo politico: essere necessario al Paese intero. Cosa stava cercando di fare Hitler? Di essere necessario a tutto il mondo!

Ma questo bisogno non ti permetterà di diventare un solitario. Un politico non può diventare religioso, perché si dirige in direzioni opposte. Ecco perché Gesù dice: «È difficilissimo che un ricco entri nel Regno di Dio. Un cammello può passare attraverso la cruna di un ago, ma un ricco non può entrare nel Regno di Dio». Perché? Perché una persona che ammassa ricchezze sta cercando di diventare importante attraverso l'opulenza. Vuole essere qualcuno, ma le porte del Regno sono chiuse per chi desidera essere qualcuno.

Là entra solo chi è un nessuno, chi ha conseguito il proprio nulla; là entrano solo coloro la cui barca è vuota, che hanno compreso come i bisogni dell'ego siano futili e nevrotici, li hanno scandagliati in profondità e li hanno trovati non solo inutili, ma anche pericolosi. I bisogni dell'ego possono farti impazzire, ma non potranno mai appagarti.

Chi è un solitario? Una persona il cui bisogno di essere necessaria è scomparso, che non chiede alcun significato da te, dai tuoi occhi, dalle tue risposte. No! Se dai il tuo amore, sarà riconoscente, ma se non lo dai, non si lamenterà e sarà felice come sempre. Che tu vada a trovarla o no, sarà sempre felice; si troverà a suo agio sia in mezzo a una folla sia in un eremo.

Non puoi rendere infelice un solitario, perché ha imparato a vivere e a essere felice da solo. Nella sua solitudine, basta a se stesso. Ecco perché due persone che stanno insieme non gradiscono che l'altro diventi religioso. Se il marito comincia a orientarsi verso la meditazione, la moglie è turbata. Perché? Forse non è nemmeno consapevole di cosa stia succedendo o del perché sia turbata. Se la moglie comincia a muoversi nella direzione della religiosità, il marito è turbato. Perché?

Nella sfera cosciente affiora una paura inconscia: che lui o lei stia cercando di diventare sufficiente a se stesso. Se a una moglie venisse chiesto: «Preferiresti che tuo marito diventasse un meditatore o un alcolizzato?», risponderebbe: «Un alcolizzato». Se a un marito si chiedesse: «Preferiresti che tua moglie diventasse una *sannyasin* o si traviasse prendendo la strada sbagliata?», egli sceglierebbe quest'ultima opzione.

Un *sannyasin*, un ricercatore del vero, è una persona che basta a se stessa, che non ha bisogno di nessuno e non è in alcun modo dipendente. Ma ciò provoca paura: a quel punto diventi inutile, tutta la tua esistenza ruota intorno al suo bisogno di te; senza di te l'altro non era nessuno, la sua vita era futile, un deserto. Solo in tua compagnia sbocciava; ma se vieni a sapere che può sbocciare nella sua solitudine, sarai turbato, perché il tuo ego sarà ferito.

Chi è un solitario? Gesù dice: *Beato il solitario...* Persone in grado di vivere da sole come se fossero in compagnia del mondo intero, che si divertono con se stesse come bambini piccoli.

I bimbi molto piccoli sanno divertirsi con se stessi. Freud ha un termine particolare per indicare il bambino: «polimorfo». Un bambino piccolo si diverte con se stesso, gioca con il suo corpo, è autoerotico, si succhia il pollice. Ha bisogno di qualcun altro solo per le necessità del corpo. Gli dai il latte, lo giri, gli cambi i pannolini... sono bisogni fisici. In realtà, non ha ancora alcun bisogno psicologico. Non si cura di ciò che le persone pensano di lui, se lo ritengono bello o no. Per questo tutti i bambini sono bellissimi: perché non badano alla tua opinione.

Non è mai nato alcun bambino brutto, ma tutti i bambini lo diventano, a poco a poco. È difficilissimo trovare una persona anziana che sia bellissima, è molto raro. È difficilissimo trovare un bambino brutto. Tutti i bambini sono bellissimi, tutti i vecchi diventano brutti. Cosa succede? Se tutti i bambini nascono bellissimi, dovrebbero morire bellissimi! Ma la vita opera qualcosa...

Tutti i bambini sono autosufficienti... questa è la loro bellezza: sono una luce a se stessi. Tutti i vecchi sono inutili, sono arrivati a capire di non essere necessari. E più invecchiano più hanno la sensazione di non essere necessari. Le persone che avevano bisogno di loro sono scomparse: i bambini sono cresciuti e si sono trasferiti con le loro famiglie, la moglie o il marito sono morti. Ora il mondo non ha bisogno di loro. Nessuno li viene a trovare a casa o li saluta; anche se vanno a passeggiare, nessuno li riconosce. Forse sono stati grandi dirigenti, direttori d'ufficio, presidenti di banche, ma nessuno li riconosce, né qualcuno sente la loro mancanza. Non essendo necessari, si sentono inutili; non fanno altro che aspettare la morte. Anche se morissero non importerebbe a nessuno; persino la morte diventa una cosa orribile.

D'altra parte, se potessi pensare che quando morirai milioni di persone piangeranno per te e ti porgeranno l'ultimo saluto, saresti felice.

Una volta è successo. In America un uomo lo programmò. È l'unica persona in tutta la storia del mondo ad averlo fatto. Poiché voleva sapere come la gente avrebbe reagito alla sua morte, quando i dottori gli dissero che gli restavano solo dodici ore da vivere, annunciò la propria morte. Era una persona che possedeva molti circhi, fiere, agenzie di pubblicità, per cui sapeva come dare risalto alla notizia.

Al mattino il suo agente dichiarò a tutta la stampa, alla radio e alla televisione che era morto. Si scrissero articoli e editoriali, cominciarono ad arrivare telefonate, c'era molta commozione. E lui leggeva tutto, divertendosi moltissimo!

La gente si sente sempre bene quando muori; diventi un angelo all'istante, perché nessuno pensa che valga la pena dire qualcosa contro di te quando sei morto. Quando sei vivo, nessuno dirà qualcosa in tuo favore. Ricorda: quando sarai morto, le persone saranno felici. Almeno hai fatto una buona cosa: te ne sei andato!

Tutti tessevano gli elogi di quest'uomo, sui giornali c'erano sue fotografie in prima pagina, e lui si divertì moltissimo. Poi morì, felicissimo che le cose sarebbero andate così bene.

Non hai bisogno degli altri solo in vita, ma persino nella morte... pensa alla tua morte: per l'ultimo addio ti seguono solo due o tre persone, i servitori e un cane. Non c'è nessun altro, nessun giornalista, nessun fotografo; mancano persino gli amici. E tutti sono molto felici perché un peso se n'è andato. Prova a pensarci e diventerai triste. Persino nella morte si ha il bisogno di essere necessari. Che razza di vita è questa? Sono importanti solo le opinioni degli altri, non tu? La tua esistenza non conta nulla?

Quando Gesù dice: *Beato il solitario*, parla di questo, di un uomo che è arrivato a essere assolutamente felice con se stesso, che è in grado di essere del tutto solo su questa Terra senza cambiare umore. Se il mondo scomparisse a causa di una Terza guerra mondiale – cosa possibile in qualsiasi giorno – e tu restassi solo, cosa faresti, a parte suicidarti immediatamente? Ma un solitario può sedersi sotto un albero e diventare un Buddha anche senza il mondo. Il solitario sarà felice, canterà, danzerà e andrà avanti; il suo stato d'animo non cambierà. Non puoi cambiare lo stato d'animo, il clima interiore di un solitario.

Gesù dice: *Beato il solitario e l'eletto*. E costoro sono gli eletti, perché coloro che hanno bisogno di una folla vi saranno sempre respinti: questo è il loro bisogno, la loro richiesta, il loro desiderio. L'esistenza soddisfa tutto ciò che chiedi, e ciò che sei non è altro che un appagamento dei tuoi desideri passati. Non dare la colpa a qualcun altro: è ciò per cui hai pregato. E ricorda, questo è uno dei pericoli del mondo: qualunque cosa desideri si realizzerà.

Prima di desiderare una cosa, pensaci. Con tutta probabilità si realizzerà, e allora soffrirai. Questo è ciò che accade a un ricco. Era povero e desiderava la ricchezza; a forza di desiderarla, l'ha ottenuta. Adesso è infelice, piange, singhiozza e dice: «Ho sprecato tutta la vita ad ammassare cose senza valore, sono infelice!». Ma questo era il suo desiderio. Se desideri la conoscenza, la otterrai. La tua testa si trasformerà in una grande biblioteca e conterrà molti libri. Ma alla fine urlerai piangendo: «Parole, parole, parole e nulla di sostanziale. Ho sprecato tutta la vita».

Desidera con la massima consapevolezza, perché prima o poi ogni desiderio si realizzerà. Potrebbe essere necessario un po' di tempo, dal momento che c'è la fila: prima di te molte altre persone hanno desiderato, quindi forse ci vorrà un po' di tempo. Talvolta il desiderio di questa vita si realizza in un'altra, ma i desideri si realizzano sempre; questa è una delle leggi più pericolose. Quindi prima di desiderare qualcosa, pensaci! Prima di fare una richiesta, pensaci! Imprimiti bene nella memoria che un giorno sarà esaudita, e allora soffrirai.

Un solitario diventa un eletto, egli è il prescelto dall'esistenza. Come mai? Perché non desidera mai nulla di questo mondo. Non ne ha bisogno. Ha imparato da questo mondo tutto ciò che occorreva; questa scuola è finita, l'ha attraversata e trascesa. È diventato come una vetta elevata, solitaria, che spicca alta nel cielo; si è trasformato nell'eletto, il Gourishankar, l'Everest. Un Buddha, un Gesù, sono cime elevate e solitarie. Questa è la loro bellezza: esistono nella solitudine.

Il solitario è l'eletto. Che cosa ha scelto il solitario? Solo il suo essere. E quando scegli il tuo essere hai scelto l'essere di tutto l'universo, perché il tuo essere e quello dell'universo non sono due cose diverse. Quando scegli te stesso hai scelto Dio, e quando scegli Dio, Dio ha scelto te: sei diventato l'eletto.

Beato il solitario e l'eletto, perché egli troverà il Regno. E poiché viene da esso, vi farà ritorno.

Un solitario, un *sannyasin*… questo vuol dire essere un *sannyasin*: un essere solitario, un viandante, totalmente felice nella sua solitudine. Se qualcuno cammina al suo fianco, va bene; ma anche se qualcuno se ne va, va bene. Egli non aspetta mai nessuno, né si guarda indietro. Da solo è completo. Questo essere, questa integrità, ti trasformano in un cerchio: l'inizio e la fine, l'alfa e l'omega si incontrano.

Un solitario non è simile a una linea, al contrario di te. In te l'inizio e la fine non si incontrano mai. Un solitario è come un cerchio, il suo inizio e la sua fine coincidono. Ecco perché Gesù dice: *E poiché viene da esso, vi farà ritorno.* Diventerai una cosa sola con la sorgente, ti sarai trasformato in un cerchio.

Esiste un altro detto di Gesù: *Quando l'inizio e la fine saranno diventati una cosa sola, sarai diventato Dio.*

Forse hai visto l'immagine di un serpente che si morde la coda: è uno dei simboli più antichi delle società segrete egizie. Ecco cosa vuol dire l'incontro dell'inizio con la fine, la rinascita, il tornare come un bambino: muoversi in cerchio, ritornando alla sorgente. Tornare là, nel punto da cui sei arrivato.

Il leone e le pecore

La solitudine è la realtà assoluta. Si viene al mondo soli, soli lo si lascia; ma tra queste due solitudini, per ingannarci, creiamo ogni genere di rapporto e di conflitto, perché anche nella vita restiamo soli. La solitudine, però, non è qualcosa di cui essere tristi, bensì di cui gioire. Ci sono due parole alle quali il dizionario assegna lo stesso significato, ma che per l'esistenza indicano realtà opposte. Una è «solitudine», l'altra «isolamento». Non sono sinonimi.

L'isolamento è uno stato negativo, come il buio. Vuol dire che ti manca qualcuno; sei vuoto e impaurito in questo vasto universo. «Solitudine» ha un significato completamente diverso: non indica che ti manca qualcuno, ma che hai trovato te stesso. È assolutamente positivo. Trovando se stessi, si trova il significato, il senso, la gioia e lo splendore della vita. Trovare se stessi è la più grande scoperta nella vita di un uomo, ma è possibile solo quando sei solo. Quando la tua consapevolezza non è affollata da niente e da nessuno, ma è profondamente vuota, in quel vuoto, in quel nulla, accade un miracolo. E quel miracolo è il fondamento di tutta la religiosità.

Il miracolo è questo: quando la tua consapevolezza non

ha nient'altro di cui essere conscia, si rivolge a se stessa. Diventa un cerchio. Poiché non trova né ostacoli né oggetti, torna alla sorgente. E nell'istante in cui il cerchio è completo, non sei più un semplice essere umano: sei diventato parte di quella divinità che circonda l'esistenza. Non sei più te stesso: ti sei trasformato in una parte dell'universo intero. Il battito del tuo cuore è il battito dell'universo stesso.

Questa è l'esperienza che i mistici hanno cercato per tutta la vita, nel corso dei secoli. Non esiste esperienza più estatica e felice. Essa trasforma completamente il tuo punto di vista: dove prima c'era oscurità adesso c'è luce, dove c'era infelicità c'è beatitudine, dove c'era rabbia, odio, possessività e gelosia c'è solo un meraviglioso fiore d'amore. Tutta l'energia che andava sprecata in emozioni negative prende una svolta positiva e creativa.

Da una parte non sei più il tuo vecchio sé, dall'altra sei, per la prima volta, il tuo sé autentico. Il vecchio se n'è andato ed è arrivato il nuovo. Il vecchio era morto, il nuovo appartiene all'eterno, all'immortale.

È grazie a questa esperienza che i veggenti delle *Upanishad* hanno dichiarato l'uomo *amritasya putrah*: «figli e figlie dell'immortalità».

A meno che tu non ti conosca come essere eterno, parte del Tutto, continuerai ad avere paura della morte. La paura della morte esiste semplicemente perché non sei consapevole della tua fonte eterna di vita. Una volta compresa l'eternità del tuo essere, la morte diventa la più grande menzogna dell'esistenza. Essa non è mai accaduta, mai accade e mai accadrà, perché ciò che è, permane sempre, in forme diverse, ad altri livelli, ma non c'è discontinuità. L'eternità nel passato e quella nel futuro ti appartengono entrambe. E il momento presente diventa un punto di incontro tra due eternità: una diretta verso il passato, l'altra verso il futuro.

Il ricordo della tua solitudine non dev'essere limitato alla mente: ogni fibra del tuo essere, ogni cellula del corpo dovrebbe ricordarla, non come una parola, ma come un sentimento profondo. L'oblio di te stesso è l'unico peccato, il ricordo di te stesso è la sola virtù.

Gautama il Buddha insisteva sempre su una parola, la sottolineò per quarantadue anni, mattina e sera: *sammasati*, «giusto ricordo». Tu ricordi molte cose, al punto che potresti diventare un'Enciclopedia Britannica. La tua mente è in grado di ricordare i libri contenuti in tutte le biblioteche del mondo, ma non è quello il giusto ricordo. Il giusto ricordo è soltanto uno: quando ricordi te stesso.

Gautama il Buddha era solito spiegare il suo punto di vista con l'antica parabola di una leonessa che stava saltando da una collinetta all'altra, e tra le due collinette c'era un gregge di pecore. La leonessa era incinta e partorì mentre stava saltando. Il cucciolo cadde nel gregge di pecore, venne adottato da queste ultime e, naturalmente, pensò di essere una pecora. Era un po' strano, perché era molto grosso e diverso, ma forse si trattava di uno sbaglio della natura. Venne allevato come un vegetariano.

Crebbe e, un giorno, un vecchio leone in cerca di cibo si avvicinò al gregge di pecore e non poté credere ai suoi occhi. In mezzo alle pecore c'era un giovane leone nel pieno del suo splendore, ma le pecore non avevano paura. Si scordò del cibo e cominciò a inseguire il gregge di pecore. La sua incredulità aumentava sempre di più, perché il giovane leone stava scappando con le pecore! Finalmente riuscì a raggiungere quel leoncino, che implorò, singhiozzando: «Per favore, lasciami andare con la mia gente!».

Ma il vecchio leone lo trascinò a un lago vicino – un lago silenzioso senza increspature, simile a uno specchio puro – e lo costrinse a vedere i loro due riflessi sul lago. Avvenne una trasformazione improvvisa: non appena il giovane leone vide chi era, emise un possente ruggito; tutta la vallata echeggiò del ruggito del giovane leone. Non aveva mai ruggito prima perché non credeva di essere altro che una pecora.

Il vecchio leone disse: «Il mio compito è finito, adesso sta a te. Vuoi tornare al tuo gregge?». Il giovane leone rispose, ridendo: «Perdonami, avevo completamente dimenticato chi sono. E ti sono immensamente grato per avermi aiutato a ricordare».

Gautama il Buddha ripeteva sempre: «La funzione del Maestro è aiutarti a ricordare chi sei». Tu non fai parte di questa società mondana, la tua dimora è la dimora del divino. Sei perso nell'oblio, hai dimenticato che al tuo interno si nasconde Dio. Non guardi mai dentro di te; poiché tutti guardano all'esterno, anche tu guardi sempre all'esterno.

Essere soli è una grande opportunità, una benedizione, perché nella tua solitudine sei costretto a imbatterti in te stesso e ricordare per la prima volta chi sei. Sapere di fare parte dell'esistenza divina vuol dire essere liberi dalla morte, dall'infelicità, dall'angoscia, da tutto ciò che, nel corso di moltissime vite, per te è stato un incubo.

Centrati di più nella tua profonda solitudine. Ecco cos'è la meditazione: centrarsi nella propria solitudine. La solitudine dev'essere così pura da non venire disturbata nemmeno da un pensiero, neppure da un'emozione. Nell'istante in cui la tua solitudine sarà completa, la tua esperienza di essa si trasformerà nella tua illuminazione. L'illuminazione non è qualcosa che viene dall'esterno, ma qualcosa che nasce dentro di te.

Dimenticare il tuo sé è l'unico peccato. E ricordare il tuo sé, nella sua profonda bellezza, è la sola virtù, l'unica religione. Non occorre che tu sia hindu, musulmano, cristiano: tutto ciò di cui hai bisogno per essere religioso è essere te stesso.

E, di fatto, noi non siamo separati, nemmeno adesso; nessuno è separato. L'intera esistenza è un'unità organica. L'idea della separazione esiste a causa del nostro oblio. È come se ogni foglia dell'albero cominciasse a pensare di essere separata dalle altre foglie... in profondità, vengono nutrite dalle stesse radici. L'albero è uno solo, le foglie possono essere molte. L'esistenza è una sola, le manifestazioni possono essere molteplici. Conoscendo se stessi, una cosa diventa assolutamente chiara: nessun uomo è un'isola. Noi tutti siamo un continente, un vasto continente, un'esistenza infinita senza limiti. La stessa vita ci attraversa tutti, lo stesso amore riempie ogni cuore, la stessa gioia danza in ogni essere. Pensiamo di essere separati solo a causa del nostro fraintendimento.

L'idea di separazione è una nostra illusione. L'idea di unità sarà la nostra esperienza della verità assoluta. È sufficiente un po' di intelligenza in più e potrai uscire dalle tenebre, dall'infelicità, dall'inferno in cui sta vivendo l'intera umanità. Il segreto per uscire da questo inferno è ricordare te stesso. Ma questo ricordo diventerà possibile solo se comprenderai di essere solo.

Forse vivi con tua moglie e tuo marito da cinquant'anni, ma siete sempre due persone. Tua moglie è sola, tu sei solo. Da sempre cerchi di creare un'apparenza: «Non siamo soli», «Siamo una famiglia», «Siamo una società», «Siamo una civiltà», «Siamo una cultura», «Siamo una religione organizzata», «Siamo un partito politico», ma tutte queste illusioni non saranno d'aiuto.

Devi riconoscere, per quanto sembri doloroso all'inizio, che «Io sono solo in una terra straniera». Questo riconoscimento, la prima volta, è doloroso. Annienta tutte le nostre illusioni, che sono grandi consolatrici; ma, una volta che hai avuto il coraggio di accettare la realtà, il dolore scompare. E nascosto subito dietro il dolore c'è il più grande dono del cielo: arrivi a conoscere te stesso.

Sei l'intelligenza, la consapevolezza, l'anima dell'esistenza. Sei parte di questa immensa divinità che si manifesta in migliaia di forme: negli alberi, negli uccelli, negli animali, negli esseri umani... ma è la stessa consapevolezza in diversi stadi dell'evoluzione. E l'uomo che riconosce se stesso – e intuisce che il Dio cercato in tutto il mondo dimora nel suo cuore – arriva al punto più alto dell'evoluzione. Non esiste nulla di più elevato.

Ciò rende per la prima volta religiosa la tua vita, piena di senso, di significato. Ma non sarai hindu, cristiano, ebreo: sarai semplicemente religioso. Se sei hindu, musulmano, cristiano, giainista o buddista, stai distruggendo la purezza della religiosità: quest'ultima non ha bisogno di aggettivi.

L'amore è l'amore. Hai mai sentito parlare dell'amore hindu o musulmano? La consapevolezza è consapevolezza: hai mai sentito parlare della consapevolezza indiana o cinese? L'illuminazione è illuminazione: che accada in un corpo bianco o nero, in un giovane o in un anziano, in un uomo o in una donna, non fa differenza. È la stessa esperienza, lo stesso sapore, la stessa dolcezza, la stessa fragranza.

La sola persona non intelligente è quella che va in giro per il mondo alla ricerca di qualcosa, senza sapere esatta-

274

mente di cosa. Di volta in volta pensa che sia il denaro, il potere, il prestigio, la rispettabilità.

L'uomo intelligente, prima di cominciare un viaggio nel mondo esteriore, cerca all'interno del proprio essere. Sembra semplice e logico: da' un'occhiata dentro la tua casa, prima di andare a cercare in giro per il mondo. E chi ha guardato dentro di sé ha sempre trovato, senza eccezioni.

Gautama il Buddha non è un buddhista. La parola «buddha» vuol dire semplicemente «il risvegliato», colui che è uscito dal sonno. Mahavira, il giainista, non è un giainista. La parola *giaina* vuol dire semplicemente «colui che ha conquistato se stesso». Il mondo ha bisogno di una grande rivoluzione grazie alla quale ogni individuo troverà la propria religione dentro di sé. Non appena le religioni diventano organizzate, diventano pericolose; in realtà, diventano politica mascherata da religione. Ecco perché tutte le religioni del mondo cercano di convertire sempre più persone al proprio credo. È la politica dei numeri: chi ha il numero più alto è più potente. Ma nessuno sembra interessarsi a portare milioni di persone a se stesse.

Il mio lavoro consiste nel farti uscire da qualsiasi tipo di organizzazione: infatti, la verità non può mai essere organizzata. Devi andare da solo in pellegrinaggio, perché il pellegrinaggio sarà interiore. Non puoi portare nessuno con te. E devi abbandonare tutto ciò che hai imparato dagli altri, perché tutti quei pregiudizi distorceranno la tua visione impedendoti di vedere la nuda realtà del tuo essere. La nuda realtà del tuo essere è l'unica speranza di trovare Dio.

Dio è la tua nuda realtà, priva di decorazioni e aggettivi. Non è limitata dal tuo corpo, dalla tua nascita, dal tuo colore, dal tuo sesso, dal tuo Paese. Semplicemente, non è limitata da nulla. Ed è vicinissima, a portata di mano.

Basta un passo verso l'interno e sei arrivato.

Per migliaia di anni ti è stato detto che il viaggio verso Dio è lunghissimo. Il viaggio non è lungo, Dio non è remotissimo. Dio è nel tuo respiro, nel battito del tuo cuore, nel tuo sangue, nelle tue ossa, nel tuo midollo. È sufficiente un solo passo: chiudi gli occhi ed entra dentro di te.

Ci potrebbe volere un po' di tempo, perché le vecchie abitudini sono dure a morire: anche se chiudi gli occhi, i pensieri continueranno ad affollarsi in te. Quei pensieri vengono dall'esterno e la tecnica, seguita da tutti i grandi veggenti del mondo, consiste semplicemente nell'osservarli, nell'essere un testimone. Non condannarli, non giustificarli, non razionalizzarli. Resta in disparte, indifferente; lascia che passino. Se ne andranno. E quando la tua mente sarà assolutamente silenziosa, senza alcun disturbo, avrai compiuto il primo passo verso il tempio di Dio.

Il tempio di Dio è formato dalla tua consapevolezza. Non puoi arrivarci in compagnia dei tuoi amici, di tua moglie, dei tuoi genitori.

Ognuno deve entrarci da solo

Altri interrogativi...

1. *Non ho mai «fatto parte di alcunché», non sono mai stata «dentro a qualcosa», non mi sono mai sentita «tutt'una» con qualcun altro. Perché per tutta la vita sono stata così solitaria?*

La vita è un mistero, ma puoi ridurla a un problema. E una volta trasformato un mistero in un problema sarai in difficoltà, perché non possono esserci soluzioni. Un mistero resta un mistero, è insolubile, per questo viene chiamato «mistero».

La vita non è un problema. Ma questo è uno degli errori fondamentali che commettiamo con maggiore frequenza: mettiamo subito un punto interrogativo. E se metti un punto interrogativo davanti a un mistero, cercherai la risposta per tutta la vita, senza trovarla. Naturalmente, ciò creerà molta frustrazione.

Ritengo che la donna che ha posto la domanda è una meditatrice naturale. Piuttosto che farne un problema, gioisci! Non appartenere ad alcunché è una delle più grandi esperienze della vita. Essere davvero un'estranea, non sentirsi mai parte di nulla, è un'esperienza notevole di trascendenza.

Un turista americano si recò in visita da un Maestro sufi. Aveva sentito parlare di lui da molti anni e si era profondamente innamorato delle sue parole e del suo messaggio. Alla fine decise di andare a vederlo. Quando entrò nella sua stanza rimase sorpreso: era totalmente vuota! Il Maestro se ne stava seduto e non c'era alcun mobilio. L'americano non riusciva a immaginare un soggiorno senza mobilio. Subito chiese: «Dove sono i suoi mobili?».

Il vecchio sufi chiese ridendo: «E dove sono i tuoi?».

L'americano rispose: «Qui sono un turista, ovviamente. Non posso portarmi dietro i mobili!».

Il vecchio disse: «Anch'io sono un turista, in visita solo per pochi giorni. Poi me ne andrò, proprio come te».

Questo mondo è solo un pellegrinaggio. È molto importante, ma non è un luogo cui appartenere, di cui fare parte. Rimani un petalo di loto.

Questa è una delle calamità della mente umana: facciamo di ogni cosa un problema. Ebbene, questo per te dovrebbe essere fonte di immensa gioia. Non definirti una «solitaria». Stai usando una parola sbagliata, che sottintende una condanna. Sei sola, e la parola «sola» ha una grande bellezza. Non sei nemmeno isolata. Essere isolati implica avere bisogno dell'altro, essere soli vuol dire essere profondamente radicati, centrati in se stessi. Tu basti a te stessa.

Poiché non hai ancora accettato questo dono dell'esistenza, stai soffrendo inutilmente. E questa è la mia osservazione: milioni di persone stanno soffrendo inutilmente.

Considera le cose da un'altra prospettiva. Non ti sto dando una risposta, io non do mai risposte. Ti do semplicemente nuove prospettive, nuovi angoli da cui guardare.

Pensa a te stessa come a una meditatrice naturale, capace di essere sola, abbastanza forte per esserlo, così centrata e radicata che l'altro non è affatto necessario. Certo, è possibile rapportarsi con l'altro, ma ciò non si trasformerà mai in una relazione. Relazionarsi va benissimo: due persone sole possono relazionarsi, ma non possono essere in una relazione.

La relazione è il bisogno di coloro che non sanno stare soli. Due persone isolate entrano in relazione; due persone sole si relazionano, comunicano, sono in comunione; tuttavia, restano sole. La loro solitudine resta incontaminata, pura, vergine. Sono come vette himalayane, alte nel cielo sopra le nuvole. Due vette non si incontrano mai, tuttavia c'è una sorta di comunione attraverso il vento, la pioggia, i fiumi, il sole e le stelle. Certo, esiste una comunione; le due vette dialogano moltissimo. Bisbigliano tra di loro, ma la solitudine resta assoluta; non scendono mai a compromessi.

Sii come un'alta vetta nel cielo! Perché dovresti bramare di appartenere? Non sei una cosa! Le cose appartengono!

Tu dici: *Non ho mai «fatto parte di alcunché», non sono mai stata «dentro a qualcosa»...*

Non occorre! Essere addentro a questo mondo vuol dire perdersi. La persona mondana è colei che «sta dentro»; un Buddha non può che restare un estraneo. Tutti i Buddha sono degli estranei. Anche nella folla sono soli; anche sulla piazza del mercato, non stanno là; anche se si relazionano, restano separati. C'è sempre una sottile forma di distanza.

E quella distanza è libertà, è gioia immensa, è il tuo spazio. E tu ti definisci «una solitaria»? Di certo stai facendo paragoni con gli altri: «Loro hanno molte relazioni, hanno storie d'amore. Appartengono l'uno all'altra, stanno "dentro a qualcosa". Io, invece, sono una solitaria. Perché?». Ti starai tormentando inutilmente.

Il mio approccio è sempre questo: qualunque cosa l'esistenza ti abbia dato, dev'essere una sottile necessità della tua anima, altrimenti, in primo luogo, non te l'avrebbe data.

Pensa di più alla solitudine. Celebra la solitudine, il tuo spazio puro, e nel tuo cuore sorgerà un canto squisito. Sarà un canto di consapevolezza, di meditazione; sarà il canto di un uccello che lancia un richiamo da lontano. Non sta chiamando qualcuno in particolare; lancia un richiamo perché il suo cuore è colmo e vuole chiamare, perché la nuvola è pesante e vuole trasformarsi in pioggia, perché il fiore è pieno e i petali si aprono liberando la fragranza... senza indirizzo. Lascia che la tua solitudine si trasformi in una danza.

Sono profondamente felice di ciò che sei. Se la smettessi di crearti problemi... io non scorgo veri problemi. L'unico problema è che la gente continua a creare problemi! I problemi non si risolvono mai; si dissolvono, semplicemente. Ti sto dando una prospettiva, una visione. Dissolvi il tuo problema! Accettalo come un dono di Dio, con molta gratitudine, e vivilo. Rimarrai sorpresa: un dono così incredibile, e non lo avevi ancora apprezzato. Un dono preziosissimo nascosto nel tuo cuore, e non lo riconoscevi. Danza, canta, vivi la tua solitudine!

E non sto dicendo di non amare. In realtà, solo una persona capace di essere sola è in grado di amare. Le persone isolate non possono amare. Il loro bisogno è così grande che si aggrappano; come possono amare? Le persone isolate non possono amare, ma solo sfruttare. Le persone isolate fingono di amare, ma in profondità cercano di ottenere amore. Non hanno nulla da donare. Solo una persona che sappia essere sola *e* felice è così piena d'amore da poterlo condividere. È in grado di condividerlo con degli estranei.

E tutti sono degli estranei, ricorda. Tuo marito, tua moglie, i tuoi bambini sono tutti degli estranei. Non dimenticarlo mai! Non conosci tuo marito, non conosci tua moglie. Non conosci nemmeno tuo figlio. Il bambino che hai portato per nove mesi nell'utero è un estraneo.

Tutta questa vita è una strana terra; veniamo da qualche sorgente sconosciuta. Improvvisamente siamo qui, e improvvisamente un giorno ce ne andremo, tornando alla sorgente originaria. Questo è un viaggio di pochi giorni, rendilo il più gioioso possibile.

Ma noi facciamo esattamente l'opposto: lo rendiamo il più infelice possibile. Mettiamo tutte le nostre energie nel renderlo sempre più triste e meschino.

2. Perché la mia tristezza sembra più autentica della mia felicità? Desidero moltissimo essere reale e autentico, senza indossare maschere, ma questo sembra voler dire essere rifiutati dagli altri. È possibile essere così soli?

È importante capire. La maggior parte delle persone si trova in questa situazione. La tua tristezza è certamente più reale perché è tua, autentica. La tua felicità è superficiale; non è tua, dipende da qualcosa, da qualcuno. E quando qualcosa ti rende dipendente, per quanto tu possa sentirti felice per alcuni istanti, presto la luna di miele finisce, e prima di quanto ti aspettassi.

Sei felice a causa della tua ragazza, del tuo ragazzo, ma sono degli individui, potrebbero non essere d'accordo con

te su ogni cosa. In realtà, ciò che accade nella maggior par
te dei casi è che alla moglie non piace ciò che gradisce il
marito, e viceversa. Strano... perché questo fenomeno è
praticamente universale. Accade per motivi ben precisi. In
profondità si odiano, per il semplice motivo che per la propria felicità dipendono l'uno dall'altra, ma a nessuno piace
essere dipendente. La schiavitù non è il desiderio autentico
degli esseri umani. Se un uomo o una donna ti rende felice
e diventi dipendente, stai creando allo stesso tempo un odio
profondo, a causa della dipendenza. Non puoi lasciare la
donna perché ti rende felice, ma non riesci ad abbandonare
l'odio che provi verso di lei perché ti rende dipendente.

Tutte le cosiddette relazioni d'amore sono molto strane, sono fenomeni complicati. Sono relazioni di amore-
odio. L'odio ha bisogno di essere espresso, in un modo o
nell'altro. Ecco perché a te non piace ciò che è di gradi-
mento di tua moglie, o di tuo marito. Mariti e mogli litigano per ogni minima cosa. Quale film vedere? Nasce un
tremendo litigio. In quale ristorante andare? Subito si genera una discussione. Questo è l'odio che si muove sotto
la maschera della felicità. La felicità resta superficiale,
molto sottile; grattala un po' e troverai il suo opposto.

Viceversa la tristezza è più autentica, perché non dipende da nessuno. È tua, assolutamente tua. Ciò dovrebbe farti intuire una cosa importante: la tristezza può aiutarti più della felicità. Non hai mai guardato la tristezza
da vicino. Cerchi di non vederla, in molti modi. Se ti senti
triste, vai a vedere un film, accendi la televisione, vai a
giocare con gli amici, vai in un club, cominci a fare qualcosa, in modo da non dover vedere la tristezza. Questo
non è l'approccio giusto.

L'essere triste è un fenomeno importantissimo, sacro; è
qualcosa di tuo. Familiarizza con la tristezza, entraci più

in profondità e sarai sorpreso. Siedi in silenzio e sii triste. La tristezza possiede una sua bellezza.

La tristezza è silenziosa, è tua. Arriva perché sei solo. Ti sta dando un'opportunità per scendere più in profondità nella tua solitudine. Piuttosto che saltare da una felicità superficiale a un'altra felicità superficiale e sprecare così la tua vita, è meglio usare la tristezza come una via per la meditazione. Siine un testimone. È un'amica! Schiude la soglia della tua solitudine eterna.

È impossibile non essere soli. Puoi illuderti, ma senza successo. E noi ci stiamo illudendo in ogni modo possibile: con le relazioni, con l'ambizione, con la fama, facendo questo e quello. Stiamo cercando di convincerci che non siamo soli, che non siamo tristi. Ma prima o poi la tua maschera cade – è falsa, non può restare per sempre – e dovrai indossarne un'altra. Nel corso di una breve vita, quante maschere indossi? E quante sono scomparse, quante sono cambiate? Eppure insisti nella vecchia abitudine.

Se vuoi essere un individuo autentico usa la tristezza, non rifuggirla. È un grande dono del cielo. Siedi silenziosamente in sua compagnia, gioisci in essa. Non c'è nulla di sbagliato nell'essere tristi. E quando ti sarai familiarizzato con essa e le sue sottili sfumature, sarai sorpreso: è un profondo rilassamento, un grande riposo; ne esci rinfrescato, ringiovanito e più vivo. Una volta assaporati quei bellissimi momenti di tristezza, li cercherai sempre. Li aspetterai, darai loro il benvenuto, ed essi schiuderanno nuove soglie alla tua solitudine...

Nasci solo, morirai solo. Tra queste due solitudini puoi illuderti di non essere solo, di avere una moglie, un marito, dei figli, soldi e potere. Tuttavia, tra queste due solitudini *sei* solo; tutto serve semplicemente a tenerti impe-

283

gnato in una cosa o nell'altra, in modo da non diventarne consapevole.

Fin dalla mia infanzia, non mi sono mai mescolato alla gente. Tutta la mia famiglia era molto preoccupata: non giocavo con i miei coetanei, non ho mai giocato con loro. I miei insegnanti erano ansiosi: «Cosa continui a fare mentre tutti i bambini giocano? Stai seduto sotto l'albero da solo». Pensavano che in me ci fosse qualcosa di sbagliato.

Ma io dissi loro: «Non occorre che vi preoccupiate. La realtà è che c'è qualcosa di sbagliato in voi e in tutti i vostri bambini. Io sono perfettamente felice da solo».

A poco a poco accettarono che fossi fatto così, non potevano farci nulla. Cercarono in tutti i modi di aiutarmi a mescolarmi agli altri bambini della mia età. Ma mi piaceva così tanto stare solo che giocare a calcio mi sembrava qualcosa di nevrotico.

Dissi al mio insegnante: «Non vedo il punto. Perché calciare inutilmente la palla da qua a là? Non ha senso. E anche se fai goal, cos'è successo? Cos'hai ottenuto? Inoltre, se a tutta questa gente piace così tanto fare goal, anziché usare un pallone solo, usatene diciotto. Date a ognuno un pallone, in modo che possa fare tutti i goal che desidera: nessuno glielo impedisce. Lasciate che segnino tutti i goal che vogliono! Così è troppo difficile; perché complicare le cose inutilmente?».

Ma il mio insegnante rispose: «Non capisci. Se ai bambini venissero dati diciotto palloni e ognuno potesse fare goal tante volte quante desidera, non sarebbe più un gioco. Non servirebbe a niente».

Dissi: «Non capisco. Creando ostacoli e impedendo alle persone... e cadono, si rompono le ossa, è assurdo. Non solo: quando ci sono le partite, si radunano a migliaia per vederle. Questa gente sembra ignorare che la vita è molto breve: sta guardando una partita di pallone! Si eccita, salta, urla... per me è assolutamente nevrotico. Preferisco stare seduto sotto il mio albero».

Avevo il mio albero, un albero bellissimo, dietro l'edificio della scuola. Poiché tutti sapevano che era il mio albero, nessuno ci andava. Ero solito sedermi laggiù ogni volta che era l'ora di giocare o di qualche altra attività nevrotica, «extrascolastica». Ebbi così tanto da quell'albero che, ogni volta che tornavo alla mia città, non andavo mai a trovare il direttore. Il suo ufficio era vicino all'albero, proprio dietro di esso. Andavo a trovare l'albero per ringraziarlo, per mostrargli la mia gratitudine. Il direttore usciva e diceva: «Strano. Quando vieni in città non passi mai a trovarmi, a vedere la scuola. Invece vai sempre da questo albero».

Risposi: «Ho fatto più esperienze sotto questo albero che sotto la guida tua e di tutti i tuoi professori nevrotici. Loro non mi hanno dato nulla; al contrario, mi sono dovuto liberare di tutto ciò che mi hanno dato. Ma ciò che questo albero mi ha donato è ancora con me».

E sarai sorpreso... è accaduto due volte, quindi non può essere una coincidenza. Nel 1970 smisi di andare in quella città, perché avevo fatto una promessa a mia nonna: «Verrò solo finché sei viva. Quando te ne sarai andata, non avrò più alcun motivo per venire quaggiù». Venni informato che, non appena smisi di andare in città, l'albero morì. Pensai che si trattasse di un caso, una coincidenza, non poteva avere a che fare con me. Ma accadde due volte...

Quando divenni professore universitario... nei pressi dell'università c'era un filare di alberi meravigliosi e io parcheggiavo la mia macchina sotto un albero, sempre lo stesso. Stranamente ho sempre avuto questo privilegio:

non so perché, ma nessuno occupava mai i miei spazi. Anche in sala professori nessuno usava la mia sedia, in realtà non occupavano neppure quelle più vicine... pensavano che fossi un po' pericoloso. Un uomo senza amici, con strani pensieri, contro tutte le religioni e le tradizioni, che riusciva a opporsi da solo a persone come il Mahatma Gandhi, venerato in tutto il Paese... pensavano: «È meglio stargli lontano. Può metterti qualche idea in testa, creandoti delle difficoltà».

Ebbene, parcheggiavo la macchina solo sotto quell'albero. Nessun altro parcheggiava in quel punto; anche se non arrivavo, quel posto rimaneva vuoto. Tutti gli altri alberi morirono, il mio – era diventato famoso come il «mio» albero – rimase bellissimo.

Un anno dopo le mie dimissioni dall'università, il vicepreside mi disse: «È strano: quell'albero è morto. Da quando non sei più venuto all'università è successo qualcosa».

Penso che esista una sorta di sincronicità. Se ti siedi in silenzio con un albero... l'albero è silenzioso, tu sei silenzioso... e due silenzi non possono restare separati, non c'è modo di dividerli.

In questo momento, voi siete tutti seduti qui con me; se ognuno di voi ha dei pensieri in testa, siete separati. Ma se siete tutti silenziosi, improvvisamente accade qualcosa simile a un'anima collettiva.

Forse quegli alberi sentirono la mia mancanza. Nessuno si avvicinò più a loro, non ci fu più nessuno con cui potessero comunicare. Morirono perché non riuscirono più a ricevere calore da nessuno. Io avevo un amore e un rispetto grandissimi per quegli alberi.

Ogni volta che ti senti triste siediti accanto a un albero, a un fiume, a una roccia, e semplicemente rilassati nella tua tristezza, senza alcuna paura. Più ti rilassi più familiarizzerai con la bellezza della tristezza. A quel punto la tristezza comincerà a cambiare forma: si trasformerà in una gioia silenziosa, che non sarà suscitata da nessuno all'esterno. Non si tratterà di una felicità superficiale, qualcosa che potrà essere portata via con molta facilità.

E, addentrandoti nella tua solitudine, non scoprirai solo la gioia; quest'ultima è soltanto a mezza strada. La felicità è molto superficiale, dipende dagli altri; la gioia è nel mezzo, non dipende da nessuno. Ma, scendendo più in profondità, arriverai allo stato di beatitudine, a ciò che io chiamo «illuminazione».

Usa qualunque cosa e arriverai all'illuminazione; ma usa qualcosa di autentico, che sia tuo. Allora avrai un'estasi che sarà tua per ventiquattr'ore al giorno. Semplicemente, si irradia da te. Ora la puoi condividere, puoi darla a chiunque ami. Ma è un dono incondizionato. E nessuno può renderti infelice.

Questo è il mio sforzo: renderti estatico in modo indipendente. Ciò non vuol dire che devi rinunciare al mondo, alla moglie, alla ragazza, al piacere del cibo... nemmeno ai gelati; non ha nulla a che vedere con tutto ciò. La tua beatitudine resta con te qualunque cosa tu stia facendo. Accrescerà, arricchirà qualsiasi tua azione. Il tuo amore avrà una fragranza completamente diversa. Ora dietro a esso non si celerà alcun odio, sarà amore e basta. Non ci sarà nemmeno l'aspettativa di ricevere qualcosa in cambio. Non hai bisogno di nulla. Donare è una tale gioia che annulla ogni bisogno; dentro di te sei così ricco che nulla può arricchirti ulteriormente.

E continui a condividere beatitudine. Più la condividi più ne hai, per cui nulla può impoverirti. Questo è l'unico miracolo che conosco.

3. *Man mano che mi addentro nella meditazione e nell'osservazione di chi sono realmente, ho difficoltà a mantenere relazioni con gli altri. È qualcosa che bisogna aspettarsi, o sto sbagliando da qualche parte?*

Quando sei in un pellegrinaggio interiore, le stesse energie che si muovevano verso l'esterno si volgono all'interno, e improvvisamente ti ritrovi solitario come un'isola. Le difficoltà sorgono perché non sei davvero radicato nel tuo essere, e tutte le relazioni sembrano una dipendenza, una schiavitù. Ma è una fase transitoria, non farne un atteggiamento permanente. Prima o poi, quando sarai di nuovo radicato dentro di te, traboccherai di energia e vorrai ricominciare una relazione.

Quando la mente diventa meditativa per la prima volta, l'amore sembra una schiavitù. E in un certo senso è vero, perché una mente non meditativa non può amare davvero; quell'amore è falso, illusorio, è più un'infatuazione che un amore. Ma se non accade l'amore reale non hai nulla da paragonare a esso; pertanto, quando la meditazione comincia ad accadere, l'amore illusorio a poco a poco svanisce, si dissolve. La prima cosa è: non scoraggiarti. E la seconda: non farne un atteggiamento permanente. Queste sono due possibilità.

Se ti scoraggi perché la tua vita amorosa sta scomparendo e ti aggrappi a essa, ciò si trasformerà in un ostacolo nel tuo viaggio interiore. Accetta il fatto che adesso l'energia sta cercando nuove vie e che per alcuni giorni non sarà più disponibile per le attività esterne.

Se una persona è creativa e medita, per un certo periodo qualsiasi creatività scomparirà. Se sei un pittore, all'improvviso non ti ritroverai più nella pittura; potrai continuare, ma ben presto non avrai né energia né entusiasmo. Se sei un poeta, la poesia finirà; se sei stato innamorato, quell'energia semplicemente scomparirà. Se cerchi di costringerti a entrare in una relazione, a essere il tuo vecchio io, tale forzatura sarà molto, molto pericolosa. In quel caso, faresti qualcosa di contraddittorio: da una parte ti spingeresti verso l'esterno, dall'altra ti muoveresti al tuo interno. È come guidare una macchina premendo allo stesso tempo il freno e l'acceleratore. Puoi provocare un disastro, perché stai facendo allo stesso tempo due cose opposte.

La meditazione si oppone solo all'amore inautentico. Ciò che è falso scomparirà. Questa è una condizione fondamentale per lasciar affiorare ciò che è autentico.

Il falso se ne deve andare, ti deve lasciare completamente libero; solo allora sarai aperto al reale. Quindi, per alcuni giorni, dimentica ogni relazione.

La seconda cosa – un altro grande pericolo – è che puoi farne uno stile di vita, come è successo a molte persone, che ora vivono nei monasteri: monaci anziani, religiosi ortodossi che hanno fatto del non avere rapporti uno stile di vita. Pensano che l'amore sia contro la meditazione e che la meditazione sia contro l'amore: non è vero. La meditazione è contro l'amore falso, ma è totalmente a favore dell'amore autentico.

Una volta che ti sarai radicato, che non potrai andare più in profondità, che avrai raggiunto il centro, il fondamento del tuo essere, sarai centrato. All'improvviso l'energia sarà disponibile, ma non avrà alcuna direzione verso cui andare. Il viaggio verso l'esterno è finito quando hai cominciato a meditare, e ora anche il viaggio interiore è completato. Sei centrato, hai raggiunto la dimora reale. Questa energia comincerà a traboccare. È un tipo di movimento completamente diverso, una qualità nuova, perché priva di motivazioni. Prima ti muovevi verso gli altri con una motivazione, adesso non ce n'è alcuna. Ti dirigi verso gli altri semplicemente perché hai moltissimo da condividere.

In precedenza ti comportavi come un mendicante, adesso come un imperatore. Non stai cercando la felicità dagli altri: ce l'hai già. Adesso la felicità è eccessiva, la nuvola è così colma che vuole trasformarsi in pioggia. Il fiore è così maturo che vorrebbe correre nei venti come fragranza e raggiungere ogni angolo del mondo. È una condivisione, nasce un nuovo tipo di relazione. Definirla una relazione non è esatto, dal momento che non si tratta più di un rapporto; piuttosto, è uno stato dell'essere. Non è che ami: *sei* amore.

Quindi non ti scoraggiare e non farne uno stile di vita, si tratta soltanto di una fase transitoria. La rinuncia è uno stadio intermedio, lo scopo della vita è la celebrazione. La rinuncia è solo un mezzo. Ci sono momenti in cui devi rinunciare, come quando sei malato e il dottore dice che devi digiunare. Il digiuno non deve trasformarsi in uno stile di vita. Rinuncia al cibo, ma una volta riacquistata la salute, torna a goderne, e a quel punto sarai in grado di apprezzarlo più che mai. Non fare del digiuno la tua vita, era solo un'indispensabile fase transitoria.

Limitati a un piccolo digiuno d'amore e di relazioni, e presto sarai in grado di muoverti ancora, con energia straripante e senza motivazioni. Allora l'amore sarà meraviglioso. Prima di quel momento non lo è mai, è sempre brutto. Per quanti sforzi tu faccia, diventa sempre qualcosa di amaro. Entrambi i partner possono sforzarsi di renderlo meraviglioso, ma non è nella natura delle cose, subentra sempre qualche spiacevolezza. Tutte le relazioni d'amore sono sempre in crisi. Aspetta un po' ...

Parte quinta

UN AMMONIMENTO
DUE DONNE E UN MONACO

*Ci stiamo riversando gli uni negli altri; non siamo isole se-
parate. Una persona gelida diventa simile a un'isola, e questa è una grande disgrazia: avresti potuto trasformarti in un
vasto continente, invece hai deciso di diventare un'isola. Hai
deciso di restare povero, quando avresti potuto diventare ricco a tuo piacimento.*

*Non cercare mai di reprimere, altrimenti diventerai un
muro. Le persone represse indossano maschere, hanno un
volto falso, fingono di essere qualcun altro. Una persona repressa ha dentro di sé il tuo stesso mondo: è sufficiente
un'opportunità, una provocazione, perché la realtà emerga.
Ecco perché i monaci scompaiono dal mondo: vi sono troppe provocazioni, troppe tentazioni. Per loro è difficile contenersi, trattenersi. Se ne vanno sull'Himalaya o nelle caverne,
si ritirano dal mondo; in questo modo, se dovessero affiorare
certe tentazioni, idee, desideri, non li possono soddisfare.*

Un racconto Zen

In Cina viveva una donna anziana che manteneva un monaco da più di vent'anni. Gli aveva costruito una capanna e gli procurava il cibo mentre lui meditava.

Un giorno decise di scoprire quali progressi avesse fatto in tutto questo tempo. Ottenne l'aiuto di una ragazza che sprizzava desiderio da ogni poro e le disse: «Va', abbraccialo e poi, d'acchito, chiedigli: "E adesso?"».

La ragazza si presentò al monaco e cominciò subito ad accarezzarlo, chiedendogli in che modo voleva rispondere alla sua offerta d'amore.

«Un vecchio albero cresce d'inverno su una roccia» rispose il monaco in modo alquanto poetico «in nessun luogo vi è calore.»

La ragazza tornò e riferì alla vecchia quanto gli aveva detto il monaco.

«E pensare che ho nutrito quel tipo per vent'anni!» esclamò l'anziana signora piena di rabbia. «Non ha mostrato alcuna considerazione per il tuo bisogno, alcuna volontà di chiarire la tua condizione. Non era necessario che corrispondesse alla tua passione, ma quanto meno avrebbe dovuto usare un po' di compassione.»

Andò subito alla capanna del monaco e la buttò giù.

Un antico proverbio dice: «Semina un pensiero, raccogli un'azione. Semina un'azione, raccogli un'abitudine. Semina un'abitudine, raccogli una personalità. Semina una personalità, raccogli un destino».

E io ti dico: «Semina il nulla, e raccogli la meditazione o l'amore».

Seminare il nulla: ecco cos'è la meditazione. E la sua conseguenza naturale è l'amore. Se alla fine del viaggio della meditazione l'amore non è sbocciato, l'intero viaggio è stato inutile. Qualcosa è andato storto. Sei partito, ma non sei mai arrivato.

L'amore è la prova. Per il sentiero della meditazione, l'amore è la prova. Sono due facce della stessa medaglia, due aspetti della medesima energia. Quando è presente l'una, dev'esserci anche l'altro; se quest'ultimo è assente manca anche la prima.

La meditazione non è concentrazione. È possibile che un uomo di concentrazione non raggiunga l'amore; di fatto, non ci arriverà. Un uomo di concentrazione può diventare più violento, perché la concentrazione è un allenamento a restare tesi, uno sforzo per restringere la mente. È una profonda violenza nei confronti della tua consapevolezza. E quando sei violento con la tua consapevolezza non puoi essere non-violento con gli altri. Ciò che sei con te stesso lo sarai con gli altri.

Lascia che questa sia una delle regole più importanti della vita, quella fondamentale: qualsiasi cosa tu sia verso te stesso lo sarai verso gli altri. Se ti ami, amerai gli altri. Se stai fluendo nel tuo essere, fluirai anche nelle relazioni. Se dentro di te sei congelato, sarai congelato anche all'esterno. La dimensione interiore tende a trasformarsi in quella esteriore, a manifestarsi in quest'ultima.

La concentrazione non è meditazione: è il metodo della

scienza. Si tratta di una metodologia scientifica. Un uomo di scienza ha bisogno della profonda disciplina della concentrazione, ma da lui non ci si aspetta compassione; non occorre. In realtà, un uomo di scienza diventa sempre più violento nei confronti della natura; qualsiasi progresso scientifico si basa sulla violenza nei confronti di quest'ultima. È distruttivo perché, in primo luogo, l'uomo scientifico è distruttivo verso la propria sconfinata consapevolezza. Anziché espandere la sua consapevolezza, la restringe, rendendola esclusiva e focalizzata su un solo punto. Si tratta di una coercizione, di una violenza.

Per cui ricorda: la meditazione non è concentrazione, ma non è nemmeno contemplazione. Non è un'attività di pensiero. Anche se stai riflettendo intorno a Dio, si tratta sempre di un pensiero. Se esiste un qualsiasi «intorno a», c'è il pensiero: fondamentalmente non fa differenza se pensi a Dio o ai soldi. Il pensiero continua, solo gli oggetti cambiano.

Se stai pensando al mondo o al sesso, nessuno la definirebbe contemplazione; ma se stai pensando a Dio, alla virtù, a Gesù, a Krishna, al Buddha, la gente la chiama contemplazione. Lo Zen è molto severo al riguardo: non si tratta di meditazione, ma sempre di pensiero. Ti preoccupi ancora dell'altro.

Nella contemplazione l'altro è presente, anche se, ovviamente, non in modo così esclusivo come nella concentrazione. La contemplazione è più fluida della concentrazione. Nella concentrazione la mente è focalizzata verso un punto solo, nella contemplazione è orientata verso un soggetto, non verso un punto. Puoi continuare a pensarci su, a cambiare e a fluire con il soggetto ma, tutto sommato, il soggetto resta lo stesso.

Allora che cos'è la meditazione? La meditazione è il semplice godimento della propria presenza, del proprio essere. È semplicissimo: si tratta di uno stato di consapevolezza totalmente rilassato, nel quale non stai facendo alcunché. Non appena subentra il fare, diventi teso, immediatamente si affaccia l'ansia. Come fare? Che cosa fare? Come avere successo e non fallire? Ti sei già spostato nel futuro.

Se stai contemplando, che cosa puoi contemplare? Come puoi contemplare l'ignoto? Come puoi contemplare l'inconoscibile? Puoi contemplare solo ciò che conosci. Lo puoi rimasticare un'altra volta, ma si tratta sempre di ciò che conosci. Se conosci Gesù, o Krishna, puoi pensarci su all'infinito, puoi aggiungere modifiche, cambiamenti, decorazioni... ma ciò non ti porterà verso l'ignoto. E Dio è l'ignoto.

Meditazione vuol dire semplicemente essere, senza fare nulla: nessuna azione, nessun pensiero, nessuna emozione. Semplicemente sei, ed è una pura gioia. Da dove viene questa gioia allorché non fai nulla? Da nessun luogo, oppure da tutti i luoghi. È priva di causa, perché l'esistenza è composta della sostanza chiamata gioia. Non ha bisogno di cause o di ragioni. Se sei infelice, hai una ragione per esserlo; se sei felice, lo sei e basta, non ci sono ragioni. La mente cerca di trovare una ragione perché non può credere a ciò che è privo di causa; infatti, non può controllare ciò che non ha causa, diventa semplicemente impotente. Per questo la mente trova una ragione dietro l'altra. Ma vorrei dirti che ogni volta che sei felice, lo sei senza motivo; ogni volta che sei infelice, è per qualche motivo. Infatti, la felicità è la sostanza di cui sei composto. È il tuo stesso essere, il tuo nucleo più profondo. La gioia è il tuo centro intimo.

Guarda gli alberi, gli uccelli, le nuvole, le stelle... se hai occhi riuscirai a scorgere che l'intera esistenza è gioiosa. Ogni cosa è semplicemente felice. Gli alberi sono felici senza motivo: non diventeranno primi ministri o presidenti, non si arricchiranno né avranno mai conti in banca. Guarda i fiori, è semplicemente incredibile quanto possano essere felici i fiori... senza motivo...

L'esistenza intera è fatta della sostanza chiamata gioia. Gli hindu la definiscono *satchitanand*: *ananda*, gioia, beatitudine. Ecco perché non è necessario alcun motivo, alcuna causa. Se puoi essere semplicemente con te stesso, senza fare alcunché, semplicemente pago della tua presenza; se sei con te stesso, felice di esistere, di respirare, di ascoltare gli uccelli; se sei felice senza motivo, sei in meditazione.

La meditazione è essere «quieora». E quando si è felici senza motivo, non puoi contenere quella felicità dentro di te. Arriva agli altri, diventa una condivisione. Non puoi trattenerla: è troppa, è infinita. Non puoi tenerla in mano, devi lasciare che si diffonda.

Ecco cos'è la compassione. La meditazione è essere con se stessi, la compassione è lo straripare di quell'essere. La stessa energia che prima era passione, ora diventa compassione. È la medesima energia che prima era ristretta al corpo o alla mente, che veniva dispersa attraverso piccoli fori.

Cos'è il sesso? Nient'altro che una dispersione di energia attraverso piccoli fori nel corpo. Gli hindu li chiamano esattamente così: fori. Quando fluisci, quando la tua energia straripa e non ti muovi attraverso i fori, tutti i muri cadono. Sei diventato il Tutto. Adesso ti diffondi; non puoi farci nulla.

Non è che devi essere compassionevole, no. Nello stato di meditazione, *sei* la compassione. La compassione è ardente come la passione, per questo si chiama «compassione». È focosa, ma ora la passione è senza direzione e non è alla ricerca di gratificazioni. Il processo è diventato esattamente l'opposto. Prima cercavi la felicità da qualche parte, adesso l'hai trovata e la stai esprimendo. La passione è una ricerca della felicità, la compassione è un'espressione della felicità. Ma devi capire che è ardente e focosa, perché in essa c'è un paradosso.

Più una cosa è importante più è paradossale. La meditazione unita alla compassione è uno dei valori più grandi ed elevati, quindi un paradosso è inevitabile.

Il paradosso è questo: un uomo di meditazione è molto distaccato, ma non freddo; distaccato, tuttavia ardente, non eccitato. La passione è eccitata, quasi febbrile. Ha la temperatura alta. La compassione è distaccata ma ardente, accogliente, ricettiva, felice, pronta e desiderosa di condividere. Se un uomo di meditazione diventa freddo ha mancato il punto, in tal caso è soltanto un uomo di repressione. Se reprimi la tua passione, diventerai freddo. In questo modo l'umanità intera è divenuta fredda: la passione è stata repressa in ognuno di voi.

Fin dall'infanzia, la tua passione è stata storpiata e repressa. Ogni volta che cominciavi a diventare passionale, c'era qualcuno – la madre, il padre, l'insegnante, la polizia – che immediatamente si poneva di fronte a te con sospetto. La tua passione è stata tenuta a freno, repressa: «Non farlo!». Subito ti chiudevi in te stesso, e ben presto hai imparato che per sopravvivere è meglio ascoltare le persone che ti circondano. È più sicuro.

Dunque, che fare? Cosa deve fare un bambino quando si sente pieno di passione ed energia, quando desidera saltare, correre e danzare, ma il papà sta leggendo il giornale? È spazzatura, ma lui sta leggendo il giornale ed è un uomo molto importante: è il padrone di casa. Che fare? Il bambino sta facendo qualcosa di davvero notevole – è Dio che è pronto a danzare in lui – ma, poiché il padre sta leggendo il giornale, ci dev'essere silenzio. Il bambino non può danzare, correre, urlare; reprimerà la sua energia, cercando di essere freddo, contenuto, controllato. Il controllo è diventato un valore supremo, anche se non è affatto un valore.

Una persona controllata è come morta. Una persona controllata non è necessariamente disciplinata, la disciplina è una cosa totalmente diversa. La disciplina viene dalla consapevolezza, il controllo dalla paura. Le persone che ti circondano sono più potenti di te, possono punirti e distruggerti. Hanno il potere di controllare, corrompere, reprimere, pertanto il bambino deve diventare diplomatico. Quando l'energia sessuale affiora, il bambino è in difficoltà; quell'energia fluisce in tutto il suo essere, ma la società è contraria, sostiene che va canalizzata, castrata.

Cosa stiamo facendo nelle scuole? In realtà, le scuole non sono tanto un mezzo per trasmettere conoscenza quanto uno strumento di controllo. Un bambino ci sta seduto per sei, sette ore: ciò serve a distruggere la sua gioia, la sua voglia di danzare, di cantare; l'obiettivo è controllarlo. Se stai seduto per sei, sette ore al giorno in un'atmosfera simile a una prigione, a poco a poco l'energia si smorza. Il bambino diventa represso, congelato. Ora non c'è flusso, l'energia non arriva, il bambino vive al minimo: questo è ciò che chiamiamo «controllo». Egli non va mai al massimo.

Gli psicologi hanno fatto delle ricerche, scoprendo un fattore importante nella sfortuna umana: la gente comune vive solo al dieci per cento delle sue possibilità. Vive, respira, ama, si diverte al dieci per cento; il novanta per cento della vita non è semplicemente consentito. È un puro spreco! Si dovrebbe vivere al cento per cento del proprio potenziale: solo in quel caso la fioritura è possibile.

La meditazione non è né controllo né repressione. Se per qualche motivo credi in quell'idea sbagliata e ti stai reprimendo, diventerai molto controllato, ma freddo. Anziché distaccato, sarai sempre più indifferente. Indifferente, insensibile, incurante... in pratica commetterai un suicidio, sarai soltanto «parzialmente» vivo. Non brucerai da entrambe le estremità, la tua fiamma sarà estremamente fioca. Ci sarà molto fumo, ma in pratica nessuna luce.

Alle persone sul sentiero della meditazione – cattolici, buddhisti, giainisti – accade di diventare fredde, perché il controllo si verifica facilmente. La consapevolezza è molto ardua; il controllo è elementare, perché richiede solo di coltivare un'abitudine. Se prendi un'abitudine, quest'ultima ti possiede e non ti devi più preoccupare. Puoi andare avanti con le abitudini: diventeranno meccaniche e la tua vita assomiglierà a quella di un robot. Forse sembrerai un Buddha, ma non lo sarai veramente. Sarai soltanto una spenta statua di pietra.

Se in te non è sorta la compassione, sorgerà l'apatia. «Apatia» vuol dire assenza di passione; «compassione» è trasformazione della passione. Osserva i monaci cattolici, giainisti, buddhisti: vedrai delle persone estremamente apatiche, ottuse, stupide, opache, chiuse, spaventate, perennemente ansiose.

Le persone controllate sono sempre ansiose, perché in profondità si cela ancora il tormento. Se sei privo di controllo, se sei fluido e vivo, non sei nervoso. È impossibile: qualsiasi cosa accada, accade. Non ti aspetti niente dal futuro, non stai recitando un ruolo; dunque perché essere nervosi? Se ti avvicini ai monaci cattolici, giainisti, buddhisti, li troverai molto nervosi. Forse non lo sono così tanto nei loro monasteri, ma se li porti nel mondo, li scoprirai molto, molto inquieti, perché a ogni passo c'è una tentazione.

Un uomo di meditazione giunge a un punto in cui non resta più alcuna tentazione. Cerca di comprenderlo. La tentazione non viene mai dall'esterno; sono il desiderio, l'energia, la rabbia, l'avidità, il sesso repressi a crearla. La tentazione viene dal tuo interno, non ha nulla a che fare con l'esterno. Non è il demonio che viene a tentarti, ma la tua mente repressa che diventa demoniaca e cerca di vendicarsi. Per controllare quella mente bisogna diventare gelidi e congelati al punto da non permettere alcun movimento di energia negli arti, nel corpo. Se all'energia è permesso di muoversi, quelle repressioni affioreranno.

Ecco perché la gente ha imparato a essere fredda, a toccare senza toccare, a guardare senza guardare. Si vive in base a cliché: «Ciao, come stai?». Nessuno vuol dire niente dicendolo, queste parole servono solo a evitare l'incontro autentico di due persone. La gente non si guarda negli occhi, non si tiene per mano, non cerca di sentire l'energia dell'altro. Non si permette di scorrere liberamente. Tira avanti in qualche modo, piena di paura, fredda e smorta, dentro una camicia di forza.

Un uomo di meditazione ha imparato a essere pieno di energia, a vivere al massimo, al culmine. Sta sulla vetta, ha fatto di quest'ultima la propria dimora. Certamente ha un ardore, ma non è febbrile; questo ardore è solo una manifestazione di vita. Non è febbrile, ma distaccato, perché non viene trascinato dai desideri. È così felice che non è più alla ricerca della felicità; si sente così a suo agio, a casa propria, che non va da nessuna parte, non corre, non insegue... è molto distaccato.

In latino c'è un detto: «*Agere sequitur esse*», il fare segue l'essere. È davvero bellissimo. Non cercare di cambiare le tue azioni; cerca di scoprire il tuo essere, e le azioni cambieranno. L'azione è secondaria, l'essere è primario. L'azione è qualcosa che fai, l'essere è qualcosa che sei. L'azione viene da te, ma è solo un frammento. Anche se si mettessero insieme tutte le tue azioni, non sarebbero uguali al tuo essere, perché rappresenterebbero soltanto il tuo passato. E il futuro? Il tuo essere contiene il tuo passato, il tuo futuro e il tuo presente: contiene la tua eternità. Le tue azioni, anche se messe tutte insieme, apparterrebbero solo al passato. Il passato è limitato, il futuro è infinito. Ciò che è avvenuto è limitato: può essere definito, è già accaduto. Ciò che non è successo è illimitato, indefinibile. Il tuo essere contiene l'eternità, le tue azioni soltanto il tuo passato.

Per cui è possibile che un uomo che finora è stato un peccatore diventi un santo dal prossimo istante. Non giudicare mai un uomo dalle sue azioni, giudicalo dal suo essere. I peccatori sono diventati santi e i santi sono caduti nel peccato. Ogni santo ha un passato e ogni peccatore ha un futuro.

Non giudicare un uomo dalle sue azioni. Ma non c'è altro modo, perché tu non hai mai conosciuto neppure il tuo essere... come potresti scorgere l'essere degli altri? Una volta che avrai conosciuto il tuo essere avrai imparato il linguaggio, il trucco per guardare nell'essere di un'altra persona. Puoi guardare nell'altro solo fino al punto in cui hai guardato in te stesso. Se ti sei visto a fondo, acquisti la capacità di vedere a fondo negli altri.

Alcune osservazioni prima di addentrarci in questo bellissimo racconto.

Se la tua meditazione è diventata fredda, sta' attento. Se ti sta rendendo più ardente, più fluido e più amorevole, bene: sei sulla strada giusta. Se stai diventando meno amorevole, se la tua compassione sta scomparendo e stai diventando apatico, prima cambi direzione e meglio è. Altrimenti ti trasformerai in un muro.

Non diventare un muro. Resta vivo, pulsante, fluido, sciolto, scorri!

Ovviamente esistono dei problemi. Come mai le persone si sono trasformate in muri? Perché questi ultimi possono essere definiti. Ti danno un confine, una forma e un'immagine precisa, ciò che gli hindu definiscono *nama rupa*, nome e forma. Se sei sciolto e fluido, non hai confini; non sai dove sei, dove comincia l'altro e dove finisci tu. Sei così vicino agli altri che ben presto tutti i confini diventano irreali. E un giorno scompariranno.

La realtà è del tutto simile: è priva di confini. Dove credi sia il tuo limite? Nella tua pelle? Di solito pensiamo: «Certo, stiamo dentro la nostra pelle, essa è il nostro muro, il nostro confine». Ma la pelle non potrebbe vivere se l'aria non la circondasse; se non respirasse continuamente l'ossigeno fornito dall'ambiente circostante, non potrebbe vivere. Elimina l'atmosfera e moriresti all'istante. Moriresti anche se la tua pelle non avesse i pori. Dunque essa non può costituire il tuo confine.

Intorno alla Terra l'atmosfera si estende per chilometri e chilometri: sono forse il tuo confine? Impossibile: questo ossigeno, questa atmosfera, il calore e la vita non possono esistere senza il Sole. Se il Sole cessa di esistere o muore... un giorno accadrà. Gli scienziati affermano che un giorno il Sole si raffredderà e morirà. Allora, d'acchito, questa atmosfera non sarà viva e morirai all'istante. Dunque è il Sole il tuo confine? Ma oggi i fisici sostengono che il Sole è collegato a una fonte di energia primaria che non siamo ancora riusciti a scoprire, ma la cui esistenza è intuita... perché nulla è senza rapporto.

Quindi, dove decidiamo di porre il nostro confine? Tu

non sei la mela sull'albero. Ma se la mangi, si trasforma in te. Per cui, la mela sta soltanto aspettando di trasformarsi in te. Sei tu in potenza, è il tuo futuro. Poi vai in bagno e ti liberi delle scorie; un istante prima eri quelle impurità. Dove stabilire un confine, dunque? Quando respiro, l'aria dentro di me sono io, ma un istante prima poteva essere il tuo respiro, dal momento che stiamo respirando in un'atmosfera comune. Stiamo tutti respirando gli uni negli altri, siamo membri gli uni degli altri. Tu stai respirando in me, io sto respirando in te.

Ciò avviene esattamente allo stesso modo non solo con il respiro, ma anche con la vita. Hai osservato? Con certe persone ti senti molto vivo. Sprizzano energia e qualcosa accade in te, una risposta, per cui cominci a traboccare a tua volta. E ci sono persone... basta la loro faccia per buttarti giù! La loro presenza è un veleno sufficiente. Di certo riversano in te qualcosa di velenoso. E quando, imbattendoti in una persona, diventi radioso, felice, all'improvviso qualcosa comincia a pulsare nel tuo cuore, facendolo battere più velocemente: anche questa persona deve aver riversato qualcosa in te.

Ci riversiamo gli uni negli altri. Ecco perché, in Oriente, il *satsang* è diventato molto, molto importante. Essere semplicemente alla presenza di una persona che si è realizzata è sufficiente: infatti, lei riversa incessantemente il suo essere in te. Puoi saperlo o no, riconoscerlo oggi o domani, ma prima o poi i semi spunteranno.

Ci stiamo riversando gli uni negli altri; non siamo isole separate. Una persona gelida diventa simile a un'isola, e questa è una grande disgrazia: avresti potuto trasformarti in un vasto continente, invece hai deciso di diventare un'isola. Hai deciso di restare povero, quando avresti potuto diventare ricco a tuo piacimento.

Non cercare mai di reprimere, altrimenti diventerai un muro. Le persone represse indossano maschere, hanno un volto falso, fingono di essere qualcun altro. Una persona repressa ha dentro di sé il tuo stesso mondo: è sufficiente un'opportunità, una provocazione, perché la realtà emerga. Ecco perché i monaci scompaiono dal mondo: vi sono troppe provocazioni, troppe tentazioni. Per loro è difficile contenersi, trattenersi. Se ne vanno sull'Himalaya o nelle caverne, si ritirano dal mondo; in questo modo, se dovessero affiorare certe tentazioni, idee, desideri, non li possono soddisfare.

Ma questa non è una via di trasformazione.

Le persone che diventano fredde erano le più ardenti. Chi è stato estremamente sessuale fa voto di castità. La mente passa molto facilmente da un estremo all'altro. La mia osservazione è che le persone troppo ossessionate dal cibo un giorno o l'altro si tormenteranno con il digiuno. Deve succedere, perché non puoi restare troppo a lungo a un estremo. Ti ci sei soffermato abbastanza, presto te ne stancherai e non ne potrai più. A quel punto non c'è alternativa: devi passare all'altro estremo.

Coloro che diventano monaci sono stati molto mondani. Ne hanno avuto abbastanza della piazza del mercato, per cui il pendolo è oscillato all'altro estremo. Le persone avide rinunciano al mondo. Tale rinuncia non deriva dalla comprensione: è solo un'avidità ribaltata. Prima accumulavano, accumulavano... ora, improvvisamente, vedono la futilità di tutto ciò e si sbarazzano di ogni cosa. Prima temevano di perdere un solo centesimo, adesso temono di tenerlo in mano, ma la paura persiste. Prima erano avidi di questo mondo, adesso sono avidi dell'altro, ma è comunque avidità. Queste persone, un giorno o l'altro, entreranno di sicuro in un monastero, faranno voto di rinuncia e diventeranno grandi asceti. Ma ciò non cambierà la loro natura.

Eccetto la consapevolezza, nulla, assolutamente nulla, cambia una persona. Quindi non cercare di fingere. Ciò che non è successo, non è successo. Comprendilo e non cercare di fingere, non fare credere agli altri che sia successo qualcosa, perché in questo inganno ci rimetterai solo tu.

Le persone che cercano di controllarsi hanno scelto una via molto stupida. Il controllo non accadrà, ma esse diventeranno gelide. Questa è l'unica maniera in cui un uomo può controllarsi: congelarsi, in modo che l'energia non si muova. Chi fa voto di castità non mangia molto; di fatto, riduce alla fame il proprio corpo. Se nel corpo si creasse più energia, ci sarebbe più vigore sessuale ed egli non saprebbe che farci; per questo i monaci buddhisti mangiano una sola volta al giorno, e in modo molto frugale. Si limitano a mangiare quello che basta a soddisfare le necessità minime del corpo, in modo che non avanzi energia. Questo tipo di castità non è vera castità. Quando fluisci con l'energia e quest'ultima si trasforma in amore, allora accade una castità, un *brahmacharya* bellissimo.

Un'anziana signora entra in un negozio per comprare una confezione di naftalina; il giorno seguente torna per acquistarne altre cinque confezioni, e il giorno dopo ancora, un'altra dozzina.

«Lei deve avere molte tarme» commenta il negoziante.

«Può ben dirlo» replica l'anziana signora «e sono tre giorni che gli lancio contro queste cose, ma sono riuscita a colpirne una sola!»

Tramite il controllo, non riuscirai a colpirne nemmeno una! Non è questa la via. Stai combattendo contro le foglie, i rami, stai potando qui e là. Non è questo il modo per distruggere l'albero del desiderio, la via è tagliare le radici. Ma queste ultime possono essere tagliate solo quando le hai raggiunte. In superficie ci sono solo i rami: la gelosia, la rabbia, l'invidia, l'odio, la lussuria. Essi stanno appena alla superficie. Più scendi in profondità più capirai: vengono tutti da una sola radice, l'inconsapevolezza.

Meditazione significa consapevolezza. Essa recide la radice stessa. A quel punto l'intero albero scompare da sé e la passione si trasforma in compassione.

Ho sentito di un anziano Maestro Zen che a novantasei anni era diventato quasi cieco e ormai incapace di raggiungere il monastero e lavorarci. Avendo deciso che era tempo di morire, in quanto non era più utile a nessuno, smise di mangiare.

Quando i suoi monaci gli chiesero perché rifiutasse il cibo, rispose che aveva esaurito la sua utilità ed era solo un fastidio per chiunque.

Gli dissero: «Se muori adesso che è gennaio e fa così freddo, il tuo funerale sarà qualcosa di scomodo per tutti e diventeresti un fastidio ancora più grande. Quindi, per favore, mangia.»

Questo può succedere solo in un monastero Zen, perché i discepoli amano il Maestro così profondamente, il loro rispetto è così grande che non sono necessarie formalità. Senti che cosa dissero: «Se muori adesso che è gennaio e fa così freddo, il tuo funerale sarà qualcosa di scomodo per tutti e diventerai un fastidio ancora più grande. Quindi, per favore, mangia».

Allora egli riprese a mangiare. Ma quando tornò il caldo si fermò, e in breve perse ogni energia e morì serenamente.

Quanta compassione! A quel punto si vive e si muore per compassione. Per morire serenamente si è persino disposti a scegliere un momento che non sia di disturbo a nessuno.

Ho sentito di un altro Maestro Zen che stava per morire. Disse: «Dove sono le mie scarpe? Portatemele».

Qualcuno chiese: «Dove vai? I dottori dicono che stai per morire».

Rispose: «Vado al cimitero».

«Perché?»

«Non voglio dare fastidio a nessuno. Altrimenti dovreste portarmi sulle vostre spalle.»

Camminò fino al cimitero e morì là.

Che incredibile compassione! Che uomo è questo, che non vuole dare a nessuno un fastidio del genere? E questi uomini hanno aiutato migliaia di persone. Migliaia di persone erano loro grate, divennero colme di luce e d'amore grazie a loro. Tuttavia non vogliono dare fastidio a nessuno. Se sono d'aiuto desiderano vivere e aiutare, altrimenti è tempo di andarsene.

Adesso, il racconto.

In Cina viveva una donna anziana che manteneva un monaco da più di vent'anni. Gli aveva costruito una capanna e gli procurava il cibo mentre lui meditava.

Questo è un miracolo che è avvenuto in Oriente, l'Occidente non è ancora in grado di comprenderlo. Per secoli, in Oriente, se qualcuno meditava, veniva mantenuto dalla società. Il fatto che stesse meditando era sufficiente. Nessuno pensava che fosse un peso per la società: «Perché dovremmo lavorare per lui?». Semplicemente perché stava meditando. Infatti l'Oriente arrivò a comprendere che, se anche un solo uomo si illumina, la sua energia viene condivisa da tutti; se anche un solo uomo fiorisce nella meditazione, la sua fragranza diventa parte della società intera. E il vantaggio è così grande che in Oriente non si è mai detto: «Non stare seduto a meditare. Chi ti darà cibo, casa e vestiti?». Si trattava di migliaia e migliaia di persone – il Buddha era seguito da diecimila *sannyasin* – ma la gente era felice di dare loro cibo, casa e vestiti, di accudirle, perché stavano meditando.

Ebbene, in Occidente è assolutamente impossibile ragionare in questo modo. Persino in Oriente sta diventando difficile. In Cina i monasteri sono stati chiusi, le sale di meditazione trasformate in scuole o ospedali. I grandi Maestri sono spariti, costretti a lavorare nei campi o nelle fabbriche. A nessuno è permesso meditare, perché una grande comprensione è andata smarrita. La mente è piena di materialismo, come se la materia fosse tutto ciò che esiste.

Se in una città una persona si illumina, tutta la città ne trae beneficio. Non è uno spreco mantenere quella persona: in cambio di ben poco otterrai un tesoro inestimabile! La gente era felice di aiutarla.

Questa donna aveva mantenuto per vent'anni un uomo che non faceva altro che meditare, seduto in *zazen*. Gli aveva costruito una capanna, lo accudiva, si prendeva cura di lui. Un giorno, quando era diventata molto vecchia e stava per morire, volle sapere se la meditazione era sbocciata o se quest'uomo non aveva fatto altro che starsene seduto. Vent'anni è un tempo abbastanza lungo, questa donna stava invecchiando ed era prossima a morire, per cui volle sapere se era stata al servizio di un autentico uomo di meditazione o di un imbroglione.

Un giorno decise di scoprire...

La donna dev'essere stata a sua volta una persona di grande intelligenza, perché l'esame, la prova che escogitò, rivela una comprensione profonda.

Un giorno decise di scoprire quali progressi avesse fatto durante tutto questo tempo.

L'unico criterio per verificare se la meditazione sta progredendo è l'amore, la compassione.

Ottenne l'aiuto di una ragazza che sprizzava desiderio da ogni poro e le disse: «Va', abbraccialo e poi, d'acchito, chiedigli: "E adesso?"».

Ci sono tre possibilità. Una: se quest'uomo per vent'anni non aveva mai toccato una bella ragazza, la prima possibilità è che ne sarebbe stato tentato, sarebbe diventato una vittima e, scordandosi del tutto la meditazione, avrebbe fatto l'amore con lei. La seconda possibilità era che sarebbe rimasto freddo e controllato, senza mostrare alcuna compassione verso questa ragazza. Si sarebbe trattenuto e sarebbe rimasto rigido, in modo da non provare alcuna tentazione. La terza possibilità era che la meditazione si fosse realizzata e quest'uomo – colmo d'amore, di comprensione e compassione – avrebbe cercato di comprendere la ragazza e quindi di aiutarla. Non fu altro che un test per queste tre ipotesi.

Se si fosse verificato il primo caso, tutta la sua meditazione non sarebbe stata altro che uno spreco; nel secondo caso egli avrebbe soddisfatto il criterio comune per valutare un monaco, ma non avrebbe soddisfatto il criterio per giudicare un autentico uomo di meditazione.

In tal caso avrebbe semplicemente mostrato di essere un comportamentista, un uomo che aveva costruito un'abitudine controllando il proprio comportamento.

Avrai sentito il nome di Pavlov, il comportamentista russo. Egli sostiene che nell'uomo, negli animali o in qualsiasi altro essere vivente non esiste consapevolezza: si tratta solo di un meccanismo mentale. Puoi attivare quel meccanismo mentale facendolo funzionare in un certo modo: è solo una questione di condizionamento. La mente funziona come un riflesso condizionato. Se metti del cibo davanti al tuo cane, quest'ultimo arriverà di corsa, con la lingua penzoloni e gocciolante, e comincerà a salivare.

Pavlov ha fatto degli esperimenti. Ogni volta che dava cibo al cane suonava una campanella. Con il tempo, il cane associò il cibo alla campanella. Poi un giorno Pavlov suonò solo la campanella e il cane arrivò di corsa, con la lingua gocciolante.

Ebbene, questo è assurdo. Non si era mai sentito di un cane che reagisse in questo modo a una campanella. La campanella non è il cibo, ma nella mente dell'animale si era consolidata quell'associazione. Pavlov sostiene che è possibile cambiare l'uomo nello stesso modo. Ogni volta che in te affiora il sesso, punisciti. Digiuna per sette giorni, frusta il tuo corpo, resta al freddo tutta la notte, picchiati e ben presto il corpo imparerà un trucco. Ogni volta che affiorerà il sesso, lo reprimerà immediatamente per paura della punizione. Ricompensa e punizione: ecco il modo per condizionare la mente, se dai retta a Pavlov.

Questo monaco deve aver fatto così, molte persone lo stanno facendo. In pratica, il novantanove per cento delle persone nei monasteri non sta facendo altro che ricondizionare il proprio corpo e la propria mente. Ma la consapevolezza non ha nulla a che vedere con tutto ciò: non è una nuova abitudine.

Consapevolezza vuol dire vivere con attenzione, senza farsi limitare dalle abitudini o essere posseduti da qualche meccanismo; vuol dire vivere al di sopra del meccanismo.

... E le disse: «Va', abbraccialo e poi, d'acchito, chiedigli: "E adesso?"».

d'acchito... qualcosa di improvviso: questa è la chiave dell'intero stratagemma. Se concedi un po' di tempo, la mente può cominciare a lavorare nel modo condizionato per cui è stata allenata.

Dunque, non bisogna concedere tempo: «Va' nel cuore della notte, quando lui starà meditando da solo. Entra nella capanna – questo monaco deve aver vissuto fuori dalla città, in solitudine – e comincia ad accarezzarlo, ad abbracciarlo, a baciarlo. E poi chiedigli, all'improvviso: "E adesso?". Osserva la sua reazione, che cosa gli accade, quello che dice, che colori passano sul suo volto, cosa comunicano gli occhi, in che modo reagisce e ti risponde...».

La ragazza si presentò al monaco e cominciò subito ad accarezzarlo, chiedendogli in che modo voleva rispondere alla sua offerta d'amore.

«Un vecchio albero cresce d'inverno su una roccia» rispose il monaco in modo alquanto poetico «in nessun luogo vi è calore.»

Egli ha condizionato il proprio cane, ha condizionato il proprio corpo-mente. Vent'anni è un tempo sufficiente per creare un condizionamento. Nemmeno questo attacco improvviso è riuscito a spezzare il suo abituale modello di comportamento: rimase controllato. Dev'essere stato un uomo di grande controllo. Rimase freddo, senza un guizzo di energia, e disse: *«Un vecchio albero cresce d'inverno su una roccia».* Rimase freddo e controllato al punto che in una situazione tanto pericolosa, provocante, seducente, riuscì a rispondere con parole poetiche. Il condizionamento doveva essere sceso molto, molto in profondità, fino alle radici.

«Un vecchio albero cresce d'inverno su una roccia» rispose il monaco in modo alquanto poetico «in nessun luogo vi è calore.»

Questo fu tutto ciò che disse.

La ragazza tornò e riferì alla vecchia quanto gli aveva detto il monaco.
«E pensare che ho nutrito quel tipo per vent'anni!» esclamò l'anziana signora piena di rabbia.

La sua meditazione non era sbocciata. Egli era diventato freddo e smorto, simile a un cadavere; non era diventato un illuminato o un Buddha.

«Non ha mostrato alcuna considerazione per il tuo bisogno...»

Un uomo di compassione ha sempre considerazione per il tuo bisogno. Quel monaco rimase freddamente centrato su di sé, limitandosi a dire qualcosa su se stesso: *«Un vecchio albero cresce d'inverno su una roccia, in nessun luogo vi è calore».* Non disse una sola parola sulla donna; non chiese nemmeno: «Perché sei venuta? Come mai? Di che cosa hai bisogno? E perché hai scelto me tra tante persone? Siediti». Avrebbe dovuto ascoltarla, quella donna doveva essere profondamente bisognosa. Nessuno va nel cuore della notte da un monaco che si è ritirato dal mondo e sta seduto in meditazione da vent'anni con un'attitudine simile. Perché era venuta? No, lui non le prestò alcuna attenzione.

L'amore pensa sempre all'altro, l'ego pensa solo a se stesso. L'amore è sempre sollecito, l'ego è assolutamente privo di premure. L'ego conosce solo un linguaggio: quello dell'io. L'ego usa sempre l'altro, l'amore è pronto a essere usato, a servire.

«Non ha mostrato alcuna considerazione per il tuo bisogno, alcuna volontà di chiarire la tua condizione.»

Quando vai da un uomo di compassione, egli guarda in profondità nel tuo cuore. Cerca di scoprire qual è il tuo problema, perché sei in questa situazione, perché stai facendo ciò che stai facendo. Si dimentica di sé. Si focalizza semplicemente sulla persona che è venuta a trovarlo; la sua considerazione va verso i bisogni, i problemi, le ansie dell'altro: cerca di essere d'aiuto, farà tutto ciò che può.

«Non era necessario che corrispondesse alla tua passione...»

È vero. Un uomo di compassione non può rispondere in modo passionale. Non è freddo, ma è distaccato. Può donarti il suo calore, il suo calore nutriente, ma nessuna eccitazione, perché non ne ha.

Ricorda la differenza tra un corpo eccitato, febbricitante e uno pieno di calore. Un corpo febbricitante non è sano, uno pieno di calore lo è. In preda alla passione la gente diventa febbrile. Ti sei osservato con attenzione quando sei preda della passione? Sembri un maniaco delirante, pazzo, furioso, che fa qualcosa senza sapere perché, in uno stato di grande concitazione, tremi in tutto il corpo. Sembri un ciclone senza un centro.

Un uomo pieno di calore è semplicemente sano. È come quando una madre porta il figlio al seno e il bambino avverte il calore: ne è circondato, nutrito, accolto. Quando entri nell'aura di un uomo di compassione accedi a un calore simile a quello di una madre, è un campo di energia molto nutriente. Di fatto, accanto a una persona di compassione la tua passione semplicemente scomparirà. La sua compassione sarà tanto potente, il suo calore così grande, l'amore che pioverà su di te tanto abbondante, che diventerai distaccato e centrato.

«*Non era necessario che corrispondesse alla tua passione, ma quanto meno avrebbe dovuto usare un po' di compassione.*»
Andò subito alla capanna del monaco e la buttò giù.

Si è trattato esclusivamente di un gesto simbolico per indicare che quei vent'anni in cui aveva meditato là dentro – durante i quali aveva sperato che facesse progressi – erano stati sprecati.

Non basta essere un monaco in superficie, in modo represso e freddo; la freddezza è indice di una repressione molto profonda.

Questo è ciò che ti sto dicendo: se entri in meditazione, la compassione e l'amore arriveranno automaticamente, da soli. Seguono la meditazione come un'ombra. Non ti devi preoccupare di creare una sintesi, arriverà. Viene da sola, non devi crearla tu. Scegli una strada. Puoi seguire la via dell'amore, della devozione, della danza, in cui ti dissolvi completamente nel tuo amore verso il divino; quella è la via del dissolvimento, non è necessaria la consapevolezza devi solo essere ebbro, completamente ebbro del divino, dovrai lasciarti travolgere dall'ebbrezza. Oppure scegli la via della meditazione. In tal caso, non occorre che ti dissolva in alcunché. Devi diventare molto cristallizzato, integro, all'erta, presente e consapevole.

Segui il sentiero dell'amore e un giorno, all'improvviso, vedrai che la meditazione sarà sbocciata in te con migliaia di fiori di loto bianco, e non hai fatto nulla per averli: eri intento a fare qualcos'altro e sono sbocciati. Quando l'amore o la devozione arrivano al loro culmine, la meditazione fiorisce, e lo stesso accade sul sentiero della meditazione. Scordati completamente dell'amore o della devozione, diventa semplicemente consapevole, siedi in silenzio, godi del tuo essere: è tutto. Sii con te stesso: non c'è altro. Impara a essere solo, e ricorda: una persona che sa essere sola non è mai isolata. Le persone che non sanno essere sole sono isolate.

Sul sentiero della meditazione la solitudine è cercata, desiderata, auspicata, invocata. Sii solo, al punto che nella tua consapevolezza non resti nemmeno l'ombra dell'altro. Sulla via dell'amore, dissolviti al punto che solo l'altro diventi reale: tu sei un'ombra e a poco a poco scompari completamente. Sulla via dell'amore, Dio resta, tu scompari; sulla via della meditazione, Dio scompare, tu appari. Ma il risultato ultimo e definitivo è lo stesso. Accade una grande sintesi.

Non cercare mai di sintetizzare queste due vie all'inizio. Si incontrano alla fine, sulla vetta, nel tempio.

Uno dei discepoli di Rabbi Moshe era molto povero. Si lamentò con lo *zaddik* del fatto che la sua miseria fosse un ostacolo all'apprendimento e alla preghiera.

«In questi giorni e nell'epoca attuale» disse Rabbi Moshe «la devozione maggiore, più grande dell'apprendimento e della preghiera, consiste nell'accettare il mondo esattamente come si dà il caso che sia.»

Chi entra in meditazione o cammina sul sentiero dell'amore sarà aiutato, se accetterà il mondo così com'è. Le persone mondane non accettano mai il mondo: cercano sempre di cambiarlo. Si sforzano continuamente di fare qualcos'altro, di sistemare le cose in modo diverso, di agire all'esterno. La persona religiosa accetta tutto ciò che è all'esterno per come è. Non è né disturbata né distratta dall'esteriorità. Tutto il suo lavoro consiste nell'andare dentro di sé. Qualcuno passa attraverso l'amore, altri attraverso la meditazione, ma entrambi si volgono all'interiorità. Il mondo religioso è il mondo dell'interiorità. E l'interiorità è il trascendente.

In latino, la parola «peccato» ha due significati. Uno è «mancare il bersaglio», l'altro è ancora più bello: «essere all'esterno».

«Peccato» vuol dire «essere all'esterno», essere all'esterno di se stessi. Virtù significa essere dentro, all'interno di se stessi.

Poco dopo la morte di Rabbi Moshe, Rabbi Mendel di Kotyk chiese a uno dei suoi discepoli: «Qual era la cosa più importante per il tuo Maestro?».

Il discepolo ci pensò su e disse: «Qualunque cosa stesse accadendo nel momento».

Il momento è la cosa più importante.

Epilogo:
abbracciare il paradosso

È bellissimo essere soli, ma è bellissimo anche essere innamorati e stare con la gente. Sono cose complementari, non contraddittorie. Quando stai con gli altri, godi al massimo della loro presenza, non occorre pensare alla solitudine. E quando sei stanco degli altri, passa alla solitudine e apprezzala più che puoi.

Non cercare di scegliere, altrimenti sarai in difficoltà. Ogni scelta creerà una divisione in te, ti scinderà. Perché scegliere? Se puoi avere entrambe le cose, perché averne una sola?

Tutto il mio insegnamento consiste di due parole: «meditazione» e «amore». Medita, in modo da poter avvertire un enorme silenzio, e ama, in modo che la tua vita possa diventare un canto, una danza, una celebrazione. Dovrai spostarti tra i due, e se riuscirai a farlo facilmente, senza sforzo, avrai imparato la cosa più importante della vita.

Nel corso della storia questo è stato uno dei problemi più grandi: meditazione e amore, solitudine e relazioni, sesso e silenzio... solo i nomi differiscono, il problema è uno solo. E l'umanità ha sofferto molto perché il problema non è stato inteso correttamente.

Le persone hanno scelto: chi ha preferito le relazioni viene definito «mondano», chi ha optato per la solitudine viene definito «ultramondano», un monaco, un asceta. Entrambi soffrono perché rimangono parziali, e restare parziali vuol dire essere infelici. Essere integri vuol dire essere sani, felici; essere integri vuol dire essere perfetti. Restare parziali vuol dire essere infelici, perché l'altra metà compie continui atti di sabotaggio, si vendica. È impossibile distruggerla, perché è la *tua* altra metà! È una parte essenziale di te, non qualcosa di accidentale che puoi scartare.

È come se una montagna decidesse: «Non avrò valli intorno a me». Ebbene, senza le valli la montagna non può esistere. Le valli fanno parte dell'essere della montagna, essa non può esistere senza: sono complementari. Se la montagna sceglie di esistere senza le valli, scomparirà. Se la valle sceglie di esistere senza la montagna, scomparirà. Oppure diventerai un ipocrita: la montagna fingerebbe che la valle non esista, ma la valle c'è. Puoi nasconderla, affogarla nell'inconscio, ma essa resta, sopravvive; è esistenziale, distruggerla è impossibile. Di fatto, la valle e la montagna costituiscono una sola entità, così come l'amore e la meditazione, le relazioni e la solitudine. La montagna della solitudine svetta solo nella valle delle relazioni.

In realtà, puoi apprezzare la solitudine solo se sei in grado di apprezzare le relazioni. La relazione crea il bisogno della solitudine: è un ritmo. Quando sei stato in una relazione profonda con qualcuno, sorge un grande bisogno di essere soli. Cominci a sentirti spento, esausto, stanco... gioiosamente e felicemente stanco, ma ogni eccitazione è snervante. Stare in una relazione è stato bellissimo, ma ora vorresti essere solo, in modo da riprendere le forze, tornare a traboccare, essere di nuovo radicato nel tuo essere.

Nell'amore ti sei spostato nell'essere dell'altro, perdendo contatto con te stesso. Ti sei annegato, eri ebbro. Adesso avrai bisogno di trovare un'altra volta te stesso. Ma quando sei solo, stai di nuovo creando il bisogno d'amore, ben presto sarai così colmo che desidererai condividere, vorrai qualcuno in cui riversarti, cui donare te stesso.

L'amore sorge dalla solitudine. La solitudine ti rende stracolmo, l'amore riceve i tuoi doni. L'amore ti svuota, in modo da poter tornare a essere pieno. Ogni volta che sei svuotato dall'amore c'è la solitudine a nutrirti, a integrarti. E questo è un ritmo.

Concepire queste due cose come separate è stata la sciocchezza più pericolosa a causa della quale l'uomo ha sofferto. Alcune persone sono diventate terrene, mondane: sono spente, esauste, vuote. Non hanno alcuno spazio proprio. Non sanno chi sono, non s'imbattono mai in se stesse. Vivono con gli altri e per gli altri. Fanno parte della folla, non sono individui. E ricorda: la loro vita amorosa non sarà appagante, sarà parziale, e niente di parziale può mai essere appagante. Solo l'insieme soddisfa.

Poi ci sono i monaci, coloro che hanno scelto l'altra metà. Vivono nei monasteri. La parola monaco indica «colui che vive da solo»; viene dalla stessa radice di monogamia, monotonia, monastero, monopolio. Vuol dire «uno», «solo».

Il monaco è colui che ha scelto di essere solo... ma ben presto sarà troppo pieno, maturo, e non conoscerà alcun luogo in cui riversarsi. Dove andare? Non può lasciare spazio né all'amore né alle relazioni, non può mischiarsi agli altri. Adesso le sue energie cominciano a inacidirsi. Qualsiasi energia cessi di fluire diventa amara; ogni nettare stagnante si trasforma in veleno, e viceversa: qualsiasi veleno, se fluisce, si trasforma in nettare.

Fluire vuol dire conoscere il nettare, e diventare stagnanti conoscere il veleno. Nettare e veleno non sono due cose, ma due stati della stessa energia: se fluisce è nettare, se è congelata è veleno. Ogni volta che un'energia rimane senza sbocco, diventa acida, amara, triste, orrenda. Anziché donarti integrità e salute, ti rende malato. Tutti i monaci sono destinati a essere malati e patologici.

Le persone mondane sono vuote, annoiate, esauste; tirano avanti in qualche modo in nome del dovere, della famiglia, della nazione – tutte vacche sacre – bene o male si trascinano verso la morte, aspettano che quest'ultima arrivi e li liberi. Conosceranno il riposo solo nella tomba. In vita non ne faranno mai la conoscenza, ma una vita che non conosce riposo non è davvero vita; è come una musica senza silenzio: non è altro che un rumore nauseante, ti fa stare male.

La grande musica è una sintesi tra suono e silenzio. Maggiore è la sintesi più in profondità scende la musica. Il suono crea silenzio, il silenzio sviluppa la sensibilità per accogliere il suono e così via. Il suono crea più amore per la musica, più capacità di diventare silenziosi. Se ascolti una musica eccelsa, ti sentirai sempre colmo di preghiera, percepirai qualcosa di intatto. Qualcosa giunge a integrazione dentro di te; diventi centrato, radicato. La terra e il cielo si incontrano, non sono più separati, il corpo e l'anima si incontrano fondendosi: perdono le loro definizioni, e quello è il grande momento, il momento dell'unione mistica.

È una guerra antica e stupida, profondamente idiota, quindi, per favore, fa' attenzione: non creare conflitti tra il sesso e il silenzio. Se lo fai, la tua sessualità sarà sgradevole e malata, mentre il tuo silenzio sarà smorto e pesante. Lascia che il sesso e il silenzio si incontrino e si uniscano. In realtà, i più grandi momenti di silenzio sono seguiti dall'amore, da grande amore, da vette d'amore. E le vette dell'amore sono sempre seguite da intensi momenti di silenzio e solitudine. La meditazione ti conduce all'amore: l'amore, alla meditazione. Sono compagni, è impossibile separarli. Non si tratta di creare una sintesi: è impossibile dividerli. È una questione di comprensione, devi comprendere che sono indivisibili. La sintesi c'è già. Sono la stessa cosa, due facce della stessa medaglia. Non occorre che li sintetizzi, perché non sono mai stati separati. L'uomo ci ha provato con tutte le sue energie, ma ha sempre fallito.

La religiosità non è ancora diventata la noosfera della Terra, non si è ancora trasformata in una corrente vitale del mondo. E qual è il motivo? Questa divisione. Puoi essere una persona terrena o un asceta: scegli! E nell'istante in cui hai scelto, hai perso qualcosa. Qualunque sia la tua scelta sarai un perdente.

Io affermo: non scegliere. Vivi entrambi nella loro unione. Naturalmente ci vuole arte per vivere entrambe le cose; è semplice scegliere di attaccarsi a una sola. Qualsiasi idiota può farlo; di fatto, solo gli idioti lo fanno. Alcuni idioti scelgono di essere terreni, altri di fare gli asceti. L'uomo di intelligenza apprezza entrambe le cose. E questo è il significato del *sannyas*, della ricerca del vero. Puoi avere la capra e i cavoli, questa è intelligenza.

Sii all'erta, consapevole, intelligente. Osserva il ritmo e seguilo, senza scegliere. Mantieni una consapevolezza priva di scelta. Guarda entrambi gli estremi; in superficie sembrano opposti, contraddittori, ma non lo sono. In profondità sono complementari. È lo stesso pendolo che va a destra e a sinistra; non cercare di fissarlo a destra o a sinistra, perché in quel caso distruggeresti l'intero orologio. Ma questo è ciò che si è fatto finora.

Accetta la vita in tutte le sue dimensioni.

Certo, capisco il problema, è semplice e ben noto. Il problema è questo: quando entri in una relazione, non sai stare solo; ciò dimostra semplicemente mancanza di intelligenza Non è che la relazione sia sbagliata, è che non sei ancora abbastanza intelligente: per questo la relazione diventa opprimente e non trovi più uno spazio in cui puoi essere solo, alla fine ti senti stanco e spossato. Allora, un giorno decidi che la relazione è sbagliata, priva di senso: «Voglio diventare un monaco. Andrò in una grotta sull'Himalaya e vivrò lassù da solo». Comincerai a fare sogni bellissimi sulla solitudine... come sarà bello: nessuno si intrometterà nella tua libertà o cercherà di manipolarti, non dovrai affatto pensare all'altro.

Jean-Paul Sartre afferma: «L'altro è l'inferno». Ciò dimostra semplicemente che non è stato in grado di intendere la complementarietà di amore e meditazione. «L'altro è l'inferno»: certo, l'altro diventa l'inferno se non sai come essere solo, ogni tanto. In mezzo a ogni sorta di relazione, l'altro si trasforma nell'inferno. È tedioso, stancante, spossante, noioso. L'altro perde ogni bellezza, perché è diventato qualcosa di conosciuto. Vi conoscete bene, ormai non c'è più sorpresa. Hai conosciuto benissimo il territorio, ci hai viaggiato così a lungo che non restano più sorprese. Sei semplicemente stanco dell'intera faccenda.

Ma vi siete attaccati l'uno all'altra. Anche l'altro è infelice, perché tu sei il suo inferno, così come lui è il tuo. Vi state creando a vicenda un inferno, vi aggrappate tra di voi e avete paura di perdere il partner, pensando: «Qualsiasi cosa è sempre meglio di nulla». Almeno c'è qualcosa cui aggrapparsi, ed è ancora possibile sperare che domani le cose andranno meglio. Oggi è un disastro, ma domani... la speranza è possibile. Si vive nella disperazione, ma si continua a sperare.

Prima o poi si comincia ad avere la sensazione che sarebbe meglio stare soli. E se torni a stare solo, per qualche giorno sarà bellissimo, come era accaduto nei primi tempi della relazione: come esiste una luna di miele nelle relazioni, così esiste una luna di miele anche con la meditazione. Per alcuni giorni ti sentirai meravigliosamente libero: sei semplicemente te stesso, non c'è nessuno che ti chieda o si aspetti qualcosa da te. Se al mattino vuoi alzarti presto, puoi farlo; altrimenti, puoi continuare a dormire. Se vuoi fare qualcosa, puoi farla; se non vuoi fare nulla, non c'è nessuno a costringerti. Per alcuni giorni sarai felicissimo, ma solo per alcuni giorni. Presto te ne stancherai. Traboccherai d'amore, ma non ci sarà nessuno a riceverlo. Ti sentirai maturo, e a quel punto l'energia ha bisogno di essere condivisa. Diventerai greve, appesantito dalla tua stessa energia; ti piacerebbe che qualcuno l'accogliesse, la ricevesse, vorresti sgravarti. A questo punto la solitudine assomiglierà a un isolamento.

Ora si verificherà un cambiamento: la luna di miele cesserà e la solitudine comincerà a tramutarsi in isolamento. Proverai un profondo desiderio di incontrare l'altro: comincerà ad apparire nei tuoi sogni.

Chiedi ai monaci cosa sognano: le donne e nient'altro, non può essere altrimenti. Sognano qualcuna che li alleggerisca. Chiedi alle monache: sognano solo uomini. E la cosa può diventare patologica. Conoscerai la storia cristiana. Monaci e monache cominciano a sognare persino a occhi aperti. Il sogno diventa una realtà così vera che non c'è bisogno di aspettare la notte. Persino durante il giorno, mentre è seduta in preghiera, la monaca vede arrivare il demonio che cerca di fare l'amore con lei. Sarai sorpreso: nel Medioevo è accaduto spesso che le monache venissero messe al rogo perché avevano confessato di aver fatto l'amore con il demonio. Lo confessavano spontaneamente, ma non è tutto: restavano anche incinte. Una gravidanza inesistente, nient'altro che aria calda nello stomaco, ma il ventre cominciava a ingrossarsi. Una gravidanza cosiddetta isterica. Descrivevano il demonio nei particolari, ma era una loro creazione. Il demonio le seguiva notte e giorno... e altrettanto avveniva con i monaci.

La scelta di restare soli ha creato un'umanità molto malata. D'altra parte neppure le persone che vivono nel mondo sono felici; nessuno sembra esserlo. Il mondo intero è eternamente infelice. Puoi scegliere un'infelicità o l'altra, quella terrena o quella spirituale, ma è sempre e comunque infelicità. Per qualche giorno ti sentirai bene.

Io ti sto dando un nuovo messaggio: non scegliere più. Nella vita mantieni una consapevolezza priva di scelta, e diventa intelligente, anziché mutare le circostanze. Cambia la tua psicologia, diventa più intelligente. Per essere estatici è necessaria più intelligenza! In questo caso potrai avere sia la solitudine sia le relazioni.

Rendi consapevole del ritmo anche la tua donna o il tuo uomo. Bisognerebbe insegnare alla gente che nessuno può amare per ventiquattr'ore al giorno, sono necessari dei periodi di riposo. Né si può amare a comando. L'amore è un fenomeno spontaneo: ogni volta che accade, accade, e quando non accade, non accade. Se fai qualcosa, darai vita a uno pseudofenomeno, sarà una recita.

Gli amanti autentici, intelligenti, si metteranno in guardia l'un l'altra rispetto a questo fenomeno: «Quando voglio essere solo, non vuol dire che ti sto rifiutando. In realtà, è grazie al tuo amore che per me è possibile essere solo». E se la tua donna vuole restare sola per una notte, o per alcuni giorni, non sentirti offeso. Non dire di essere stato rifiutato, non dire che il tuo amore è stato respinto. Rispetta la sua decisione di restare sola per qualche giorno. Di fatto, sarai felice! Il tuo amore era così tanto che lei si sente svuotata, adesso ha bisogno di riposarsi per ricaricarsi. Questa è intelligenza.

Di solito, pensi di essere rifiutato. Se vai dalla tua donna e lei non desidera stare con te, o è scontrosa, ti senti duramente respinto. Il tuo ego è ferito. Questo ego non è molto intelligente; tutti gli ego sono stupidi. L'intelligenza non conosce ego, vede semplicemente il fenomeno, cerca di capire perché la donna non vuole stare con te. Non ti sta rifiutando; sai che ti ha amato e che ti ama tantissimo, ma questo è un momento in cui vuole stare sola. E se l'ami, la lascerai sola, non la torturerai, non la costringerai a fare l'amore con te.

Se l'uomo vuole essere solo, la donna non penserà: «Non gli interesso più, forse gli piace un'altra». Una donna intelligente lascerà solo l'uomo, in modo che possa fare ritorno al suo essere, per poi condividere di nuovo la sua energia. Questo ritmo è simile alla notte e al giorno, all'inverno e all'estate: muta continuamente.

Se due persone sono davvero rispettose – e l'amore è sempre rispettoso, riverente nei confronti dell'altro; è uno stato di adorazione, di preghiera – allora, a poco a poco, vi comprenderete di più e diventerete consapevoli del ritmo vostro e del partner. Ben presto scoprirete che, grazie all'amore e al rispetto, i vostri ritmi si avvicinano sempre di più. Quando tu ti senti pieno d'amore, lei si sente piena d'amore. È una cosa che si determina da sola, si tratta di una sincronicità.

Hai mai osservato? Se incontri due persone davvero innamorate, scoprirai in loro molte cose simili. Due innamorati autentici diventano come fratello e sorella. Ti sorprenderai: nemmeno fratelli e sorelle sono tanto simili. La loro espressione, il loro modo di camminare e di parlare, i loro gesti... due innamorati sono simili, tuttavia molto diversi: è una cosa che comincia ad accadere naturalmente. Il semplice stare insieme è sufficiente per creare, a poco a poco, una sintonia. Ai veri innamorati non occorre dire nulla: l'altro capisce immediatamente, in modo intuitivo.

Se la donna è triste, anche se lo nega, l'uomo lo capisce e la lascia sola. Se l'uomo è triste, la donna comprende e lo lascia solo, trovando qualche scusa. Gli stupidi fanno esattamente l'opposto. Non si lasciano mai, stanno sempre insieme, stancandosi e infastidendosi a vicenda, non concedono mai spazio all'altro.

L'amore dona libertà e aiuta l'altro a essere se stesso. L'amore è un fenomeno molto paradossale. In un certo senso fa di voi una sola anima all'interno di due corpi, in un altro senso ti dona individualità e unicità. Ti aiuta ad abbandonare il tuo piccolo io, ma ti aiuta anche a conseguire il sé supremo.

A quel punto non ci sono problemi: l'amore e la meditazione sono due ali, si equilibrano tra di loro. E in mezzo a esse tu cresci, diventi integro.

* * *

Voglio perdermi totalmente e assolutamente nell'amore assoluto, cosa dovrei fare?

L'idea stessa di perdersi totalmente, assolutamente, globalmente nell'amore è chiedere troppo. Sii un po' più umano, non aspirare all'impossibile. L'impossibile non ha fatto altro che portare la gente a un'inutile isteria. Per secoli siamo stati oppressi da valori impossibili; abbiamo imparato termini assoluti e continuiamo a ripeterli come pappagalli, senza neppure sapere che cosa significhino.

Sii umano, non aspirare alla perfezione in alcun modo, perché ogni perfezionismo è una nevrosi. Sii umano, accetta tutte le debolezze e i limiti dell'essere umano: perché mai vorresti perderti totalmente? Per che cosa dovresti farlo? Cosa ci guadagni? E se anche ci riuscissi – per fortuna non è possibile – anche ammettendo che tu ci riuscissi, a quel punto verresti a chiedermi: «Adesso mi sento molto solo, sono completamente perso, assolutamente perso!». Inizieresti a desiderare di tornare indietro, vorresti riavere un po' del piacere di vivere la tua individualità.

È bello incontrarsi e fondersi, ma perché renderlo qualcosa di definitivo? Perché usare tutte queste parole inutili? Non è sufficiente fondersi per un istante e poi tornare a casa, nel proprio centro? In questo modo esiste un ritmo: ti fondi, gioisci di quella fusione, poi torni indietro. Si crea un ritmo, e quel ritmo ti arricchisce: se ti dissolvi semplicemente, per sempre, non esisterà alcun ritmo, alcuna musica, alcuna danza. In realtà quella sarà una morte, non la vita.

Io voglio insegnarti semplicemente a essere umano. Per secoli ti è stato detto di essere un superuomo. Io esalto il tuo essere umano: per me la natura umana è sinonimo di natura divina.

Perdersi ogni tanto e poi ritrovarsi va benissimo: in questo modo ti puoi perdere di nuovo; devi creare un ritmo tra il perderti e il ritrovarti: la vita è una musica, e la musica può esistere solo se le due cose si alternano, altrimenti sarebbe monotona.

No, io non ti posso aiutare a perderti in maniera assoluta, definitiva, totale. Io amo il momento, amo *l'immediatezza* del momento. Sono del tutto contrario a parole come «assoluto», sono termini remoti, privi di un reale significato, sono parole pretenziose.

L'assoluto non significa nulla, una rosa ha molto più significato, e non è assoluta: al mattino sboccia e la sera è già svanita. Questa è la sua bellezza: è transitoria. È un miracolo! La rosa assoluta sarà sintetica, di plastica: esisterà in eterno, ma poiché non potrà morire, non potrà neppure vivere.

Devi imparare a perderti e poi ritrovarti, per poi perderti ancora: devi apprendere la vicinanza dell'amore e la sua lontananza.

In amore ogni distanza rinnova il desiderio di essere vicini. Se due amanti stanno sempre insieme, e non riescono mai a separarsi, ridurranno la loro vita amorosa a un incubo.

Medita su questa storia: è una parabola stupenda. Solo io posso affermare che si tratta di una parabola...

Rosalie Mazzoli, nata Adelstein, aveva sposato un nano.

La relazione andò meravigliosamente per alcuni mesi, ma un giorno la bella Rosalie si presentò di fronte a un giudice di pace, per chiedere il divorzio dal piccolo Harry.

«Signora Mazzoli, se ho ben capito, lei è sposata con un nano» si informò il giudice. «E perché adesso vorrebbe divorziare? Non si era resa conto fin dal primo momento dei problemi a cui sarebbe andata incontro con questo matrimonio?»

«Oh, Vostro Onore» singhiozzò la bella Rosalie «come

potevo immaginarlo? Tutto tra noi era splendido, ed è splendido anche adesso... tranne per il sesso»

«Sesso?» stupì il giudice. «Cosa c'entra il sesso con la condizione di nano di suo marito?»

«Be', vede» spiegò la donna in lacrime «quando siamo naso contro naso, *là* ci sono i suoi piedi. Quando i nostri piedi si incontrano, *là* ci va a finire il suo naso. E quando lui finalmente entra dentro di me, scompare completamente... e... Oh, Vostro Onore... mi sento così sola!»

No, non è possibile perdersi in maniera totale, assoluta, suprema. Rilassati, perditi una volta ogni tanto, va benissimo così! Perditi e ritrovati, attimo dopo attimo. Questa esistenza è una commedia meravigliosa che si fonda sul perdersi e il ritrovarsi. E lascia perdere parole come «supremo», «assoluto», «perfetto»: tutti questi termini sono invenzioni dei filosofi.

La vita è immediata, la vita è sempre «quieora». Vivila con tutta la fragilità dell'essere umano, con tutta la fragilità di una rosa, e arriverai a conoscere il massimo splendore *nell'istante* presente, non nell'eternità.

Quello splendore è sempre adesso, ed è sempre qui! Non condannare ciò che è momentaneo, ciò che è passeggero: gioisci nel momento, perditi nella gioia dell'istante!

Un nuovo inizio:
non evitare le contraddizioni

Eccomi qui, io l'uomo tutto d'un pezzo, l'uomo granitico, abituato al sì o al no deciso, certo, definitivo; ebbene, negli ultimi tempi mi ritrovo a sperimentare ogni sorta di contraddizione, simultaneamente!

Vedo le donne come oggetto di devozione e al tempo stesso le inseguo famelico. Aspiro alla solitudine e cerco in continuazione il rapporto, la relazione, gli amici. Mi piace il fluire della vita, lasciarmi andare allo scorrere di eventi, emozioni, sensazioni e, allo stesso tempo, sono terrorizzato dal futuro.

Questa situazione mi fa sentire strano, eccentrico, stravagante, infatti tutte queste contraddizioni mi sembrano ugualmente reali e vere.

Rispetto a questo stato di cose devo comprendere o fare qualcosa?

Ogni volta che ti imbatti in una contraddizione, osserva con estrema attenzione: inevitabilmente nasconde qualcosa di estremo rilievo, di fondamentale. Non evitare mai le contraddizioni: la vita è contraddittoria! Esiste grazie alla tensione delle contraddizioni; pertanto, ogni volta che ti imbatti in una di esse, sei vicinissimo alla sorgente della vita: ricordalo sempre.

La reazione comune, quando ti imbatti in una contraddizione, è iniziare a risolverla, a trovarvi spiegazioni, oppure inizi a lasciarla decantare nell'inconscio per non dovertene preoccupare. Inizi subito a fare qualcosa, poiché ti è stato insegnato a vivere una vita priva di contraddizioni; ma ti è stata insegnata una cosa molto pericolosa, poiché nessuno può vivere senza contraddizioni

Se vuoi vivere, devi vivere attraverso le contraddizioni, in quanto contraddizione *vivente*! Ti hanno insegnato a essere coerente, ed è per questo che sei diventato falso. L'inganno è tutto qui: come mai esiste tanta ipocrisia nel mondo? Perché? Come mai il mondo intero è diventato ipocrita? Esiste un inganno, un trucco incredibile legato a una tecnologia sofisticatissima: insegna alla gente a essere coerente, e diventeranno tutti degli ipocriti. Questo perché la vita esiste attraverso la contraddizione.

La vita è del tutto incoerente. Un momento è così, l'altro è cosà; la vita esiste in questo modo: un istante ti senti profondamente in amore, l'attimo dopo odii quella stessa persona. Così è la vita.

Ebbene, ti è stato detto che, se ami, devi amare in eterno. In realtà non puoi amare per sempre, dunque una sola cosa è possibile: quando odii, lo dovrai nascondere, dovrai reprimere l'odio e continuare a fingere di amare. Ecco l'ipocrisia: quando non ami, fingi.

Sei carico d'odio nei confronti di tua moglie, ma arrivi a casa e l'abbracci, la baci e le chiedi: «Come stai, tesoro?», ma in profondità la stai odiando e vorresti ucciderla. In realtà, per tutto il giorno hai fantasticato su come uccidere questa donna, ma ti hanno insegnato a essere coerente; quindi, una volta innamorato, poiché hai detto certe cose in quei momenti d'amore e hai fatto promesse del tipo: «Ti amerò in eterno», ebbene adesso devi essere coerente.

Che cosa farai dell'odio che inevitabilmente affiorerà? Ogni oggetto d'amore sarà anche oggetto d'odio, è inevitabile. Se non vuoi odiare, devi smettere di amare; se *veramente* non vuoi odiare nessuno, dovrai smettere di amare, ma non potrai mai amare coerentemente. L'incoerenza affiorerà continuamente.

Sarebbe come se qualcuno ti dicesse: «Se vedi il giorno, non vedere la notte. È incoerente». Ebbene, cosa farai? Di giorno terrai gli occhi aperti, la notte li terrai chiusi e crederai che sia giorno; la notte verrà comunque, non seguirà le tue opinioni. *Deve* venire: la notte segue il giorno, il giorno segue la notte. Ma a te è stato insegnato a essere coerente. Il tuo cosiddetto carattere non è altro che uno sforzo per essere coerente.

Un uomo reale non può avere alcun carattere. Un uomo reale sarà inevitabilmente privo di carattere, poiché avere un carattere significa avere coerenza, concretezza. Essere senza carattere significa essere liberi.

Ieri ho detto qualcosa. Ebbene, se ho un carattere, cercherò di essere coerente rispetto al mio passato e qualsiasi cosa abbia detto, oggi dovrò ripeterla; ma in questo caso dovrò limitarmi a reiterare il mio passato: non posso vivere nel momento e non posso vivere nel presente.

In realtà, un uomo coerente continua a mutare in futuro il suo passato, continua a imporsi il passato come proprio futuro, lo antepone a se stesso: questo è l'uomo di carattere, l'uomo coerente! Un uomo incoerente non permette mai al passato di diventare il proprio futuro, resta sempre libero e aperto rispetto al futuro, non ha promesse da mantenere, non ha impegni con il passato. Qualsiasi cosa sia stato, lo ha vissuto totalmente; e una volta passato, è passato.

Un uomo reale ti amerà e al tempo stesso ti odierà. E a

volte dirà: «Ti amerò per sempre», altre volte ti dirà: «Non ti posso più amare, è impossibile». A volte sarà con te in una profonda luna di miele e a volte in un profondo divorzio, ed entrambe le cose si susseguiranno come il giorno e la notte. Un vero matrimonio è un continuo susseguirsi di luna di miele e di divorzio, luna di miele e divorzio. Minilune di miele, minidivorzi; grandi lune di miele, grandi divorzi. Si susseguono come il giorno e la notte.

Pertanto, ogni volta che ti imbatti in una contraddizione, sta' molto attento, osserva con profonda presenza consapevole: sei vicinissimo alla vita. Viceversa, quando sei coerente, sei solo falso, qualcosa di artificiale, non sei reale.

Io non insegno la coerenza. Insegno la libertà di essere incoerente, insegno la libertà di essere contraddittorio: questo è il mio intero approccio nei confronti della vita.

Ovviamente, hai paura a essere contraddittorio perché in quel caso non saprai chi sei. Con il carattere hai in mano qualcosa, qualcosa di estremamente sicuro: sai chi sei. Hai un'etichetta: sei un brav'uomo, sei un farabutto, sei un santo, sei un peccatore. Quando sei coerente puoi credere nella tua identità: sei un buon marito, un bravo cristiano, un devoto e via dicendo. Con l'incoerenza la tua identità scompare, non sai chi sei. Diventi qualcosa di aperto, non sei più chiuso, rinserrato: hai un futuro sconfinato. Non sai cosa farai tra un attimo, sarà solo l'attimo successivo a dirlo: vivere in quell'insicurezza richiede coraggio.

La ricerca del vero, il *sannyas* è ciò che io propongo: restare nell'insicurezza, non permettere al tuo passato di influenzare il tuo futuro, non permettere al tuo passato di proiettarsi sul futuro. Lascia che ciò che è morto seppellisca ciò che è morto! Il passato è passato, finito per sempre; non aggrappartici, e non permettergli di aggrapparsi a te.

Nel momento in cui qualcosa è passato, è passato. Siine completamente ripulito, torna libero e fresco; in questo caso sarai reale, autenticamente vero; allora ci saranno gioia, celebrazione e canto. Non sto dicendo che non sarai mai triste, lo sarai. L'uomo falso non è mai triste, perché non è mai felice. L'uomo falso si limita a restare semplicemente nel mezzo, mai felice, mai triste. È sempre così così, qualcosa di tiepido; non è mai troppo freddo né mai troppo caloroso, sta semplicemente bene: in qualche modo si arrabatta e si tiene insieme. Ha una vita comoda, ma non possiede una vita reale.

No, non sto dicendo che l'uomo reale sarà sempre felice; sto dicendo che sarà sempre reale. Quando è triste, lo sarà veramente: canterà un canto, la canzone della tristezza. L'accetterà come parte della vita, come parte della crescita; non la rifiuterà. Se si sentirà di piangere, piangerà; non dirà: «Cosa sto facendo? Questo non va bene. Solo le donne piangono, io sono un uomo». No, non lo dirà; al contrario, dirà: «Se i miei occhi vogliono piangere e le lacrime scorrere, benissimo. Io devo essere reale, io sono unicamente qualsiasi cosa sono», e piangerà. Le sue lacrime saranno vere.

I tuoi sorrisi sono falsi e false sono le tue lacrime. Ti atteggi al sorriso e lo stesso fai con le lacrime; in questo modo vivi una vita vuota. La vita dell'uomo reale sarà piena e ricca: a volte di felicità e a volte di tristezza.

E un giorno l'uomo reale si illumina, l'uomo irreale mai! E quando l'uomo reale si illumina, non c'è più alcuna gioia e alcuna tristezza; in quel caso il suo essere è solo un testimone. Giunge la gioia e lui la osserva; giunge la tristezza e lui la osserva.

Dunque, questi sono i tre passaggi.

L'uomo falso: la sua gioia è solo una rappresentazione, una maschera, e così è la sua tristezza. Egli finge.

L'uomo reale è il secondo stadio: è naturale, spontaneo;

sia la sua gioia sia la sua tristezza sono vere. Puoi fidarti di lui: quando piange, tutto il suo cuore è nel pianto; quando sorride, tutto il suo cuore sta sorridendo

E questo secondo stadio è un obbligo, per conseguire il terzo: quello dell'illuminazione. L'uomo illuminato non è triste né felice. Ha conseguito l'anima testimoniante: si limita semplicemente a osservare. Sa che è arrivata la tristezza, sa che è arrivata la felicità, ma questi sono semplici atmosfere che vengono e vanno, cambiano e lui resta sempre centrato.

L'uomo falso non potrà mai balzare nello stato dell'essere illuminato, per questo io insegno l'uomo reale; ma l'uomo reale non è la meta.

Ecco perché il mio lavoro va al di là dell'ideologia dell'Encounter o della Gestalt: queste si fermano all'uomo reale. Qualcosa di buono, meglio dell'irreale, ma non sufficiente. Qualcosa deve ancora accadere.

Io uso i gruppi di Encounter e di Gestalt, utilizzo tutte le terapie che sono nate in Occidente: sono processi ottimi, splendidi; ti portano dal primo stadio, dallo stato dell'essere falso a quello reale, autentico. Ma il mio lavoro va al di là di esse. D'altra parte, posso andare al di là solo se hai attraversato il secondo stadio: dal primo non c'è uscita, dal falso non c'è sbocco nell'illuminazione; solo dal reale vi si può accedere.

Dovrai attraversare l'estasi e l'agonia del reale. Allorché avrai vissuto in profondità tutte le realtà della vita, affiorerà il testimone. Affiora naturalmente, scaturisce dal tuo essere reale.

Dunque, tu dici: *Eccomi qui, io l'uomo tutto d'un pezzo, l'uomo granitico, abituato al sì o al no deciso, certo, definitivo..*

336

Non è il modo giusto di essere: così ti fissi su qualcosa, o questo o quello. Diventa più fluido, resta più fluido, poiché la vita non è qualcosa di solido: è un flusso, è fluida. Ed è ciò che ti sta accadendo e che ti confonde.

... ebbene, negli ultimi tempi mi ritrovo a sperimentare ogni sorta di contraddizione, simultaneamente!

Benissimo! Sei benedetto. Questa confusione è l'inizio di un viaggio incredibile, di un pellegrinaggio grandioso. Se ti spaventi, ricadrai in ciò che è falso.

Il falso è sicuro. Lascia che te lo ricordi ancora e di nuovo: il falso è comodo. Essere falsi è un ottimo modo per morire, ma questo non è un buon modo per vivere. Persino la tua morte sarà falsa: come potrà mai essere reale? Se non hai veramente vissuto, come potrai morire veramente?

Ecco perché molte persone muoiono, ma raramente accade una morte reale; solo quando muore un Buddha o un Lin Chi accade una morte reale: sono pochissime le morti reali, perché sono pochissime le persone reali. Tu ti limiti a fingere di vivere, e un giorno fingi di morire!

Ho sentito raccontare di un uomo che incontrò per strada un vecchio amico, un fanatico di Scienza Cristiana, che gli chiese: «Come sta tuo padre?».

Lui rispose: «È molto malato», e il fanatico di Scienza Cristiana, ovviamente, per essere coerente con la sua filosofia, commentò: «Non è malato, pensa solo di esserlo».

Questa è l'ideologia di Scienza Cristiana: tu non sei mai malato, pensi solo di esserlo, da qui il suo commento.

Otto giorni dopo, i due uomini si incontrarono di nuovo e il seguace di Scienza Cristiana tornò a chiedere: «Come sta tuo padre, adesso?».

L'altro esitò un po', poi disse: «Adesso pensa di essere morto»... solo per rispondere in modo coerente, rispetto all'ideologia dell'amico!

Il padre era morto, ma questa è una realtà... tu continui a vivere in un mondo di fantasia. La tua vita non è altro che il tuo pensiero, qualcosa di fasullo; e così è la tua morte. La tua malattia, la tua salute, la tua felicità, la tua tristezza sono tutte cose fasulle, come puoi morire una morte reale? Una morte reale ce la si deve guadagnare, ne devi diventare degno. E lo diventi solo se vivi veramente.

In questo momento sei vicino a un'immensa fonte di luce. Ecco perché senti ogni sorta di contraddizioni simultaneamente: è un segno che la tua rigidità si sta sciogliendo. Il tuo odio e il tuo amore non sono più categorie distinte, non sono più fissati in scatole separate, si fondono l'uno nell'altro. Ciò che è profondo e ciò che è triviale si stanno unendo, e tu sei confuso poiché non riesci più a etichettare i singoli elementi.

... mi ritrovo a sperimentare ogni sorta di contraddizione, simultaneamente!
Vedo le donne come oggetto di devozione e al tempo stesso le inseguo famelico.

È ciò che è successo nei secoli. L'uomo ha fatto due cose, rispetto alla donna: l'ha adorata come una dea o l'ha condannata in quanto strega; l'ha sfruttata per la propria lussuria o si è inchinato ai suoi piedi definendola «divina»: «La madre divina». E la donna è stata una prostituta o una madre divina, l'uomo non l'ha mai accettata come un semplice essere umano.

E la donna è umana, così come lo sei tu Non è una ma-

338

dre divina e non è una prostituta, ma è così che funziona la mente. La mente fissa le cose in stereotipi, stabilisce delle categorie; ma in questo modo è stata uccisa la donna reale, poiché essa è entrambe le cose: la prostituta e la madre divina, e lo è simultaneamente. Se ti innamori di una prostituta, troverai la madre divina. Persino una prostituta si trasformerà in una madre divina, se ne sei innamorato: non riuscirai a scorgere la prostituta. E se ti innamori di una madre divina troverai anche la prostituta.

Voglio dire che la vita non è così piccola da poter essere inscatolata, non puoi dire: «Questa è una prostituta e questa è una madre divina». E quella è la bellezza della vita, è la sua ricchezza.

L'uomo ha sempre fluttuato tra queste polarità: a volte definisce «divina» una donna; e anche questo è inumano, poiché porta a mettere la donna su un piedistallo, impedendole di essere umana.

Osserva, quando costringi una donna a essere una madre divina, cosa stai facendo? Non le permetti di essere umana. E la donna fingerà di essere divina per cui, se vorrai fare l'amore con lei, acconsentirà con riluttanza. Si negherà, pur volendo dire di sì; deve dire di no, vista la sua immagine divina.

Una donna virtuosa dev'essere morta. Persino facendo l'amore, se ne starà sdraiata come un cadavere. Il più piccolo movimento ti insospettirà: ti sei sbagliato, non è affatto virtuosa? Se inizia a godere nel fare l'amore, penserai che sia una donna di malaffare; solo donne simili godono nel fare l'amore. Le donne che hanno un onore non pensano affatto al sesso.

Osserva questo stratagemma: metti una donna su un piedistallo così alto da impedirle di essere umana. La rendi sovrumana: questo è un modo per renderla inumana.

Oppure la costringi a essere una prostituta: di nuovo, questo è un modo per renderla inferiore al genere umano, di nuovo la rendi inumana.

Ed ecco che vai da una prostituta, la paghi, fai l'amore con lei, senza alcun amore, senza mettere in gioco alcuna responsabilità. È semplice, si tratta di pura lussuria, tanto sai che questa è una donna di malaffare; come puoi amarla? La cosa non ti mette a disagio, ti tranquillizzi; puoi sfogare le tue brame con una donna simile, la puoi usare come un oggetto. È solo una prostituta, non è un essere umano; non ti metti in relazione con lei. Ti limiti ad andare con lei, fai le tue cose, paghi e tutto finisce lì. Il giorno dopo, sulla piazza del mercato, non la riconoscerai neppure.

In entrambi i modi – la dea e la prostituta – le donne sono state ridotte a essere inumane: entrambi questi stereotipi sono qualcosa di disgustoso. La donna è entrambe le cose: la madre divina e la prostituta. Così come tu sei entrambe le cose: Dio e l'animale. E lascia che lo ripeta: il profano *è* il sacro, il samsara *è* il nirvana.

La realtà è così complessa e così profonda che non può essere ridotta a categorie, non può essere chiusa in definizioni stagne. Nessuna donna è solo una prostituta e nessuna donna è solo una dea. E la stessa cosa vale per l'uomo. Nel momento in cui lo riconosci, sei libero dalle gabbie create dalla logica, dalle sue categorie, dai suoi stereotipi, e puoi vedere la realtà per ciò che è.

Una donna è un essere umano, come lo sei tu. Certo, a volte è una strega, così come tu a volte sei meschino; così come tu sei orribile e disgustoso, lo è anche lei. E a volte è estasi, pura estasi. A volte la donna è il fenomeno più bello che esiste sulla Terra, così come lo sei tu.

In India abbiamo la giusta rappresentazione, il simbolo di Kalì.

Di certo avrai visto l'immagine o la statua della dea Kalì. Questa è veramente un'incredibile comprensione di che cosa sia la donna. Kalì è dipinta di nero, come il demonio – Kalì significa «la nera» – eppure è la madre divina. Ed è la dea più bella: è nera, nera come il demonio, ma le sue fattezze sono divine. Il suo volto è magnifico e bello è il suo corpo, con proporzioni perfette... eppure è nera. Inoltre, danza sul petto del marito, praticamente uccidendolo. Suo marito è Shiva, e lei danza sul suo petto, praticamente uccidendolo, ma al tempo stesso amandolo. Kalì ama e uccide simultaneamente, riassume in sé tutte le contraddizioni.

La madre ti dà la vita, la donna ti dà la nascita e al tempo stesso, piano piano la donna ti uccide. Ti porta vicino alla morte: da qui l'attrazione e la paura. Tu sei attratto dal divino e hai paura del demonio.

Per questo dici: *Vedo le donne come oggetto di devozione e al tempo stesso le inseguo famelico.*

Entrambe le cose sono complementari: accettale. Così è la realtà. La donna è entrambe le cose, e così sei tu. E se accetti questa realtà contraddittoria, un giorno ne andrai oltre, la trascenderai.

Esiste anche un elemento trascendente, ma lo puoi comprendere solo quando passi attraverso le contraddizioni. Se le eviti, non conseguirai mai il trascendente. Passa attraverso la contraddizione e, con il tempo, diventerai solo un semplice testimone di entrambe le cose.

Come funziona questo processo? Opera in modo molto semplice. Se pensi di essere buono, sei identificato con la bontà. Se pensi di essere malvagio, sei identificato con il male. Se però permetti sia al bene sia al male di esistere insieme, non ti puoi identificare con nessuno dei due; resti disidentificato, e questo è il cambiamento fondamentale, radicale: resti disidentificato. Non riesci a stabilire chi sei, se sei il bene o il male, il giorno o la notte, la vita o la morte, il bello o il brutto. Non ti puoi identificare con nulla, per cui resti disidentificato.

Ciò che è buono viene e se ne va, e tu sai che non puoi essere il bene, poiché il male si approssima. E il male viene e se ne va, e tu sai che non puoi essere neppure il male, poiché ecco che si avvicina il bene. Dunque, tu non puoi essere né il bene né il male; ma allora chi sei? Sei un testimone. Un testimone che osserva ogni cosa che viene e se ne va, un testimone su una collina.

Aspiro alla solitudine e cerco in continuazione il rapporto, la relazione, gli amici.

È la stessa contraddizione, su un'infinità di livelli...

Mi piace il fluire della vita, lasciarmi andare allo scorrere di eventi, emozioni, sensazioni e, allo stesso tempo, sono terrorizzato dal futuro.

È la stessa contraddizione.

Questa situazione mi fa sentire strano, eccentrico, stravagante, infatti tutte queste contraddizioni mi sembrano ugualmente reali e vere.

Lo sono! E quando lo riconosci per la prima volta, quando intuisci che sono reali e vere, puoi solo sentirti così.

Ecco perché gli uomini dello Zen dicono: «All'inizio i fiumi sono fiumi e le montagne sono montagne, poi i fiumi non sono più fiumi e le montagne non sono più montagne – tutto è confuso, nebuloso, insolito; tutto è sottosopra, sconvolto – e poi un giorno le montagne sono di nuovo montagne e i fiumi sono di nuovo fiumi, tutto si acquieta», ovviamente su un piano superiore: sul piano trascendente.

Dovrai attraversare queste assurdità, queste bizzarrie. Per essere sani mentalmente si devono attraversare molte follie.

Rispetto a questo stato di cose devo comprendere o fare qualcosa?

Devi semplicemente comprendere, non devi fare nulla. Io non insegno il fare. Non si deve fare nulla: osserva semplicemente. Osserva sempre di più con estrema attenzione, osserva nei dettagli. Osserva le sfumature più sottili di qualsiasi cambiamento avvenga dentro di te. Osserva ogni cosa, senza pregiudizi, senza giudicare. E quell'osservazione ti integrerà, ti renderà sempre più consapevole.

E l'intero scopo della vita è tutto qui: creare sempre più intelligenza, creare più consapevolezza.

Per un catalogo generale rivolgersi a:

Associazione Oshoba
Casella Postale 15
21049 Tradate (Varese)
tel. & fax: 0331.810.042
e-mail: oshoba@oshoba.it – Sito web: www.oshoba.it

A Pune, in India, è sempre più fiorente il Resort di meditazione che si ispira alla visione di Osho, tesa a creare un Uomo Nuovo, da lui definito "Zorba il Buddha", un essere che vive la propria vita con profonde radici nell'esistenza e ali maestose dispiegate nel cielo della consapevolezza.

Qui, ogni anno, giungono da tutto il mondo ricercatori del Vero consapevoli di trovare in questo habitat, immerso nella meditazione e nella concretezza della vita quotidiana, gli strumenti necessari per evolvere e apprendere l'arte di vivere in equilibrio e in pienezza tutte le dimensioni in cui la vita dell'essere umano si estende.

All'interno del Resort si trova la Osho Multiversity, una "multiuniversità dell'essere" che offre un'ampia gamma di corsi e programmi di crescita interiore.

Per informazioni e approfondimenti: www.osho.com

Indice

3   *Introduzione*

Parte prima
L'AMORE

7   Sdolcinature
10   Il reale e l'irreale: il primo passo
25   I meriti dell'egoismo
30   I due tipi d'amore
45   Il vero amore
55   Un inferno da attraversare
63   Alcuni interrogativi di fondo

Parte seconda
DALLA RELAZIONE AL RELAZIONARSI

97   Una luna di miele che non ha fine
102   Dalla lussuria all'amore e all'amare
107   Lasciate che vi sia spazio...
115   Il *koan* della relazione
120   Alcune domande chiave

Parte terza
LIBERTÀ

159   Tabula rasa
166   La schiavitù fondamentale
180   Attento ai papi
189   C'è vita dopo il sesso?
200   Ci vuole un villaggio...
214   Domande e risposte

Parte quarta
SOLITUDINE

239   La solitudine è la tua natura
248   Stranieri a noi stessi
250   Solitario ed eletto
269   Il leone e le pecore
277   Altri interrogativi...

Parte quinta
UN AMMONIMENTO DUE DONNE E UN MONACO

293   Un racconto Zen
318   Epilogo: abbracciare il paradosso
331   Un nuovo inizio: non evitare le contraddizioni